O tempo e o cão

Maria Rita Kehl

O tempo e o cão

A atualidade das depressões

2ª edição

Copyright © Boitempo Editorial, 2009
Copyright © Maria Rita Kehl, 2009

Coordenação editorial
Ivana Jinkings

Editor-assistente
Jorge Pereira Filho

Assistência editorial
Ana Lotufo, Elisa Andrade Buzzo e Thaisa Burani

Preparação
Mariana Echalar

Revisão
Soraya Misleh

Capa e diagramação
Antonio Kehl
a partir de xilogravura de Alberto Martins, sem título, 2005

Coordenação de produção
Juliana Brandt

Assistência de produção
Livia Viganó

CIP-BRASIL. CATALOGAÇÃO-NA-FONTE
SINDICATO NACIONAL DOS EDITORES DE LIVROS, RJ

K35t
2. ed.

Kehl, Maria Rita
   O tempo e o cão : a atualidade das depressões / Maria Rita Kehl. - 2. ed., [4. reimpr.] . - São Paulo : Boitempo, 2015.

   Inclui bibliografia
   ISBN 978-85-7559-473-5

   1. Depressão mental. 2. Psicanálise. I. Título.

15-28176.   CDD: 616.8527
                                                         CDU: 616.891.6

É vedada a reprodução de qualquer parte deste livro sem a expressa autorização da editora.

1ª edição: março de 2009; 1ª edição revista: dezembro de 2010;
2ª edição: dezembro de 2015; 7ª reimpressão: outubro de 2024

BOITEMPO
Jinkings Editores Associados Ltda.
Rua Pereira Leite, 373
05442-000 São Paulo SP
Tel.: (11) 3875-7250 / 3875-7285
editor@boitempoeditorial.com.br
boitempoeditorial.com.br | blogdaboitempo.com.br
facebook.com/boitempo | twitter.com/editoraboitempo
youtube.com/tvboitempo | instagram.com/boitempo

Sumário

Introdução – Depressão, temporalidade, sintoma social	13
Primeira Parte – Da melancolia às depressões	37
I A atualidade das depressões	39
II Um sujeito em desacordo com o Bem	61
III Melancolia e fatalismo	81
IV A recusa do depressivo	103
Segunda Parte – O tempo e o cão	109
V Os tempos do Outro	111
VI Bergson e a *duração*	137
VII Temporalidade e experiência	153
VIII A melancolia de Baudelaire e a lírica do choque	169
Terceira Parte – O recuo depressivo	191
IX Ceder de seu desejo: o vazio depressivo	193
X A depressão, terra de ninguém entre ser e ter	227
XI Um fantasma insuficiente	251
Epílogo – Condições sociais da transmissão da depressão	273
Bibliografia	299
Sobre a autora	311

Morrerei de um câncer na coluna vertebral

Morrerei de um câncer na coluna vertebral
Será numa noite horrível
Clara, quente, perfumada, sensual
Morrerei de um apodrecimento
De certas células pouco conhecidas
Morrerei de uma perna arrancada
Por um rato gigante surgido de um buraco gigante
Morrerei de cem cortes
O céu terá desabado sobre mim
Estilhaçando-se como um vidro espesso
Morrerei de uma explosão de voz
Perfurando minhas orelhas
Morrerei de feridas silenciosas
Infligidas às duas da madrugada
Por assassinos indecisos e calvos
Morrerei sem perceber
Que morro, morrerei
Sepultado sob as ruínas secas
De mil metros de algodão tombado
Morrerei afogado em óleo de cárter
Espezinhado por imbecis indiferentes
E, logo a seguir, por imbecis diferentes
Morrerei nu, ou vestido com tecido vermelho
Ou costurado num saco com lâminas de barbear
Morrerei, quem sabe, sem me importar
Com o esmalte nos dedos do pé
E com as mãos cheias de lágrimas
E com as mãos cheias de lágrimas

Morrerei quando descolarem
Minhas pálpebras sob um sol raivoso
Quando me disserem lentamente
Maldades ao ouvido
Morrerei de ver torturarem crianças
E homens pasmos e pálidos
Morrerei roído vivo
Por vermes, morrerei com as
Mãos amarradas sob uma cascata
Morrerei queimado num incêndio triste
Morrerei um pouco, muito,
Sem paixão, mas com interesse
E quando tudo tiver acabado
Morrerei.

Boris Vian
(tradução de Ruy Proença)

Dedicado a meus filhos, Luan e Ana, que me ensinaram o valor do tempo e da lentidão. E ao Felipe, que nunca se apressa.

Nota da edição

Em sua pesquisa, a autora consultou traduções para o espanhol de textos de Sigmund Freud e Jacques Lacan feitas, respectivamente, pelas editoras Biblioteca Nueva e Siglo Veintiuno. Os trechos reproduzidos neste livro foram traduzidos livremente. Na primeira citação dessas obras, indicamos ao leitor a versão correspondente em português. As epígrafes anônimas, que constam da abertura de alguns capítulos e subcapítulos, foram extraídas de depoimentos de pacientes feitos à autora.

Introdução
Depressão, temporalidade, sintoma social

O projeto deste livro data do fim de 2004 quando, depois de mais de vinte anos de prática clínica em psicanálise, julguei-me em condições de atender a pessoas que buscavam análise por se declararem deprimidas. Até então vinha encaminhando tais demandas a colegas mais experientes, intimidada por uma ocorrência de suicídio pela qual me senti parcialmente responsável porque não percebi a gravidade de uma situação que se apresentou no consultório, em meus primeiros anos de clínica. A partir do momento em que me dispus a enfrentar o fantasma da autodestruição que ameaça a transferência do analista com pacientes depressivos, surpreendi-me com a rapidez com que comecei a aprender com eles, mais do que com qualquer outra experiência na minha clínica.

Resgatar a clínica das depressões do campo exclusivo da psiquiatria me parece um desafio ante o qual o psicanalista não pode recuar. O aumento assombroso dos diagnósticos de depressão nos países do Ocidente, desde a década de 1970, poderia ser interpretado simplesmente como efeito do empenho da indústria farmacêutica em desenvolver e difundir técnicas de diagnóstico favoráveis ao uso (quando não ao abuso) dos antidepressivos lançados a cada ano no mercado[1]. Mas também pode indicar que o homem contemporâneo está particularmente

---

[1] A Organização Mundial da Saúde (OMS) estima que a depressão, no início dos anos 2000, acometia 6% da população mundial e prevê que, até 2020, terá se tornado a segunda causa de morbidade no mundo industrializado, precedida apenas pelas doenças cardíacas. Dados da OMS extraídos da reportagem de Chris Martinez sobre os vinte anos do Prozac, "Uma indústria do bem-estar", *Valor Econômico*, São Paulo, 7/12/2007.

sujeito a deprimir-se. A segunda hipótese não exclui a primeira, mas indica outra abordagem do problema. Embora o tratamento dos casos de depressão não seja normalmente atribuído ao campo da psicanálise e sim ao da psiquiatria, concordo com Colette Soler[2], para quem a inconsistência do conceito de depressão não deve nos desencorajar a pensar psicanaliticamente os fenômenos depressivos que chegam a nossa clínica.

Tenho constatado em minha prática analítica que aquilo que chamamos, sem grande precisão, de *depressão* é um quadro mais próximo da clínica das neuroses do que das psicoses. Quando um psicanalista ou um psiquiatra se refere a uma depressão psicótica ou "endógena", é bem provável que se refira a uma melancolia, não a uma depressão. Isso vale inclusive para as depressões consideradas crônicas, que também podem ser, senão curadas, ao menos tratadas com os recursos da psicanálise. As depressões participam das estruturas neuróticas, mas é preciso tentar compreender sua singularidade. Não se confundem com estados de ânimo tais como tristeza, abatimento, desânimo, inapetência para a vida, embora todos estes participem também do sofrimento do depressivo. Por outro lado, também não se confundem com as ocorrências depressivas esporádicas a que todo neurótico está sujeito em razão de perdas, fracassos ou lutos mal-elaborados.

Na clínica psicanalítica recebemos com frequência pessoas que se queixam de não ter jamais experimentado, tanto quanto sejam capazes de se lembrar, outro modo de estar no mundo que não seja a depressão, com raros intervalos de alívio passageiro. O tipo de endereçamento transferencial de suas interrogações ante o analista nos leva a concluir que essas pessoas são neuróticas; mas o sentimento de vazio que as abate, a lentidão mental e corporal, o abatimento profundo em que se encontram, exigem um pouco mais de cautela em sua avaliação. A questão que se coloca é: o que acontece, na origem de certas entradas na neurose, que abate o sujeito de uma forma tão avassaladora desde muito cedo?

Depois de um tempo de análise, que pode ser mais ou menos longo, a estrutura neurótica de um depressivo começa a ganhar nitidez. Entendemos, então, que aquele que se apresentou como cronicamente deprimido participa de uma histeria, ou de uma neurose obsessiva, mas sua depressão teria comprometido desde o

---

[2] Colette Soler, "Un plus de mélancolie", em Colette Soler (org.), *Des mélancolies* (Paris, Éditions du Champ Lacanien, 2001), p. 101: "A inconsistência da noção de depressão não é evidentemente motivo para que os fenômenos depressivos desanimem o pensamento. Devem ser incluídos no conjunto multivariado dos sofrimentos que endereçamos ao psicanalista".

início a estrutura, no que concerne tanto à posição do sujeito quanto à formação dos mecanismos de defesa característicos de cada neurose. O que decide, durante o atravessamento do complexo de Édipo, a saída pela depressão (crônica) para alguns sujeitos neuróticos? O que foi que o pequeno sujeito deixou de levar a cabo, em sua constituição, para ter se tornado, antes de um histérico ou de um obsessivo, um depressivo?

Entendo que a posição do depressivo[3] decorre de uma escolha, no sentido freudiano de "escolha das neuroses", que se dá no momento em que o pai imaginário se apresenta como rival da criança, no segundo tempo do atravessamento do complexo de Édipo. A escolha precoce do futuro depressivo seria a de se retirar do campo da rivalidade fálica: em vez de disputar o falo com o pai (e perder para ele...), o depressivo teria preferido recuar, permanecendo sob o abrigo da proteção materna. Em consequência desse recuo, ao contrário do que ocorre no percurso normal do neurótico, o depressivo defende-se mal da castração – a qual, nesse ponto da constituição do sujeito, já terá ocorrido, a partir do momento em que o discurso da mãe indica à criança o lugar que o pai ocupa diante do desejo dela. Ocorre que o futuro depressivo se detém a meio caminho do percurso em que os histéricos e obsessivos definem sua posição fantasmática: ao invés de enfrentar a rivalidade fálica, na tentativa de reverter os efeitos da perda que *já ocorreu*, os depressivos "escolhem" permanecer na condição de castrados. Isso não significa que tenham simbolizado a castração. Tampouco se trata das versões imaginárias da castração entendida como privação ou frustração, e sim de abster-se da reivindicação fálica, colocando-se sob o abrigo da *castração infantil*. Isso não significa que não existam paixões de rivalidade nos depressivos. Se eles recuam, é porque não admitem o risco da derrota nem a possibilidade de um segundo lugar. Ao colocar-se ante a exigência de "tudo ou nada", acabam por instalar-se do lado do nada.

O depressivo não enfrenta o pai. Sua estratégia é oferecer-se como objeto inofensivo, ou indefeso, à proteção da mãe. O gozo dessa posição protegida custa ao sujeito o preço da impotência, do abatimento e da inapetência para os desafios que a vida virá lhe apresentar. Além disso, existe um engodo nesse ato de oferecer-se como indefeso e dependente da proteção do Outro: ao apresentar-se como alheio aos enfrentamentos com o falo, o depressivo não desenvolve recursos

---

[3] Apesar da semelhança inevitável entre os termos – e na falta de expressão mais adequada –, é importante diferenciar a posição do depressivo do conceito de *posição depressiva* em Melanie Klein. Ver capítulo X, p. 243-4.

para se proteger da ameaça de ser tomado como objeto passivo da satisfação de uma mãe que se compraz com o exercício de sua potência diante da criança fragilizada. Esse lugar, de objeto passivo dos cuidados maternos, não equivale ao lugar do pai como aquele que faz a lei para o desejo da mãe no plano erótico; o depressivo, insisto, é um sujeito castrado.

Em razão da fragilidade de sua posição na estrutura, este que reage aos enfrentamentos com seu desejo abrigando-se em uma depressão está mais acessível ao saber recalcado sobre a castração do que os neuróticos, digamos, mais bem sustentados em sua posição. Esse saber, pelo qual ele evita, precariamente, se responsabilizar, parece ao depressivo ser a causa de seu sofrimento. Não é. A posição do depressivo é consequência, além do recuo ante o enfrentamento com o pai, da tentativa de recuar também ante um saber que se impõe a todo sujeito, seja pela via do sonho, do lapso ou do sintoma. É ao tentar ignorá-lo que o depressivo se aniquila subjetivamente.

A mesma tentação da demissão ante o desejo que acomete o neurótico conduz grande parte dos depressivos a buscar salvação em tratamentos medicamentosos. Plenamente apoiados pela ideologia de nossa sociedade científico-mercadológica e pela oferta abundante de antidepressivos, muitos sujeitos buscam em um tratamento exclusivamente psiquiátrico a condição ideal para evitar o enfrentamento com suas questões subjetivas. Na falta de condições que lhes permitam elaborar o sentido de seu abatimento, muitos depressivos se apressam em concordar com a ideia de que sofrem de algum tipo de déficit. Não há, entre os discursos hegemônicos da vida contemporânea, nenhuma referência valorativa dos estados de tristeza e da dor de viver, assim como do possível saber a que eles podem conduzir. O mundo contemporâneo demonizou a depressão, o que só faz agravar o sofrimento dos depressivos com sentimentos de dívida ou de culpa em relação aos ideais em circulação.

O tempo do sujeito e os tempos do Outro

Se o projeto deste livro se deve ao início de algumas análises com pessoas depressivas, o processo mental de sua escrita inaugurou-se no dia em que atropelei um cachorro. Foi um acidente anunciado, com poucos segundos de antecipação, e mesmo assim inevitável, por conta da velocidade normal dos acontecimentos na atualidade. Mal nos damos conta dela, a banal velocidade da vida, até que algum mau encontro venha revelar a sua face mortífera. Mortífera não apenas contra a vida do corpo, em casos extremos, mas também contra a delicadeza inegociável da vida psíquica. Naquele dia, acossada pelos caminhões que vinham atrás de mim em uma autoestrada, ainda pude ver pelo retrovisor que o animal ferido conseguiu atravessar o resto da rodovia e embrenhar-se no mato. Em questão de segundos, não escutei mais seu uivo de dor nem pude conferir o dano que lhe fiz. O cão deixou de existir em meu campo perceptivo, assim como poderia ter sido definitivamente forcluído do registro da minha experiência; seu esquecimento se somaria ao apagamento de milhares de outras percepções instantâneas às quais nos limitamos a reagir rapidamente para em seguida, com igual rapidez, esquecê-las.

Fiz o resto do trajeto assustada pela quase morte que teria sido tão fácil provocar. O cão era feioso, cor de cinza sujo. Magro e esguio, lembrava um parente distante do galgo, o animal símbolo da melancolia na iconografia do Renascimento. A melancolia renascentista, é importante dizer, tem menos parentesco com a melancolia freudiana do que com o *spleen* que nos transmitem certos cães e certas gentes – suspirosos, pensativos, resignados à espera de um afago, de uma ordem ou sabe-se lá do quê. À espera de um sinal do Outro que lhe indique o desejo a que ele deve responder.

Poucos minutos depois do acidente, ainda na estrada, comecei a esboçar em pensamento um texto a respeito da brutalidade da relação dos sujeitos contemporâneos com o tempo. Do mau encontro que poderia ter acabado com a vida daquele cão, restou uma ligeira mancha escura no meu para-choque. Foi tão rápido o choque que não teria se transformado em acontecimento se eu não sentisse a necessidade de recorrer à cena diversas vezes, em pensamento, ao longo dos vinte quilômetros que ainda me faltavam percorrer até o meu destino. Se não tivesse lido, poucos meses antes, as reflexões de Walter Benjamin sobre a poesia de Baudelaire, a qual, segundo o filósofo, anuncia o caráter de choque da experiência da modernidade, diante da qual o poeta (melancólico?) teria assumido a tarefa de produzir um anteparo simbólico.

O acidente da estrada me fez refletir a respeito da relação entre as depressões e a experiência do tempo, que na contemporaneidade praticamente se resume à experiência da velocidade. Vivem em outra temporalidade os remanescentes dos antigos melancólicos, equivalentes aos depressivos de hoje. Sofrem de um sentimento do tempo estagnado, desajustados do tempo sôfrego do mundo capitalista. Não que a razão de sua resistência seja política – ao menos que se considere a dimensão pública da linguagem que enlaça o sujeito do inconsciente ao campo do Outro. Mas se o que motiva a lentidão do depressivo não é uma intenção política, o efeito de sua incapacidade de colocar-se em sintonia com a urgência contemporânea acaba por oferecer resistência às modalidades de gozo oferecidas. Não que o depressivo não goze; o gozo, perigosamente próximo ao domínio da pulsão de morte, participa de um modo singular da economia da depressão. Parafraseando Freud, diria que o depressivo quer gozar, mas *à sua maneira*. Essa é uma maneira particularmente lenta.

Talvez por isso a indústria farmacêutica se empenhe tanto em curá-lo, em manter ignorado o saber que se esconde sob sua obstinada recusa em inserir-se no tempo do Outro.

Pierre Fédida, que considera a *depressividade* (em oposição aos estados depressivos) uma qualidade fundamental, senão a própria condição do trabalho psíquico, escreve que "a psicanálise freudiana constitui, com sua psicopatologia e sua clínica, a única tentativa para manter no centro da experiência humana a função de uma negatividade (pulsão de morte, destrutividade, culpabilidade, masoquismo originário), entrando na compreensão da subjetividade da vida psíquica"[4]. De acordo com Fédida, é possível compreender que na origem da depressão se encontra uma questão do sujeito com o tempo. Entendo que o depressivo foi arrancado de sua temporalidade singular; daí sua lentidão, tão incompreensível e irritante para os que convivem com ele. Ele não consegue entrar em sintonia com o tempo do Outro. Fédida enfatiza o valor da lentidão que caracteriza o percurso de uma psicanálise para sujeitos deprimidos. Para ele, a aceleração imposta aos atos mais corriqueiros da vida cotidiana contribui para uma "pauperização da vida psíquica", na forma de uma "desaparição normalizada do tempo da comunicação humana"[5].

Talvez aqueles que, na contramão das promessas de quimioterapias milagrosas, procuram a psicanálise, estejam em busca de tempo. A psicanálise, independentemente do tempo de duração das sessões, é um percurso em que *o tempo não deve contar*. Nesse sentido, ela oferece a possibilidade de um (re)encontro do sujeito psíquico com a temporalidade perdida – a começar pela recuperação da experiência atemporal das manifestações do inconsciente.

---

[4] Pierre Fédida, *Os benefícios da depressão: elogio da psicoterapia* (trad. Martha Gambini, São Paulo, Escuta, 2002), p. 14.

[5] Ibidem, p. 15.

Mas essa não é a única razão pela qual os depressivos continuam a chegar aos consultórios dos psicanalistas. Muitos procuram uma psicanálise porque já não suportam o empobrecimento da vida interior produzido pelo uso prolongado do antidepressivo. Outros, porque julgam que as várias experiências com psicofármacos não surtiram o efeito esperado, ou deixaram de fazer efeito depois de um período de uso mais ou menos prolongado – o que é mais frequente do que se acredita. Ou ainda porque o tratamento medicamentoso não foi capaz de torná-los totalmente inapetentes para falar e eles vêm em busca de escuta. Mesmo aqueles que imaginam que o psicanalista há de lhes vender "bons conselhos" sobre como se adaptar à vida social estarão, em pouco tempo, mais interessados em escutar a si mesmos do que em "aprender" a atender a demanda do Outro a partir do suposto saber do analista.

O depressivo é mais acessível ao seu saber inconsciente do que os neuróticos mais bem sustentados pelos mecanismos e recursos próprios da estrutura. Como já se encontra instalado em um vazio de sentido no que se refere às defesas imaginárias contra a castração e, consequentemente, revela uma pobreza tanto na produção de fantasias quanto nos recursos defensivos próprios das neuroses, o depressivo pode confundir o analista com o que parece, desde o início da análise, efeito do atravessamento do fantasma. Não é. O depressivo, embora pareça "conformado" com a sua castração, não conhece o valor dela como motor e causa de seu desejo. A castração para ele é uma ferida aberta que, além de *envergonhá-lo,* não para de doer. Nisso consiste a *dor moral* do depressivo, prova de que ele, embora conheça a castração, não é capaz de simbolizá-la.

Penso que o analista deve entender que uma parte do encaminhamento do final de análise de um depressivo se dá *per via de porre* e não *per via de levare.* É claro que quem deve *pôr* significantes ali é o analisante, e não a sugestão do analista. É preciso convidar o depressivo a ter coragem de apostar em alguma construção de sentido para contrapor ao vazio de sentido que o abate. Isso equivale a construir uma via que o represente como sujeito desejante. Só ele pode ser o autor de novas combinações de significantes capazes de dar um sentido positivo à castração, como motor do desejo.

Por outro lado, a diferença entre a inflação de significações que sustentam, no imaginário dos neuróticos, a fantasia sobre as demandas de um Outro como suposto ser de amor e a construção de sentido necessária na análise dos depressivos é que estes últimos já sabem, de antemão, que a vida é vazia de significação[6]. "*Psíquico* – assim se

---

[6] Colette Soler, "Un plus de mélancolie", cit., p. 105: "É que se deve sentir outra coisa: para além da impotência dos argumentos e da inadequação das tentativas de persuasão, [...] ele revela lateralmente

pode nomear o vazio", escreveu em outro texto Pierre Fédida[7]. "O vazio seria o protótipo depressivo da psique – *o órgão psíquico plenamente investido sem representação*[8]."

O que abate o depressivo não é propriamente o vazio, é o desconhecimento do que causa seu desejo. O saber sobre o vazio, que por um lado serve de argumento a seu desejo de prostração, por outro abre uma grande perspectiva de mobilidade no campo simbólico; o depressivo, em sua via de cura, é capaz de inventar objetos que respondam à falta daquele que causou seu desejo, já que: "não há causa senão depois da emergência do desejo"[9].

Tal encontro não se dá de imediato. A relação dos depressivos com o tempo faz com que nas primeiras semanas de tratamento a perspectiva de atravessar o percurso de uma análise possa parecer assustadora. Mas a partir do momento em que se efetua a passagem fundamental, de um tempo "que não passa"[10] a um tempo "que não conta"[11], a lentidão necessária a um percurso psicanalítico joga a favor do depressivo e permite-lhe suportar o enfrentamento com a falta de sentido, própria dos fundamentos do psiquismo. Do insuportável desse vazio, contra o qual ele se refugia na depressão (aumentando assim, a cada dia, o tamanho do abismo), o depressivo estabelece uma relação particular com a verdade de sua condição. O tempo que não passa, nas depressões, é a temporalidade em suspenso, que não se ancora em nenhuma representação esperançosa do *devir*.

Mas é importante não confundir depressão e melancolia. Muito menos imaginar que a diferença entre uma e outra seja de grau, sendo a melancolia uma forma mais grave de depressão. Apesar das diversas coincidências *sintomáticas*, a

---

o não motivo do apego ao mundo – que não é, entretanto, sem causa [...] e, evidenciando a contingência radical do que cremos ser 'o sentido' da vida, ele exige do interlocutor o que Lacan chamou de "*joint plus intime au sentiment de la vie* [vínculo mais íntimo ao sentimento da vida]".

[7] Pierre Fédida, "O vazio da metáfora e o tempo do intervalo", em *Depressão* (trad. Martha Gambini, São Paulo, Escuta, 1999), p. 71.

[8] Ibidem, p. 89.

[9] Jacques Lacan, "Introdução aos Nomes-do-Pai" (1973), em *Nomes-do-Pai* (trad. André Telles, Rio de Janeiro, Jorge Zahar, 2005), p. 65.

[10] A expressão refere-se ao livro de Jean-Bertrand Pontalis, *Ce temps qui ne passe pas* (Paris, Gallimard, 1997).

[11] Paul Valéry, citado em Walter Benjamin, "O narrador: considerações sobre a obra de Nikolai Leskov" (1936), em *Obras escolhidas: magia e técnicas, arte e política* (trad. Sérgio Paulo Rouanet, São Paulo, Brasiliense, 1996).

depressão é muito diferente da melancolia. A desesperança no melancólico, por exemplo, tem a ver com o fato de o Outro, em sua primeira versão imaginária (materna), não ter conferido ao recém-nascido um lugar em seu desejo. O melancólico ficou preso em um tempo morto, um tempo em que o Outro deveria ter comparecido, mas não compareceu. Já o tempo morto do depressivo funciona como refúgio contra a urgência das demandas de gozo do Outro. Em seu refúgio, o depressivo tenta se poupar do imperativo de satisfazer o Outro; no entanto, quanto mais ele se esconde, mais fica à mercê Dele[12].

Se o melancólico representa a si mesmo como alguém sem futuro, uma vez que na origem da constituição do sujeito o Outro não esperava nada dele, o depressivo recua de todo movimento adiante na tentativa de adiar ao máximo o encontro com um Outro excessivamente voraz.

O "tempo que não conta", na expressão de Paul Valéry, é o contrário desse tempo em suspenso diante da demanda do Outro. É uma experiência da temporalidade em que o fio do tempo deixa de ser tensionado pelo Outro para ser tecido pelo sujeito, no ritmo que lhe é próprio, ao sabor de suas inclinações. Tal relação de autonomia diante da passagem inevitável do tempo só se torna plenamente possível ao fim de uma análise. Mas, nas depressões, ela se esboça desde as primeiras sessões, graças à inconsistência das formações imaginárias que sustentam a fantasia – inconsistência esta que se encontra na origem de sua inapetência para a vida. Desde que o anteparo contra o excesso de angústia fornecido pela presença corporal do analista, pelo olhar do analista[13], torne suportável o confronto com a ausência de um sentido previamente estabelecido para sua existência, o depressivo é capaz de se valer da lentidão a seu favor. O tempo vazio estende-se diante dele como a página branca de um novo texto, que a ele somente cabe escrever. Sem pressa. Se o gozo que o Outro lhe exige está acima de suas forças – e está mesmo, para seu desespero e para sua sorte – e a tentação do gozo mortífero da depressão tornou-se ameaçadora demais, nada lhe resta senão tomar o tempo que o analista lhe oferece em suas próprias mãos.

---

[12] Ver Dominique Fingermann e Mauro Mendes Dias, *Por causa do pior* (São Paulo, Iluminuras, 2005).

[13] Nem sempre é conveniente indicar ao depressivo o uso do divã; voltarei a esse ponto mais adiante.

Um sintoma social

Na Primeira Parte deste livro, defendo a possibilidade de se entender o aumento contemporâneo das depressões como um sintoma social. Começo por abordar a relação entre os diversos sentidos pré-freudianos da melancolia e a perda do lugar dos sujeitos junto ao Outro, tomado em sua versão imaginária. Minha hipótese é de que as depressões, na contemporaneidade, ocupam o lugar de sinalizador do "mal-estar na civilização" que desde a Idade Média até o início da modernidade foi ocupado pela melancolia. Quando Freud quis resgatar para o terreno da psicanálise o entendimento das então chamadas "psicoses maníaco-depressivas", utilizou o significante "melancolia" para diferenciar a psicanálise da psiquiatria do século XIX e início do século XX. Com isso, ao mesmo tempo que ampliou o campo de intervenção da clínica psicanalítica, Freud rompeu com a longa tradição ocidental para a qual o melancólico era entendido como um sujeito que ocupava uma posição excepcional, ou excêntrica, no laço social.

Analisar as depressões como uma das expressões do sintoma social contemporâneo significa supor que os depressivos constituam, em seu silêncio e em seu recolhimento, um grupo tão incômodo e ruidoso quanto foram as histéricas no século XIX. A depressão é a expressão de mal-estar que *faz água* e ameaça afundar a nau dos bem-adaptados ao século da velocidade, da euforia *prêt-à-porter*, da saúde, do exibicionismo e, como já se tornou chavão, do consumo generalizado. A depressão é sintoma social porque desfaz, lenta e silenciosamente, a teia de sentidos e de crenças que sustenta e ordena a vida social desta primeira década do século XXI. Por isso mesmo, os depressivos, além de se sentirem na contramão de seu tempo, veem sua solidão agravar-se em função do desprestígio social de sua tristeza. Se o tédio, o *spleen*, o luto e outras formas de abatimento são malvistos no mundo atual, os depressivos correm o risco de ser discriminados como doentes contagiosos, portadores da má notícia da qual ninguém quer saber. "Entre nós, hoje em dia, o '*blues*' não é compartilhável", escreve Soler. "Uma civilização que valoriza a competitividade e a conquista, mesmo se em última análise esta se limite à conquista do mercado, uma tal civilização não pode amar seus deprimidos, mesmo que ela os produza cada vez mais, a título de doença do discurso capitalista[14]."

---

[14] Colette Soler, "Un plus de mélancolie", cit., p. 105.

A falta de empatia que encontramos em nossa cultura pelos depressivos costuma ter, entre os adolescentes, efeitos catastróficos; não é incomum que meninos e meninas de catorze ou quinze anos se precipitem em tentativas de suicídio (por vezes fatais) não tanto em função da gravidade de seu quadro depressivo – que poderia muito bem ser um episódio passageiro, característico da chamada crise adolescente –, mas por não suportarem a imensa perda de autoestima, os sentimentos de incompreensão e de isolamento provocados pelo estigma da depressão, que afasta amigos e os torna alvo de chacotas e de sérios preconceitos. A depressão entre os adolescentes é a mais inconveniente expressão do mal-estar psíquico. Ela "desafina o coro dos contentes"[15]: nisso consiste seu caráter de sintoma social.

Tomo a expressão sintoma social, em primeiro lugar, para designar o sintoma, ou a estrutura clínica, que se encontra em tal desacordo com a normatividade social que acaba por denunciar as contradições do discurso do Mestre.

Em "Inibição, sintoma e angústia", texto que devo retomar várias vezes na Terceira Parte deste livro, Freud utiliza a expressão *vantagens secundárias* para referir-se aos casos em que o sintoma neurótico cumpre sua função, sempre *sobredeterminada* – tanto de mecanismo de defesa contra o recalcado quanto de meio substitutivo de satisfação libidinal –, sem perturbar a relação do eu (ego) com seus ideais:

> O eu é uma organização; baseia-se no livre comércio de todos os seus componentes entre si e na possibilidade de sua influência recíproca; sua energia dessexualizada revela ainda sua procedência na aspiração à união e à unificação, e essa necessidade de síntese se faz mais forte em razão direta do aumento da força do eu.[16]

O mais comum, entre os que procuram a ajuda dos psicanalistas, é que a luta contra o recalcado seja agravada pela luta do eu contra o sintoma, que perturba seu ideal de integridade narcísica. O sintoma frequentemente escapa ao controle do eu. No entanto, Freud admite que em alguns casos os sintomas podem estar em sintonia com o ego. Alguns sintomas estariam, para o neurótico, em harmonia com as outras funções egoicas e com o narcisismo do eu. São os casos

---

[15] Verso de Torquato Neto, poeta piauiense que se suicidou aos 28 anos no Rio de Janeiro, em 1972.
[16] Sigmund Freud, "Inhibición, síntoma y angustia" (1925-1926), em *Obras completas* (trad. Jose Luis López-Ballesteros, Madri, Biblioteca Nueva, 1976), v. III, p. 2840. [Ed. bras.: "Inibições, sintomas e ansiedade", em *Obras psicológicas completas*, Rio de Janeiro, Imago, 2006, v. XX.]

em que as vantagens secundárias do sintoma contribuem para a resistência à cura em análise, casos em que o sujeito não quer abrir mão dos ganhos secundários que os sintomas lhe proporcionam. Por vezes, esses ganhos são claramente *adaptativos*, a depender do que o grupo social exige de seus membros.

O mesmo vale para as estruturas neuróticas. O sofrimento de um depressivo (chamado, então, de melancólico[17]) que vivesse no apogeu do Romantismo oitocentista estaria tão adequado à cultura e aos valores de sua época quanto um perverso hospedado no castelo do marquês de Sade. A histeria continua a causar muito sofrimento a muita gente; mas as histéricas, que tanto incomodaram a sociedade vitoriana, hoje passam despercebidas: seus sintomas estão em perfeita conformidade com as condições atuais do discurso do Mestre. Já os obsessivos, a não ser nos casos extremos em que a neurose lhes cobrasse o preço de graves estereotipias e inibições, representaram o protótipo do burguês bem adaptado do período em que Freud viveu. Hoje, os obsessivos se veem caricaturados e ridicularizados pela cultura de massas, rejeitados e isolados pelas turmas de jovens (os quais tornaram-se, a partir dos movimentos contestatórios da década de 1960, a mais perfeita tradução da nova norma social) como aqueles últimos chatos que ainda levam a sério a autoridade do pai imaginário[18].

Se as estruturas clínicas não variam, as condições de adaptação dos neuróticos ao seu meio social dependem inteiramente das condições da cultura[19]. Os sintomas da depressão não oferecem, hoje, nenhuma vantagem secundária para ajudar o depressivo a viver entre seus semelhantes.

Ainda assim, é preciso reconhecer que a ideia de sintoma social é controversa na psicanálise. Em primeiro lugar, porque a sociedade não é um sujeito; em segundo lugar, porque o sintoma social, embora não tenha outra expressão além daquela dos sujeitos que atuam e sofrem, não se reduz ao somatório dos sintomas singulares em circulação. Por fim, se há sintoma social, será possível estabelecer na sociedade um desejo recalcado da mesma ordem do desejo inconsciente no sujeito?

Vamos por partes.

---

[17] Ver capítulo I, p. 39.

[18] Ver Maria Rita Kehl, "A necessidade da neurose obsessiva", em Associação Psicanalítica de Porto Alegre (org.), *A necessidade da neurose obsessiva* (Porto Alegre, APPOA, 2003).

[19] Ver Alejandro Viviani, "Algumas palavras", prefácio de *Textura, revista de psicanálise*, São Paulo, Publicação das Reuniões Psicanalíticas, ano 6, n. 6, 2006.

1. *O inconsciente, entre o individual e o social*

É evidente que todo agrupamento social padece, de alguma forma, dos efeitos de sua própria inconsciência, embora não se possa dizer que esse "inconsciente social" seja da mesma ordem do inconsciente "individual" do sujeito da psicanálise. São "inconscientes" em uma sociedade tanto as passagens de sua história relegadas ao esquecimento quanto as expressões silenciadas de minorias cujos anseios não encontram meios de se expressar. Excluído das possibilidades de simbolização, o mal-estar silenciado acaba por se manifestar *em atos* que devem ser decifrados, de maneira análoga aos sintomas daqueles que buscam a clínica psicanalítica.

Por outro lado, tampouco se pode afirmar que o inconsciente freudiano seja estritamente individual. Em "Função e campo da palavra e da linguagem em psicanálise", Lacan escreve que o domínio do discurso (que caracteriza a originalidade do método psicanalítico) é o "campo da realidade transindividual do sujeito". "O inconsciente é aquela parte do discurso concreto enquanto transindividual que não está à disposição do sujeito para restabelecer a continuidade de seu discurso consciente[20]."

Daí o valor da transferência como um dos quatro "conceitos fundamentais da psicanálise". O manejo da transferência pelo analista institui o lugar de onde há de voltar, para o analisando, outro sentido de sua palavra.

"Na perspectiva analítica", escreve Marie-Hélène Brousse, "a oposição individual/coletivo não é válida, e o desejo que o sujeito visa decifrar é sempre o desejo do Outro"[21]. Ocorre que o Outro não está em lugar algum; ele é a própria condição que move o sujeito em suas empreitadas para fazer-se reconhecer através do uso da linguagem, essa moeda cuja função é apenas ser passada de mão em mão, independentemente da cifra apagada que um dia teria simbolizado seu valor[22].

As formações do inconsciente, como fenômenos de linguagem, são tributárias da estrutura desse órgão coletivo, público e simbólico que é a língua em suas di-

---

[20] Jacques Lacan, "Función y campo de la palabra y del lenguaje en psicoanálisis" (1953), em *Escritos* (trad. Tomás Segovia, Madri/México, Siglo Veintiuno, 1994), v. I, p. 248. [Ed. bras.: *Escritos*, Rio de Janeiro, Jorge Zahar, 1998.]

[21] Marie-Hélène Brousse, "O analista e o político: alcançar em seu horizonte a subjetividade de sua época", em Carmen Silvia Cervelatti (org.), *O inconsciente é a política* (São Paulo, EBP, 2003), p. 17.

[22] Jacques Lacan, "O simbólico, o imaginário e o real", em *Nomes-do-Pai*, cit., p. 27: "[...] isso não é outra coisa que não, de certa forma, fazer-se reconhecer, o que justificaria Mallarmé ao dizer que a linguagem era comparada a *essa moeda apagada que se passa de mão em mão em silêncio*".

ferentes formas de uso. No *Seminário 14: a lógica do fantasma*, Lacan radicalizou essa relação ao propor a fórmula "o inconsciente é a política". Nas palavras de Vladimir Safatle: "[...] *o inconsciente é a linguagem* enquanto ordem social que organiza previamente o campo de toda experiência possível"[23].

Se o inconsciente é o "discurso do Outro", as condições que organizam o laço social estão presentes em sua fundação, já que o discurso é exatamente o que organiza e delimita o gozo (do Outro). As sociedades diferem entre si quanto aos dispositivos discursivos de barrar o gozo, assim como quanto às possibilidades de gozo em oferta. Uma vez que "a dialética do desejo não é individual [...], o analista encontra-se em posição de deciframento do simbólico, ou seja, [...] deciframento do Outro enquanto efeito da língua"[24]. Assim, a prática do analista exige que ele se esforce para "alcançar, em seu horizonte, a subjetividade de sua época"[25].

Na via que vai do particular ao coletivo, uma parte das manifestações do sujeito do inconsciente diz respeito aos restos não simbolizados da ordem social, restos estes excluídos do campo dos fenômenos que a língua é capaz de decifrar. Isso não faz da clínica psicanalítica uma prática sociológica; a repercussão da vida social nas falas dos analisandos não nos poupa de escutá-los, um a um, na singularidade de sua posição subjetiva e de suas manifestações sintomáticas.

A partir das práticas discursivas que caracterizam uma sociedade, podemos pensar que o que permanece "inconsciente" na vida social são os fragmentos não simbolizados do Real, à margem das formações de linguagem que organizam o campo coletivo da experiência. O recorte que a linguagem opera sobre o Real deixa sempre um resto. O efeito de recorte que a linguagem promove sobre o corpo vivo do bebê, por exemplo, organiza o funcionamento dos órgãos vitais a partir do laço social. A linguagem, mediada pelo discurso da mãe, transforma o corpo do *infans* de pedaço de carne em corpo erógeno, organizado e barrado pelo Outro. Mas tal operação da linguagem, pela própria definição de *recorte*, deixa um resto – resto de gozo, resto de pulsão – sempre por simbolizar. Nisso consiste o caráter irredutível do que a psicanálise chama de pulsão de morte.

---

[23] Vladimir Safatle, *Folha explica Lacan* (São Paulo, Publifolha, 2007), p. 45.

[24] Rômulo Ferreira da Silva, "Comentário à Conferência 2", em Carmen Silvia Cervelatti (org.), *O inconsciente é a política*, cit., p. 35.

[25] Jacques Lacan, "Función y campo de la palabra y del lenguaje en psicoanálisis", cit., p. 309.

2. O sintoma e os traumas sociais

Por sua vez, o conceito de sintoma diz respeito necessariamente ao laço social. Tomo a definição precisa de Colette Soler: "O sintoma não é só um 'modo de dizer', mas, dentro do próprio sofrimento, *modo de gozar*, formação erótica substitutiva, modalidade do laço social"[26]. O sintoma dirige-se a um outro (seja este ou não o analista) que o neurótico elege como representante autorizado do Outro. A cada civilização correspondem algumas modalidades de gozo para "suprir a relação sexual faltante"[27].

Aquilo que Freud qualificava, por eufemismo, de mal-estar, tendo tomado com o tempo sua dimensão industrial, a civilização estende a cada um o artifício de suas ciladas de gozo: consumo (oral), acumulação (anal), olhar onipresente, voz por toda parte. Mas, à nova abundância, novos males: os excluídos em primeiro lugar, que sonham entrar na roda; e para os incluídos, a inanição da insaciável corrida aos pequenos supérfluos, a impotência em aplacar a sede... de Outra coisa[28].

Nenhuma reflexão crítica sobre a ordem social pode prescindir da análise dos dispositivos de engajamento libidinal dos sujeitos nas estruturas simbólicas que a determinam.

O Real, inatingível pelas formações da linguagem, só pode ser inconsciente; é desse campo não organizado pelo significante que advém o trauma, em sua dupla inscrição: tanto de gozo quanto de invasão violenta, capaz de destruir a rede de representações que protege a vida psíquica e também a vida em sociedade. Se o trauma, por sua própria definição de Real não simbolizado, produz efeitos sintomáticos de repetição, as tentativas de esquecer os eventos traumáticos coletivos também resultam em sintoma social. Quando uma sociedade não consegue elaborar os efeitos de um trauma e opta por tentar apagar a memória do evento traumático, esse simulacro de recalque coletivo tende a produzir repetições sinistras.

O caso mais discutido no século XX no que se refere às tentativas de apagamento do trauma social, o tema do "esquecimento de Auschwitz", foi recentemente abordado por Márcio Seligmann-Silva nos seguintes termos:

---

[26] Colette Soler, "La chose civilisée", em Colette Soler (org.), *Des mélancolies*, cit., p. 42.

[27] Ibidem, p. 43.

[28] Ibidem, p. 44: "Ce que Freud qualifiait, par euphémisme, de malaise, ayant pris avec le temps sa dimension industrielle, la civilisation tend à chacun l'artifice de ses pièges à jouir: consommation (orale), accumulation (anale), regard omniprésent, voix partout. Mais à abondance nouvelle, maux nouveaux: les exclus d'abord, qui rêvent d'entrer dans la ronde; mais pour les inclus, l'inanité de l'insatiable course aux petits surplus, impuissante à apaiser la soif... d'Autre chose".

Também se fala muito sobre sociedades inteiras traumatizadas pela guerra ou por eventos como a Shoah. No caso da Alemanha, Alexander e Margarete Mitscherlich diagnosticaram nos anos 1960 um nível tal de recalcamento do passado e de negação da culpa que gerou um bloqueio no processo de luto. A história torna-se assim "desrealizada".[29]

Se a adesão aparentemente inexplicável de grande parte da população alemã ao programa de extermínio do Partido Nacional Socialista foi considerada por diversos autores como um sintoma do mal-estar naquela sociedade, as tentativas de esquecimento da experiência traumática da Shoah também produziram sintomas sociais de outra ordem: melancolia, má consciência, desrealização da experiência histórica, além do inevitável retorno do recalcado, expresso pela proliferação de grupos de jovens neonazistas a partir da década de 1980.

Ao refletir sobre as condições de elaboração do trauma causado pelo Holocausto na sociedade alemã, Jeanne Marie Gagnebin retoma o conceito benjaminiano de *rememoração*. Trata-se de contrapor ao recalcamento da memória do trauma não um compromisso obsessivo com a má consciência que não cessa de evocar os sofrimentos passados, mas "uma memória ativa que transforma o presente"[30]. Ou seja, a autora, que não é psicanalista e sim filósofa, pensa que uma "cura" para os sintomas sociais é possível. Ela pode se dar por meio de intervenções coletivas no espaço público, que reorganizem o campo simbólico de modo a incluir e *ressignificar* os restos deixados pelo evento traumático.

No Brasil, a sociedade sofre até hoje os efeitos sintomáticos de repetição da violência social, decorrentes de dois longos episódios de crueldade que nunca foram reparados nem elaborados coletivamente: três séculos de barbárie escravagista, entre os séculos XVII e XIX, e duas décadas de ditadura militar, entre 1964 e 1985[31].

Em 1994, ano em que o governo Fernando Henrique Cardoso instituiu indenizações a serem pagas pelo Estado às famílias dos desaparecidos durante o regime militar, a professora Maria Lygia Quartim de Moraes, da Universidade Estadual de Campinas (Unicamp), viúva de um militante desaparecido, organizou naquela

---

[29] Márcio Seligmann-Silva, "Literatura e trauma: um novo paradigma", em *O local da diferença* (São Paulo, Editora 34, 2006), p. 71.

[30] Jeanne Marie Gagnebin, "Após Auschwitz", em *Lembrar escrever esquecer* (São Paulo, Editora 34, 2006), p. 59.

[31] Sem esquecer o período mais curto, mas nem por isso menos violento, da ditadura Vargas, entre 1937 e 1945.

universidade um debate sobre a tortura e os assassinatos políticos da ditadura. Na mesa-redonda sobre testemunhos de mulheres torturadas, da qual tive a honra de participar, pude observar que o ato de tornar públicos o sofrimento e os agravos infligidos ao corpo (privado) de cada uma daquelas mulheres poderia pôr fim à impossibilidade de esquecer o trauma. Da mesma forma, o(a)s companheiro(a)s e filho(a)s de desaparecido(a)s político(a)s, na ausência de um corpo diante do qual prestar as homenagens fúnebres, só puderam enterrar simbolicamente seus mortos ao velar em um espaço público a memória deles e compartilhar com uma assembleia solidária a indignação pelo ato bárbaro que causou seu desaparecimento.

3. O sintoma como expressão das formações sociais emergentes

Os eventos traumáticos não são as únicas causas dos sintomas sociais. As sociedades humanas são organismos vivos em permanente transformação. A proposição marxista de que os homens fazem a história sem saber o que fazem remete diretamente ao que, na vida social, permanece fora da consciência de seus agentes, mas também das formações de linguagem que fornecem sentido à chamada "realidade" – que não passa de uma construção coletiva de forte consistência imaginária.

Até mesmo as transformações ativamente ensejadas e conquistadas por uma parte da sociedade produzem efeitos colaterais que ultrapassam a capacidade de compreensão imediata. Tais fenômenos ficam temporariamente excluídos da ordem simbólica, ainda que não para sempre; os verdadeiros "avanços" civilizatórios, quando ocorrem, não são necessariamente avanços da técnica, mas sim avanços nas possibilidades de simbolização do Real. As transformações sociais silenciosas costumam produzir rupturas na normalidade que não passam da expressão *em ato* dos novos fenômenos, ou dos grupos sociais emergentes, ainda não integrados na ordem discursiva.

Um exemplo de transformações que não foram imediatamente absorvidas pela ordem simbólica é bastante familiar aos psicanalistas: um dos fenômenos sociais emergentes no século XIX, os deslocamentos que as mulheres fizeram (ou sofreram) de seus lugares tradicionais em direção a outro até então não nomeado, marcaram o período em que Freud viveu e inaugurou a psicanálise – não por acaso, a partir da clínica da histeria. Que a histeria possa ser entendida como sintoma social da sociedade vitoriana não significa que todos os seus membros fossem histéricos, nem que o sofrimento das histéricas devesse ter ficado a cargo da sociologia. O que a perturbação que as histéricas trouxeram para a ordem familiar oitocentista revelou, de forma sintomática, foi que os modos tradicionais de simbolizar a diferença sexual já não respondiam às novas configurações que se abriram na vida das mulheres, em um mundo recentemente modificado pelo capitalismo liberal. Penso que a psicanálise, em seus primórdios, participou do importante trabalho de dar nome ao mal-estar que emergiu sob a forma dos desajustes entre o lugar que a tradição designava às mulheres e os novos lugares que se abriam diante delas, desde as revoluções do século XVIII até a consolidação da ordem burguesa no fim do XIX[32].

4. *Sintoma social, gozo* e supereu

Em sociedade, a Lei é simbólica, assim como a ordem que ela sustenta. A transmissão da Lei, no entanto, depende também de certa consistência imaginária cuja eficácia passa pelo que chamamos de versões imaginárias do Outro. O lugar imaginário do Outro, na vida social, é ocupado por figuras de autoridade – moral, religiosa, política ou, às vezes, como em nossos dias, puramente ficcional – que emitem enunciados capazes de simular respostas ao enigma do "que o Outro quer de mim"? Toda ordem social necessita, para se estabilizar, desses dispositivos agenciadores do desejo, em sua dimensão de desejo do desejo do Outro – o qual comparece na vida social, portanto, de um lado, sob a forma simbólica da Lei e da linguagem e, de outro, sob as formas imaginárias – herdeiras daquelas que Freud denominou os "seres de amor" na vida infantil – que indicam aos membros de uma sociedade as condições de sua inclusão no laço. Na falta desses dois registros, o Outro comparece ainda no Real sob a forma da crueldade do *supereu*, como veremos tanto a respeito da clínica da Melancolia quanto a respeito das novas configurações do gozo mortífero na sociedade contemporânea.

Enfim, se a vida social é regida pelos registros RSI e produz formações que escapam ao significante, equivalentes ao inconsciente e ao gozo do Outro, não há porque recusar que o mal-estar se manifeste como sintoma social. Freud o indica em alguns de seus textos de efeito mais diretamente políticos, como, entre outros, "Psicologia de massas e análise do eu" (1920), "O porquê da guerra" (1932), "Mal-estar na civilização" (1929-30). Este último forneceu a expressão de que se valem diversos psicanalistas para nomear o sintoma social. Lacan, em *Télévision*, utiliza a expressão freudiana para explicar que a voracidade estrutural do *supereu*

---

[32] Esse foi o tema de minha tese de doutorado, defendida em 1998 e publicada sob o título de *Deslocamentos do feminino* (2. ed., Rio de Janeiro, Imago, 2008).

não seria um *efeito* da civilização, mas a própria condição do "*malaise (symptôme) dans la civilisation*"³³.

O *supereu* é a instância ambígua que perpetua no psiquismo as moções de gozo herdadas do complexo de Édipo, ao traduzir como *interdição* a condição impossível da realização do incesto. É pela via das exigências superegoicas que o *eu* (*moi*) tenta realizar seus ideais, que, por sua vez, não provêm de outro lugar senão das formas da cultura que o indivíduo habita. A (vã) esperança de "voltar a ser seu próprio ideal mais uma vez"³⁴ mantém ativos no psiquismo a tal voracidade (de gozo) do *supereu* a que se refere Lacan, assim como a crueldade com que ele submete o *eu* às suas exigências. A relação entre as moções de gozo do *supereu* e os significantes mestres que, em cada cultura, ordenam o campo dos ideais são condições estruturais do sintoma social.

Analisar o aumento significativo das depressões como sintoma do mal-estar social no século XXI significa dizer que o sofrimento dos depressivos funciona como sinal de alarme contra aquilo que faz água na grande nau da sociedade maníaca em que vivemos. Que muitas vezes as simples manifestações de tristeza sejam entendidas (e medicadas) como depressões graves só faz confirmar essa ideia. A tristeza, os desânimos, as simples manifestações da dor de viver parecem intoleráveis em uma sociedade que aposta na euforia como valor agregado a todos os pequenos bens em oferta no mercado.

Do direito à saúde e à alegria passamos à obrigação de ser felizes, escreve Danièle Silvestre. A tristeza é vista como uma deformidade, um defeito moral, "cuja redução química é confiada ao médico ou ao psi". Ao patologizar a tristeza, perde-se um importante saber sobre a dor de viver. Aos que sofreram o abalo de uma morte importante, de uma doença, de um acidente grave, a medicalização da tristeza ou do luto rouba ao sujeito o tempo necessário para superar o abalo e construir novas referências, e até mesmo outras normas de vida, mais compatíveis com a perda ou com a eventual incapacitação.

Os lampejos de afirmação jubilosa do sujeito do desejo ao encontrar soluções criativas para a falta-a-ser dão lugar ao *semblant* de "estar de bem com a vida", imagem oca que o *eu* (*moi*) oferece em obediência aos desígnios do Outro. "O

---

³³ Jacques Lacan, *Télévision* (Paris, Seuil, 1973), p. 48. [Ed. bras.: *Televisão*, Rio de Janeiro, Jorge Zahar, 1993.]

³⁴ Sigmund Freud, "Introducción al narcisismo" (1914), em *Obras completas*, cit. [Ed. bras.: "Sobre o narcisismo: uma introdução", em *Obras psicológicas completas*, cit., v. XIV.]

importante é que as pessoas tenham bem-estar e se aliviem das tensões que as acometem no dia a dia", declarou um defensor do Prozac à reportagem do jornal *Valor Econômico*[35]. Ao que responderia Danièle Silvestre: "[...] é o cúmulo da alienação aderir a tal ponto à norma imposta!"[36].

O livro

Os três ensaios que compõem este livro partem, portanto, da suposição de que a depressão seja um dos sintomas sociais contemporâneos. Isso não equivale nem nos autoriza a tratar o depressivo, na clínica, como "caso social". A via do entendimento psicanalítico parte sempre da investigação clínica, na qual as formações do inconsciente se expressam na singularidade de cada sujeito; mas a experiência clínica pode também, seguindo o exemplo de Freud, contribuir para esclarecer o sofrimento que se expressa através dos sintomas da vida social. Em psicanálise, a direção da construção da teoria vai do particular para o social, nunca o contrário. Nos consultórios, tratemos nossos depressivos um a um. A partir daí, talvez possamos escutar também o que eles têm a nos ensinar a respeito das formas contemporâneas do mal-estar, das quais eles não estão – como nenhum ser falante, aliás – excluídos. Com isso, não fazemos mais do que seguir a tradição freudiana (retomada por Lacan) de fazer da psicanálise um instrumento, na interface com outras disciplinas, capaz de simbolizar alguns desses fragmentos do Real para impedir que eles retornem sob a forma do gozo da pulsão de morte.

A Primeira Parte deste livro é dedicada à análise da depressão como sintoma social contemporâneo. Para isso, foi necessária uma passagem pelo lugar simbólico que a melancolia ocupou desde a Antiguidade clássica até meados do século XX, quando Freud trouxe esse significante do campo das representações estéticas para o da clínica psicanalítica. Freud privatizou o conceito de melancolia; seu antigo lugar de sintoma social retornou sob o nome de depressão. As condições contemporâneas desse retorno serão analisadas no terceiro capítulo do primeiro ensaio.

---

[35] Chris Martinez, "Uma indústria do bem-estar", cit.
[36] Danièle Silvestre, "L'obligation au bonheur", em Colette Soler (org.), *Des mélancolies*, cit., p. 50: "Comble d'aliénation que d'adhérer à ce point à la norme imposée!".

A Segunda Parte aborda a relação subjetiva dos depressivos com o tempo, que chamarei de *temporalidade* para diferenciar a experiência subjetiva do tempo da vasta tradição do pensamento filosófico a respeito da essência do fenômeno temporal, assim como do tempo socialmente regulado pelos relógios. Filósofos que pensaram a questão do tempo na primeira metade do século XX, como Henri Bergson e Walter Benjamin, foram de grande valia na construção desses capítulos e na discussão do texto de Lacan sobre o tempo lógico.

Na Terceira Parte, abordarei mais detidamente a clínica das depressões do ponto de vista da psicanálise, a começar pelo estabelecimento das diferenças fundamentais entre a depressão e a melancolia. Buscarei também estabelecer as diferenças entre a posição subjetiva dos depressivos – esta que me parece ser uma posição particular do sujeito na estrutura neurótica – e as circunstâncias que determinam episódios pontuais de depressão nos obsessivos e nos histéricos.

Agradecimentos

A coragem é uma qualidade do *eu*. Da mesma forma que não é o *eu* que escolhe a posição do sujeito nas estruturas, não se pode dizer que o encontro com o vazio, nas depressões, se dê por uma questão de coragem. Não é preciso coragem para entrar em depressão. Ao contrário; nas neuroses, por exemplo, a ocorrência de um episódio depressivo é uma das possíveis consequências da atitude que Freud batizou de covardia moral. Mas, uma vez o sujeito instalado ali, considero a decisão de buscar uma análise para enfrentar a má notícia de sua posição subjetiva como um ato de coragem. Os depressivos que buscam a psicanálise são pessoas de coragem. Mais corajosos ainda são aqueles que decidem atravessar o percurso até o fim, com todos os desfiladeiros que se anunciam depois dos primeiros encontros com o analista.

Devo a escrita deste livro a alguns desses corajosos que confiaram suas análises a mim, cujos nomes não é preciso citar, pois eles sabem muito bem quem são. Meu primeiro agradecimento vai para esses homens e mulheres que, sem pressa, me ensinaram quase tudo que sei a respeito da depressão. Da parte que aprendi pelas leituras, devo muito às indicações e sugestões dos colegas e amigos nomeados a seguir. Alguns deles tiveram também a generosidade de ler os capítulos, corrigir falhas e pedir que eu fundamentasse melhor os meus argumentos.

Assim, agradeço em segundo lugar aos que participaram da elaboração "transubjetiva e transindividual" deste livro: Maria Marta Assolini, Maria Luísa Viviani e Alejandro Viviani, amigos generosos e disponíveis cuja leitura rigorosa, sugestões, críticas e questionamentos contribuíram com metade da arte.

Em seguida, às queridas colegas que aceitaram, durante dois anos, discutir a elaboração deste livro nos grupos de estudos sob a minha orientação, contribuindo com ideias, questões, sugestões. Grupo do Rio: Alba Senna, Beatriz Carneiro da Cunha, Betty Fuks, Cecília Boal, Cora Vieira, Denise Werneck, Elizabeth Donnici, Halina Grinberg, Márcia Gomes, Maria do Carmo Palhares, Maria Paula Richaid, Marylink Kupferberg, Raquel Szwarc, Simone Rothstein e Suzana Vasconcelos. Grupo de São Paulo 1: Chica Lutz, Cristina Seguin, Daniela Escobari, Jaquelini Bendini, Luciana Wis, Lula Abrahão, Márcia Gimenes, Maria Lúcia Hargreaves, Mônica Sá e Sônia Alexandre. Grupo de São Paulo 2: Ana Maria Silveira, Cândida Holovko, Cecília Orsini, Cybelle Weinberg, Eliana Caligiuri, Gilka Zlochevsky, Henriette Bucaretchi, Iara Santoro Lino, Jassanan Pastore, Luciana Saddi, Magda Khouri, Maria José Bugni, Maria Helena Teperman, Nicole Plapler, Raquel Ajzenberg e Raya Zonana.

E as sugestões bibliográficas de Anna Veronica Mautner, Benilton Bezerra Filho, Maria Elisa Cevasco, Mauro Mendes Dias e Sônia Mendonça.

Primeira Parte
Da melancolia às depressões

Daquela estrela à outra
A noite se encarcera
Em turbinosa vazia desmesura.

Daquela solidão de estrela
Àquela solidão de estrela.

Giuseppe Ungaretti
"Últimos coros para a terra prometida", coro 16

I
A atualidade das depressões

> Quando me dei conta de que fora vencido pela doença, sentia necessidade de, entre outras coisas, registrar um protesto contra a palavra "depressão". Depressão, para a maioria das pessoas, é o mesmo que "melancolia", uma palavra que aparece na língua inglesa desde o ano de 1303 e mais de uma vez na obra de Chaucer, que aparentemente conhecia suas características patológicas.
>
> "Melancolia" pode ainda ser adequada e evocativa para definir as formas mais graves da doença, mas foi destronada por uma palavra de conotações mais brandas, sem ar professor, usada indiferentemente para descrever uma economia em declínio ou uma vala na estrada, uma palavra sem cor, considerando-se uma doença dessa importância.
>
> *William Styron*, Perto das trevas[*]

O que a teoria freudiana sobre a melancolia pode ensinar ao psicanalista sobre a clínica das depressões? Muito pouco, quase nada. No entanto, nos debates de que tenho participado recentemente em torno desse tema, assim como em textos de diversos autores sobre o assunto, não é incomum encontrar certa confusão entre as características dos quadros depressivos e melancólicos, que chegam a ser abordados, indiscriminadamente, como se fossem a mesma coisa. Não são. As características "depressivas" do melancólico – negativismo, falta de ânimo, falta de autoestima, fantasias autodestrutivas, distúrbios somáticos e outras tantas manifestações de dor psíquica – podem se parecer, empiricamente, com as dos depressivos. Mas assim como algumas crises histéricas e algumas construções de pensamento delirante entre os obsessivos não podem ser confundidas com sintomas psicóticos, a

---

[*] William Styron, *Perto das trevas* (2. ed., Rio de Janeiro, Rocco, 2000). (N. E.)

semelhança fenomenológica entre a tristeza e o abatimento dos melancólicos e dos depressivos não são manifestações da mesma estrutura psíquica.

Tal confusão talvez se deva ao fato de Freud, cujo texto "Luto e melancolia" (1915) trouxe uma contribuição decisiva e inovadora para a compreensão da clínica da melancolia, não ter dedicado nenhum texto ao tema das depressões. Se as noções de depressão, estados depressivos e psicose maníaco-depressiva ainda não terminaram de ser resgatadas do campo exclusivo da psiquiatria para o da clínica psicanalítica, o termo "melancolia" aportou em terras freudianas, depois de percorrer a cultura ocidental desde Aristóteles, carregado de signos de sensibilidade, originalidade, nobreza de espírito e outras qualidades que caracterizam o gênio criador. Tais qualidades da alma humana não se encontram entre as observações de Freud a respeito dos sintomas melancólicos.

A teoria freudiana da melancolia promoveu duas rupturas simultâneas: no plano clínico, o texto de 1915 trouxe a melancolia do campo da medicina psiquiátrica para o da clínica psicanalítica; no outro plano, o da história das ideias, o texto de Freud acabou por afastar definitivamente a melancolia da longa tradição pré-moderna das representações, predominantemente sublimes, atribuídas aos homens de caráter melancólico desde a Antiguidade grega.

No presente ensaio, pretendo abordar a atualidade das depressões a partir de duas operações conjugadas. No que se refere à clínica, é importante destacar que não existe identidade, em psicanálise, entre melancolia e depressão, a despeito das frequentes analogias sintomáticas entre ambas. No plano mais geral, do "mal-estar na civilização", trato de situar o sofrimento depressivo na linha de continuidade do lugar ocupado pelos melancólicos na tradição do pensamento anterior a Freud: o de sintoma social. Freud foi cauteloso nas considerações introdutórias à sua teoria da melancolia, em 1915. No parágrafo de abertura de "Luto e melancolia", admite a fragilidade do conceito de melancolia, o qual não tinha sido, até então, "fixamente determinado, nem sequer na psiquiatria descritiva"[1]. A seguir, observa que as manifestações do sofrimento melancólico assumem diversas formas clínicas, dificultando o estabelecimento de um conceito único para a doença. (Estariam aí confundidas, empiricamente, manifestações melancólicas e manifestações depressivas?). Além disso, entre os sintomas da melancolia, alguns fazem

---

[1] Sigmund Freud, "Duelo y melancolía" (1915), em *Obras completas* (trad. Jose Luis López-Ballesteros, Madri, Biblioteca Nueva, 1976), v. II, p. 2091. [Ed. bras.: "Luto e melancolia", em *Obras psicológicas completas*, Rio de Janeiro, Imago, 2006, v. XIV.]

supor uma origem somática, o que confunde ainda mais o estabelecimento da psicogênese do quadro. Freud introduz, então, as condições supostamente restritivas do valor de sua descoberta:

> [...] resultante de um número reduzido de observações de casos sobre cuja natureza psicógena não cabiam dúvidas. Assim, pois, nossos resultados não aspiram a uma validade geral. Mas nos consolaremos pensando que com nossos atuais meios de investigação não podemos achar nada que não seja *típico*, senão de toda uma classe de afecções, pelo menos de um grupo mais limitado.[2]

A aparente despretensão freudiana não impediu que seu texto representasse uma mudança de paradigma na clínica das melancolias, até então sob domínio do saber psiquiátrico do século XIX e início do século XX. Além de introduzir um ponto de vista completamente diferente das classificações psiquiátricas de Pinel, Esquirol, Kraepelin, Séglas, Cotard[3] e outros, Freud, ao propor que a origem inconsciente das queixas e autoacusações melancólicas seja o ódio recalcado por um objeto de amor precocemente perdido, veio a romper também com a longa tradição de pensamento sobre a melancolia que remonta à Antiguidade, passa pela Idade Média, pelo Renascimento e vem desaguar nas vertentes decadentistas do Romantismo do século XVIII e início do século XIX.

A psicanálise e a interiorização da função simbólica

O ensaio "Luto e melancolia" representa apenas uma entre muitas mudanças de paradigma introduzidas por Freud em relação aos saberes médicos e psicológicos de seu tempo. Mas se a psicanálise subverteu o sujeito da modernidade, sua própria invenção, a partir da descoberta do inconsciente, também foi tributária da revolução subjetiva que a modernidade provocou. O sujeito da psicanálise formou-se entre as contradições e os impasses provocados pela emergência do individualismo, essa formação subjetiva inexistente em sociedades pré-modernas. O indivíduo moderno teve sua origem no abalo que a Reforma provocou no seio do cristianismo – quando promoveu, entre outras mudanças, uma nova forma

---

[2] Idem.
[3] Ver Antonio Quinet, "La mélancolie selon les classiques", em Colette Soler (org.), *Des mélancolies* (Paris, Éditions du Champ Lacanien, 2001).

de individualismo religioso[4] – e atingiu a maturidade nas sociedades burguesas ascendentes da Europa oitocentista: o *indivíduo* é uma flor de estufa gestada e criada em uma instituição bastante recente, a família nuclear moderna. Em seu livro *O inconsciente político*[5], Frederic Jameson resume as condições presentes na origem da invenção da psicanálise:

> Voltando àquele novo evento que foi a emergência da psicanálise, deve ficar claro que a autonomização da família como espaço privado dentro da nascente esfera pública da sociedade burguesa, e com a "especialização" pela qual a infância e a situação familiar foram qualitativamente diferenciadas de outras experiências biográficas, são apenas algumas das características de um processo muito mais geral de desenvolvimento social, que também inclui a autonomização da sexualidade.[6]

Centrado na razão à custa da eterna vigilância da consciência moral[7], obrigado a tornar-se senhor de seus impulsos e da imagem oferecida ao Outro, vivendo em permanente estado de alerta diante da feroz concorrência da economia capitalista emergente, o indivíduo estava fadado a sofrer as consequências sintomáticas do recalque que sustentava suas pretensões. Se para Adorno é indiscutível que o ideal individualista represente um avanço emancipatório em relação às formas subjetivas pré-modernas – transformando os homens "de crianças em pessoas" –, também é fato que a

---

[4] A esse respeito, ver Agnes Heller, *O homem do renascimento* (Lisboa, Presença, 1982) e Jean Delumeau, *A civilização do renascimento* (Lisboa, Estampa, 1984).

[5] Frederic Jameson, *O inconsciente político: a narrativa como ato socialmente simbólico* (trad. Valter Lellis Siqueira, São Paulo, Ática, 1992).

[6] Ibidem, p. 58.

[7] Ver Luiz Costa Lima, *Os limites da voz: Montaigne, Schlegel* (Rio de Janeiro, Rocco, 1993), p. 20: "Dentro do nosso contexto, basta-nos caracterizar os traços mínimos da ordem que distinguirá os tempos modernos e, dentro deles, a modernidade: a) a existência de uma consciência individualizada, que age em correlação com um eu que se autonomiza do elo que antes fornecia sua identidade; b) o processo de dissolução da concepção substancialista do mundo que respaldava a (ordem) precedente". Em outra vertente de pensamento, a teoria crítica, encontra-se Adorno: "O princípio da individualidade estava cheio de contradições desde o início. Por um lado, a individuação jamais chegou a se realizar de fato. O caráter de autoconservação fixava cada um no estágio do mero ser genérico. [...] Ao mesmo tempo, a sociedade burguesa também desenvolveu, em seu processo, o indivíduo. Contra a vontade de seus senhores, a técnica *transformou os homens de crianças em pessoas*. Mas cada um desses progressos de individuação se fez à custa da individualidade em cujo nome tinha lugar, e deles nada sobrou senão a decisão de perseguir os fins privados". (Theodor Adorno e Max Horkheimer, "A indústria cultural", em *Dialética do esclarecimento*, trad. Guido Antônio de Almeida, Rio de Janeiro, Jorge Zahar, 1969, p. 145. Grifo meu.)

forma subjetiva do indivíduo é marcada pela impossibilidade de sua plena realização, uma vez que o indivíduo só se sustenta à custa do mesmo recalque que o divide.

Ante a emergência das manifestações de mal-estar decorrentes dessa nova forma de subjetividade, era inevitável que as investigações médicas das doenças mentais exigissem novos parâmetros teóricos. Freud rompeu com os limites das ciências médicas de seu tempo ao deslocar as investigações sobre as chamadas doenças mentais da classificação dos sintomas e dos estudos sobre o córtex cerebral para a escuta das falas aparentemente desconexas de histéricos e psicóticos, reveladoras das formações do inconsciente. Ao revelar a universalidade do inconsciente que fraturava o indivíduo, Freud a um só tempo desmistificou as pretensões de soberania da razão entre os herdeiros do Iluminismo e ofereceu uma possibilidade de integração de uma parte do recalcado – mas não todo! – pela via da palavra.

No entanto, diante da longa tradição ocidental de produção de sentidos para a melancolia, tanto na arte quanto na filosofia, Freud, ao centrar nas ligações mais íntimas e precoces da vida familiar as hipóteses sobre as origens narcisistas dos distúrbios melancólicos, distanciou-se do grande acervo de representações da melancolia que diziam respeito à intersecção entre a vida íntima e o laço social. Freud nunca ignorou as ressonâncias dos sintomas neuróticos sobre diversos aspectos da vida pública[8]. Mas a guinada que a psicanálise promoveu no entendimento das doenças da mente, e que privilegiou a investigação das origens privadas, familiares, do mal--estar, teve sua razão de ser. O indivíduo moderno, ao calcular sua dívida simbólica a partir dos *parâmetros afetivos da vida privada,* paga em moeda neurótica[9] o preço

---

[8] Além dos grandes ensaios de interpretação das manifestações sociais do mal-estar, como "O mal--estar na civilização" (1930), "O futuro de uma ilusão" (1927), "Psicologia de massas e análise do eu" (1921) e outros menos conhecidos ("O porquê da guerra" [1933], por exemplo), Freud dedicou uma série de escritos à compreensão da relação entre as neuroses e a moral social. Cito, entre outros, "O tabu da virgindade" (1918), "A moral sexual 'cultural' e a neurastenia moderna" (1908), "Um comentário sobre o antissemitismo" (1938) etc.

[9] Freud, no relato da análise do "homem dos ratos", entendeu que o neurótico, sobretudo o obsessivo, é aquele que está sempre a traduzir em "linguagem neurótica" o cálculo (impossível para ele, porque recalcado) da dívida simbólica. Com isso, ele tenta converter a moeda social, simbólica e coletiva nos termos da moeda privada (e imaginária) de sua fantasia. Ver Sigmund Freud (1909), "Analisis de un caso de neurosis obsesiva (caso 'El hombre de las ratas')", em *Obras completas*, cit., v. II, p. 1441-86. [Ed. bras.: "Notas sobre um caso de neurose obsessiva: o homem dos ratos", em *Obras psicológicas completas*, cit., v. X.] Na página 1469, encontra-se a associação que fez o paciente ao pagar o dr. Freud: "Tantos florins, tantos ratos", indicando a fantasia em que se baseava sua moeda neurótica. Ver também Christian Ingo Lenz Dunker, *O cálculo neurótico do gozo* (São Paulo, Escuta, 2002).

do recalque da dimensão coletiva e dos elos comunitários que, ainda quando negados, determinam sua existência[10].

Qual foi a tradição de pensamento que atribuía significados sociais à melancolia, com a qual a psicanálise rompeu? A melancolia antes de Freud – mas também antes de ser entendida como um *distúrbio* a ser curado pela medicina psiquiátrica – era vista como uma forma de mal-estar que denunciava o desajuste entre alguns membros de uma determinada sociedade e as condições do laço social. O melancólico, da Antiguidade até o Romantismo, era representado como alguém que perdeu seu lugar junto ao Outro, considerado em sua versão imaginária[11]. Consumido em ruminações, arrependimentos, dúvidas e investigações, o melancólico pré-moderno andava em busca de novas indicações que o ajudassem a responder de maneira adequada ao enigma do que o Outro esperava dele. Nesse sentido, as antigas formas da melancolia podem ser entendidas como variações do sintoma social e representam preciosos elementos de compreensão das condições de inclusão dos sujeitos no laço social ao longo da história. Pela mesma razão, a partir do Renascimento, as representações pré-modernas da melancolia passaram a ser revestidas de valor e reconhecimento social. O recolhimento e as ruminações do melancólico, sua sensibilidade exacerbada, que se confundia com o gênio[12], dotavam seu sintoma do sentido de uma promessa de solução para o mal-estar na cultura – quase como na psicanálise. A diferença é que o sintoma, em psicanálise, representa uma tentativa de cura para o mal-estar do sujeito tomado em sua singularidade – Freud nunca considerou a possibilidade de "cura" para os grandes sintomas sociais sobre os

---

[10] Ver Norbert Elias, *La société des individus* (Paris, Fayard, 1991).

[11] O Outro, na teoria lacaniana, diz respeito à dimensão simbólica que está na origem da divisão do sujeito. A face simbólica do Outro pode ser resumida como a existência *necessária* da linguagem que determina e precede a existência dos sujeitos. Mas o campo simbólico é sustentado subjetivamente por representações imaginárias: o imaginário provê consistência ao simbólico e à Lei que ele determina. A face imaginária do Outro repousa sobre as formas – estas sim, contingentes – através das quais, em cada cultura, a Lei simbólica se apresenta aos homens. A mãe e o pai, que introduzem o *infans* na linguagem, constituem as primeiras representações imaginárias do Outro, substituídas após o atravessamento do Édipo por figuras que exercem, no espaço público (exogâmico) alguma forma de autoridade. O professor, o líder político, o monarca, Deus, o parceiro amoroso, são os exemplos mais frequentes das diversas representações daquele a quem o sujeito neurótico dirige a pergunta: O que deseja de mim?

[12] A ideia da genialidade do melancólico no Renascimento deve-se à retomada da tese atribuída a Aristóteles (*Problema XXX, 1*) que relaciona melancolia e gênio criador.

quais se debruçou –, enquanto as formas antigas da melancolia talvez possam ser compreendidas como expressões do sintoma social.

Entre os fatores presentes na origem da psicanálise, no fim do século XIX, conta-se a perda das referências *estáveis* que, desde o feudalismo até antes do período das revoluções burguesas, condicionavam o pertencimento dos indivíduos ao meio social[13]. As sociedades modernas, caracterizadas pela mobilidade social e pela crescente liberdade nas escolhas individuais, tornaram as condições da inclusão e as regras de convívio cada vez mais abstratas. A complexidade das estruturas simbólicas, a partir dos primórdios do capitalismo, tornou o campo do Outro inacessível ao saber (consciente) dos sujeitos sociais.

Na modernidade, o Outro é inconsciente[14] – essa proposição está em conformidade com algumas ideias resumidas por Lacan sob a formulação "o inconsciente é a política"[15]. No entanto, a inclusão das formações do inconsciente no campo do Outro, a partir de Lacan[16], não é suficiente para sustentar minha proposição de que tal condição seja específica da subjetividade moderna. Duas passagens, entre os textos de Freud, autorizam-me a trabalhar a partir dessa hipótese. A primeira encontra-se em "Totem e tabu" (1914), no trecho em que Freud analisa a forma como as sociedades primitivas instituíam formas totêmicas de representação do pai ancestral, assim como as prescrições-tabus impostas em nome dele, e conclui que as neuroses realizam "com meios particulares, o que a sociedade realiza por meio do esforço coletivo"[17]. A partir dessa afirmação, é possível pensar que, em sociedades em que havia forte coesão entre as representações coletivas da função paterna, as pessoas estariam dispensadas de construir uma resposta neurótica ao conflito entre a satisfação pulsional e a Lei.

---

[13] Ver Elisabeth Roudinesco, *Por que a psicanálise?* (Rio de Janeiro, Jorge Zahar, 2000).

[14] Trabalhei melhor essa hipótese em *Sobre ética e psicanálise* (São Paulo, Companhia das Letras, 2002).

[15] Marie-Hélène Brousse: "O analista e o político: alcançar em seu horizonte a subjetividade de sua época", em Carmen Silvia Cervelatti (org.), *O inconsciente é a política* (São Paulo, EBP, 2003).

[16] Ver Jacques Lacan, "Función y campo de la palabra y del lenguaje en psicoanálisis" (1953), em *Escritos* (trad. Tomás Segovia, Madri/México, Siglo Veintiuno, 1994), v. I., p. 227-310.

[17] Sigmund Freud, "Tótem y tabú" (1913-1914), em *Obras completas*, cit., v. II, p. 1745-850; no capítulo II, "El tabú y la ambivalencia de los sentimientos". [Ed. bras.: "Totem e tabu", em *Obras psicológicas completas*, cit., v. XIII.]

Uma hipótese semelhante foi desenvolvida por Claude Lévi-Strauss, algumas décadas mais tarde. Em 1949, ele concluiu seu ensaio "A eficácia simbólica" com uma afirmação que vai ao encontro da suposição freudiana: ao analisar a eficiência do uso do mito nas curas xamânicas, Lévi-Strauss começa por escrever que o mito, à maneira do inconsciente psicanalítico, é uma "procura do tempo perdido"[18]: "Essa forma moderna da técnica xamanística, que é a psicanálise, tira, pois, seus caracteres particulares do fato de que, na civilização mecânica, não há mais lugar para o tempo mítico, senão no próprio homem"[19].

Na modernidade, o mito não desaparece, mas seu estatuto se transforma, de uma tradição coletiva para um "tesouro individual"[20]. Para Lévi-Strauss, o inconsciente seria formado a partir do conjunto das estruturas míticas, que deixaram de ser transmitidas pelos antigos xamãs para se incorporarem a um acervo psíquico aparentemente individual[21]. "O inconsciente deixa de ser o inefável refúgio das particularidades individuais, o depositário de uma história única, que faz de cada um de nós um ser insubstituível. Ele se reduz a um termo pelo qual nós designamos uma função: a função simbólica [...][22]."

O que me interessa, nessa passagem, não é discutir o conceito do mito em Lévi-Strauss, mas o modo particular como o autor trabalhou com essa função simbólica chamada inconsciente. Uma função transubjetiva, que na "civilização mecânica" se deslocou do campo das tradições transmitidas por um agente reconhecido pela coletividade – no caso, um xamã, mas também poderia ser qualquer outro tipo de autoridade espiritual – para o das representações (ditas) individuais, através de uma instância psíquica sobre cujos mistérios os homens modernos estão condenados a se interrogar, um a um.

Poder-se-ia dizer que o subconsciente é o léxico individual em que cada um de nós acumula o vocabulário de sua história pessoal, mas que esse vocabulário só adquire

---

[18] Claude Lévi-Strauss, "A eficácia simbólica" (1949), em *Antropologia estrutural* (trad. Chaim Samuel Katz e Eginardo Pires, Rio de Janeiro, Tempo Brasileiro, 1975), p. 215-36.

[19] Ibidem, p. 236.

[20] Ibidem, p. 233.

[21] Daí se pode deduzir que o papel da escuta analítica, a partir do lugar que o analista ocupa na transferência, seria o de reconduzir o "tesouro individual" dos significantes a reencontrar seu lugar na estrutura simbólica que é, por definição, coletiva.

[22] Claude Lévi-Strauss, "A eficácia simbólica", cit., p. 234.

significação para nós próprios e para os outros à medida que o inconsciente o organiza segundo suas leis, e faz dele, assim, um discurso.²³

Quais são as condições da transmissão, entre gerações, das formas discursivas do Outro que conferem lugar aos sujeitos e sustentam a ordem social? Tal transmissão pode ter ocorrido, em sociedades antigas, por outra via que não a da constituição do *supereu*, herdeiro do complexo de Édipo. Essa é a via de transmissão que, de acordo com Freud, caracteriza o avanço civilizatório conquistado na modernidade. Nesse ponto, volto à segunda passagem de Freud a que me referi acima e avanço de "Totem e tabu" para "O futuro de uma ilusão", de 1927²⁴. Na Segunda Parte, ao passar "do econômico ao psicológico" na análise do desenvolvimento das interdições, "meios necessários para defender a cultura"²⁵ que variam de uma civilização para outra, Freud escreve que a internalização das coerções representou um avanço histórico em relação a outras formas de coerção social.

É inexato que a alma humana não tenha realizado progresso nenhum desde os tempos mais primitivos e que, em contraposição com os progressos da ciência e da técnica, seja hoje a mesma que no princípio da história. Podemos indicar aqui um de tais progressos anímicos. Uma das características de nossa evolução consiste na transformação paulatina da coerção externa em coerção interna, pela ação de uma instância psíquica especial do homem, o *supereu*, que vai acolhendo a coerção externa entre seus mandamentos.²⁶

Em "O ego e o id", texto de 1923, Freud já havia estabelecido o caráter inconsciente da formação dessa instância psíquica, o *supereu*, representante da Lei simbólica no psiquismo individual. O neurótico, em psicanálise, é aquele que se esforça para submeter-se às exigências do *supereu*, como se com isso lhe fosse possível reverter a perda subjetiva que se consuma com a passagem pelo Édipo e recuperar a unidade (impossível) com o Outro²⁷. Como o Outro é uma função simbólica transubjetiva, voltamos neste ponto à proposição lacaniana de que o inconsciente é político.

---

²³ Ibidem, p. 235.
²⁴ Sigmund Freud, "El futuro de una ilusión" (1927), em *Obras completas*, cit., v. III, p. 2961-92. [Ed. bras.: "O futuro de uma ilusão", em *Obras psicológicas completas*, cit., v. XXI.]
²⁵ Ibidem, p. 2964.
²⁶ Ibidem, p. 2965.
²⁷ Unidade que Lacan resumiu em diversos seminários sob a fórmula I=1+a. O UM, como totalidade, seria a soma da singularidade com o objeto perdido, se esse (re)encontro fosse possível.

É evidente que a psicanálise freudiana toca na franja da dimensão política do sujeito do inconsciente, mas não é esse o seu objeto, como não são diretamente políticos os efeitos da cura analítica. A psicanálise freudiana surgiu como estratégia de abordagem da dimensão privada do indivíduo, nascido nas condições da família nuclear moderna. Seu pilar teórico fundamental, o complexo de Édipo, aborda o conjunto de relações mais íntimas e privadas da constituição do sujeito.

A privatização da melancolia e o aumento das depressões

Depois dessa breve passagem por algumas das condições sociais que podem ter determinado o surgimento da psicanálise, de modo a sustentar a ideia de que é na modernidade que o Outro se torna inconsciente, retomo a teoria freudiana da melancolia a fim de situar a ruptura que ela representou em relação às formas pré-modernas de compreensão do lugar vital ocupado pelos melancólicos.

A teoria freudiana da melancolia buscava uma explicação alternativa para o conjunto de manifestações de sofrimento mental que Kraepelin batizara, em 1883, de "psicose maníaco-depressiva"[28]. De fato, Freud também se vê obrigado a incluir a mania como parte do complexo melancólico:

> A impressão, comunicada por diversos observadores psicanalíticos, é de que o conteúdo da mania é idêntico ao da melancolia. Ambas as afecções lutariam com o mesmo "complexo", o qual subjugaria o *eu* na melancolia, e ficaria submetido ou apartado pelo *eu*, na mania.[29]

A mania seria um triunfo passageiro sobre a melancolia; a luta inconsciente entre *eu* e *supereu*, com vitórias parciais de um lado e de outro do campo de batalha, faz dos estados maníacos e melancólicos duas faces indissociáveis da mesma estrutura psíquica.

---

[28] "Até o fim do século XXI, o termo 'melancolia' era habitual para se referir à síndrome depressiva. Kraepelin (1921) delimitou as fronteiras da enfermidade descrevendo seu curso episódico e caracterizando suas principais formas clínicas. Anos depois se cunhou o termo 'distimia' para se referir a uma variedade crônica e leve de melancolia e [o termo] 'ciclotimia' [psicose maníaco-depressiva] para designar um transtorno caracterizado por oscilações de ânimo." (Luis Hornstein, *Las depressiones: afectos y humores del vivir*, Buenos Aires, Paidós, 2006, p. 128).

[29] Sigmund Freud, "Duelo y melancolía", cit., p. 2098.

Ao utilizar o significante *melancolia* para designar os ciclos depressivos desse tormento, Freud talvez buscasse marcar a diferença entre sua proposta teórica e o diagnóstico da psicose maníaco-depressiva de Kraepelin. Mas essa operação produziu, como efeito colateral, a *privatização* do conceito de melancolia, cujos vetores teóricos se deslocaram para o plano das relações mais precoces e mais íntimas da vida psíquica, em consonância com as outras tendências de privatização da vida e autonomização da família características das sociedades liberais burguesas. Com isso, talvez de maneira inadvertida, a melancolia, depois de Freud, veio a perder seu antigo potencial de sintoma do mal-estar na civilização.

Que sintomas, hoje, podem ser entendidos como formas contemporâneas do mal-estar?

Penso que esse potencial analisador do laço social representado desde a Antiguidade pela(s) melancolia(s) deslocou-se, hoje, para o campo das depressões. Da década de 1990 em diante, o diagnóstico psiquiátrico das depressões, que a psicanálise vem tentando recuperar para o seu campo de investigação, tomou o lugar que havia sido ocupado pela melancolia até as primeiras décadas do século XIX[30]. *Depressão* é o nome contemporâneo para os sofrimentos decorrentes da perda do lugar dos sujeitos junto à versão imaginária do Outro. O sofrimento decorrente de tais perdas de lugar, no âmbito da vida pública (ou, pelo menos, coletiva), atinge todas as certezas imaginárias que sustentam o sentimento de *ser*. O aumento da incidência dos chamados "distúrbios depressivos", desde as três últimas décadas do século XX, indica que devemos tentar indagar o que as depressões têm a nos dizer, a partir do lugar até então ocupado pelas antigas manifestações da melancolia, como sintomas das formas contemporâneas do mal-estar.

Em 1970, em um colóquio internacional dedicado às depressões em Nova York, o psiquiatra Heinz Lehmann divulgou uma projeção segundo a qual a depressão estaria se tornando a doença mental de maior expansão no planeta, atingindo 3% da população mundial, equivalentes na época a cem milhões de pessoas[31]. Na década seguinte, na França, o número de depressivos teria aumentado 50%[32].

---

[30] Para um bom resumo dos diagnósticos psiquiátricos das depressões a partir do relatório DSM-IV, ver Luis Hornstein, *Las depressiones*, cit.; Bernard Granger, "Les Français n'ont jamais autant consommé d'antidépresseurs", em *La dépression* (Paris, Le Cavalier Bleu, 2006, col. Idées Reçues).

[31] Citado por Alain Ehrenberg, *La fatigue d'être soi: dépression et société* (Paris, Odile Jacob, 2000), p. 138.

[32] Ibidem, p. 231.

Em 1994, o relatório DSM-IV, quarta versão do *Diagnostic and statistical manual of mental disorders* [Manual estatístico e diagnóstico das doenças mentais], publicado nos Estados Unidos, estimou que a "depressão unipolar" (um quadro predominantemente depressivo, diferente dos ciclos alternados característicos da melancolia freudiana, hoje chamados transtornos "bipolares"[33]) teria sido, em 1990, a principal causa de "anos vividos com incapacitação" em países desenvolvidos[34]. O DSM-IV aponta um crescimento a taxas epidêmicas dos diagnósticos de depressão nos países industrializados. Só nos Estados Unidos, estima-se que 3% da população sofra de depressão crônica, ou seja, cerca de 19 milhões de pessoas, das quais 2 milhões de crianças. No Brasil, cerca de 17 milhões de pessoas foram diagnosticadas como depressivas nos primeiros anos do século XXI. De acordo com reportagem do jornal *Valor Econômico* a respeito dos vinte anos do Prozac, o mercado de antidepressivos vem crescendo no país a uma taxa de cerca de 22% ao ano, o que representa uma movimentação anual de 320 milhões de dólares[35].

Outros estudos norte-americanos, como o *National Comorbidity Survey* (NCS), estimam a prevalência da depressão na determinação do tempo de vida para 17% da população dos Estados Unidos[36]. A depressão nos Estados Unidos é a principal causa de incapacitação em pessoas acima de cinco anos de idade. Estima-se que 15% das pessoas deprimidas cometerão suicídio. Os suicídios entre jovens e crianças de dez a quatorze anos aumentaram 120% entre 1980 e 1990. No ano de 1995, mais jovens norte-americanos morreram por suicídio do que pela soma de câncer, aids, pneumonia, derrame, doenças congênitas e doenças cardíacas[37].

O que mais nos espanta, diante desses números, é que vivemos em uma sociedade que parece essencialmente *antidepressiva*, tanto no que se refere à promoção de estilos de vida e ideais ligados ao prazer, à alegria e ao cultivo da

---

[33] No capítulo XI, questionarei a precisão do termo psiquiátrico, já que podemos observar oscilações bipolares também na histeria e na neurose obsessiva.

[34] Ver Paulo Rossi Menezes e Andréia F. Nascimento, "Epidemiologia das depressões nas diversas fases da vida", em Beny Lafer et al., *Depressão no ciclo da vida* (Porto Alegre, Artes Médicas, 2000), p. 28.

[35] Chris Martinez, "Uma indústria do bem-estar", *Valor Econômico*, São Paulo, 7/12/2007.

[36] José Alberto Del Porto, "Conceito de depressão e seus limites", em Beny Lafer et al., *Depressão no ciclo da vida*, cit., p. 20.

[37] Andrew Solomon, *O demônio do meio-dia: uma anatomia da depressão* (trad. Myriam Campello, Rio de Janeiro, Objetiva, 2002).

saúde quanto à oferta de novos medicamentos para o combate das depressões. No entanto, essa forma de mal-estar tende a aumentar *na proporção direta* da oferta de tratamentos medicamentosos: há vinte anos, 1,5% da população dos Estados Unidos sofria de depressões que exigiam tratamento; já no século XXI, esse número subiu para 5%.

A Organização Mundial da Saúde (OMS) divulgou que os "transtornos depressivos" se tornaram a quarta causa mundial de morbidade e incapacitação, e atingem cerca de 121 milhões de pessoas no planeta – sem contar, evidentemente, as que nunca se fizeram diagnosticar. Até 2020, segundo a OMS, a depressão terá se tornado a segunda principal causa de morbidade no mundo industrializado, atrás apenas das doenças cardiovasculares.

Antidepressivos

E o pobre "fulano", que sente um misto de tristeza, melancolia, desânimo, apatia, falta de alegria, de apetite, de desejo sexual, acha realmente que está ficando "louco". Ele não tem a mínima ideia – informação – de que pode estar com um desequilíbrio hormonal de serotonina, uma substância sedativa e calmante, que regula o humor; e de dopamina e noradrenalina, que proporcionam energia e disposição. Sem eles – ou com algum desequilíbrio deles – não dá prá ser feliz. Literalmente.[38]

O recurso ao tratamento farmacológico como único modo de enfrentar as diversas manifestações da dor de viver é alarmante, principalmente no que se refere aos "distúrbios" infantis.

Em julho de 2007, a *Folha de S.Paulo* publicou um estudo citado na revista norte-americana *Archives of General Psichiatry* que indica que o número de crianças e adolescentes diagnosticados como portadores de "transtorno bipolar" nos Estados Unidos aumentou 40 vezes em nove anos (entre 1994 e 2003): de 25 a cada 100 mil pacientes até 19 anos, entre 1994 e 1995, para 1.003 a cada 100 mil pacientes na mesma faixa etária, entre 2002 e 2003[39]. De acordo com os psiquiatras entrevistados no artigo citado pela *Folha*, tal aumento, chamado de

---

[38] Cátia Moraes, *Eu tomo antidepressivos, graças a Deus! Pacientes e médicos desmistificam o tratamento psiquiátrico* (Rio de Janeiro, Best Seller, 2008).

[39] Denise Godoy, "EUA veem surto de jovens tratados por transtorno bipolar", *Folha de S.Paulo*, 5/9/2007, Caderno Mundo, p. A15.

"surto" no título, indica apenas um aperfeiçoamento dos métodos diagnósticos dos transtornos bipolares.

Em 90,6% dos casos, foi prescrita medicação para as crianças e adolescentes diagnosticados como bipolares. O psiquiatra Mark Olfson, do Instituto Psiquiátrico do Estado de Nova York, prudentemente sugere que, antes de pensar em medicar seus filhos, os pais deveriam aprender a lidar com seus ataques de raiva e suas crises de desânimo. Embora Olfson não questione o diagnóstico psiquiátrico de bipolaridade para as alterações de ânimo – tão frequentes em crianças, sobretudo nos casos de famílias ansiógenas –, não deixa de ser corajosa sua posição de convidar os pais de crianças-problema a assumirem seu lugar de educadores responsáveis e ajudar seus filhos a atravessar as crises e os conflitos da vida, com seus inevitáveis altos e baixos de fúria e desânimo, onipotência e inapetência para viver, antes de pensar em "estabilizar o humor" das crianças à base de medicamentos. Quanto ao Brasil, a reportagem de Márcio Pinho, na mesma edição, sugere que o menor aumento do número de crianças e adolescentes bipolares deve-se à insuficiência de diagnósticos. Ainda assim, no Serviço de Psiquiatria da Infância e da Adolescência do Hospital das Clínicas de São Paulo, o número de pacientes atendidos saltou de 22, em 1995, para 135, em 2007.

Não é possível precisar se todos esses crescimentos estatísticos revelam um aumento epidêmico das depressões (assim como dos transtornos bipolares e da hiperatividade infantil), um aperfeiçoamento de métodos diagnósticos, uma consequência da expansão da indústria farmacêutica ou, na pior das hipóteses, uma atuação conjunta de todos esses fatores. Em muitos debates de que tenho participado, colegas psiquiatras têm apontado um elemento importante que pode falsear os números sobre o aumento das depressões nos países industrializados: as novas estratégias de venda dos laboratórios farmacêuticos já não se limitam à divulgação dos remédios lançados no mercado. A ênfase dos panfletos distribuídos nos consultórios de médicos e psiquiatras recai sobre os *novos critérios de diagnóstico* das depressões, de modo a incluir um número crescente de manifestações de tristeza, luto, irritabilidade e outras expressões de conflito subjetivo entre os "transtornos" indicativos de depressão a serem tratados por emprego de medicamentos.

Assistimos, assim, a uma patologização generalizada da vida subjetiva, cujo efeito paradoxal é a produção de um horizonte cada vez mais depressivo. Embora o aperfeiçoamento das novas medicações ofereça um auxílio precioso ao analista no tratamento das depressões, a psicanálise não pode nem deve ser excluída dessa abordagem. Onde quer que se encontre o sujeito, *encolhido* pela depressão, é lá que o analista deve ir buscar a expressão significante de seu sofrimento. Não importa quanto ele demore até ter vontade ou forças para dirigir a palavra ao analista. O projeto pseudocientífico de subtrair o sujeito – sujeito de desejo, de conflito, de dor, de falta – a fim de proporcionar ao cliente uma vida sem perturbações acaba por produzir exatamente o contrário: vidas vazias de sentido, de criatividade e de valor. Vidas em que a exclusão medicamentosa das expressões da dor de viver acaba por inibir, ou tornar supérflua, a riqueza do trabalho psíquico – o único capaz de tornar suportável e conferir algum sentido à dor inevitável diante da finitude, do desamparo, da solidão humana.

As estratégias de expansão da indústria farmacêutica merecem atenção especial não apenas porque tendem a influir no aumento dos diagnósticos de depressão, mas principalmente porque difundem uma versão patológica e *medicalizável* de todas as formas de inquietação, oscilação de ânimo e inadaptação à norma que caracterizam a vida e a vitalidade psíquicas – em detrimento da existência das manifestações do inconsciente.

Frederick Crews, em artigo publicado em *O Estado de S.Paulo*, esclarece que:

> a maior parte dos lucros da indústria farmacêutica depende de uns poucos remédios para os quais sempre se buscam novos usos. Se tais novos usos não surgem por meio de experimentos, recorre-se à publicidade de certos males – ou seja, a convencer as massas de que alguns de seus estados de ânimo são, na verdade, doenças que requerem tratamento. *O objetivo é criar demanda espontânea pela cura milagrosa que a empresa pode oferecer.*[40]

Nos congressos internacionais de psiquiatria patrocinados pelos grandes laboratórios, mais do que a propaganda de produtos lançados no mercado, o que se divulgam são novos métodos diagnósticos capazes de detectar os menores sinais de distúrbios depressivos. Trata-se de instruir os médicos e psiquiatras a detectar a depressão, assim como outros distúrbios medicalizáveis, a partir de praticamente todas as queixas de seus pacientes: diminuição de apetite, oscilações de humor, insônia ou excesso de sono, fadiga, pessimismo, desânimo, inapetência sexual...

---

[40] Frederick Crews, "Ilusões e desacertos da era Prozac", *O Estado de S.Paulo*, 2/12/2007. (Grifo meu.)

A longa lista de sintomas de depressão divulgada em um folheto do laboratório Wyeth[41], por exemplo, inclui tristeza, ansiedade, irritabilidade, medo, insegurança, indecisão, falta de prazer, fadiga, redução da autoestima e da capacidade de concentração, visão pessimista do futuro, sono e apetite perturbados, queixas físicas variadas, diminuição do apetite sexual, além de, evidentemente, desejos suicidas. Sintomas semelhantes, acrescidos do vago e popular estresse, de preocupação excessiva e dores nas costas, constam de um folheto distribuído pelo laboratório Lilly, que convida o leitor ao autodiagnóstico a partir de uma lista desenvolvida pela Universidade de Michigan. Por precaução, o autor do folheto recomenda que, depois de preencher a lista, o leitor procure a ajuda de um médico antes de concluir seu próprio diagnóstico. Outro *folder*, do Libbs, depois de listar mais ou menos a mesma série de sintomas, dedica algumas linhas às "causas da depressão": hereditariedade, "vulnerabilidade biológica" e alterações químicas nos neurotransmissores indicam que a depressão situa-se entre as doenças do corpo a serem curadas com medicamentos. Mas "fatores ambientais" e diversos incidentes tristes da vida também participam da lista.

É importante notar que esses folhetos não são apenas distribuídos entre médicos e psiquiatras, mas também entre leigos, como forma de ajudá-los a detectar os primeiros sintomas de depressão e não demorar a procurar tratamento. A divulgação para o público leigo da importância do diagnóstico precoce e do valor do tratamento farmacológico para todas as manifestações de tristeza que se pareçam com as depressões também tem efeito expressivo no aumento de pessoas que procuram os consultórios dos psiquiatras dizendo-se deprimidas. "Em muitos casos, o que se fala é que uma tristeza mais profunda, mas passageira, passou a ser vista como depressão", escreve Chris Martinez em reportagem para o jornal *Valor Econômico*[42]. A ideia que se propaga nesse caso é de que as dores da vida deveriam ser todas dispensadas, eliminadas por meio de medicação, na busca de um grau ótimo de eficiência existencial. "O importante é que as pessoas tenham bem-estar e se aliviem das tensões que as acometem no dia a dia", declarou à jornalista do *Valor* um psiquiatra do hospital Albert Einstein. Como não associar essa busca do conforto psíquico a qualquer preço à atitude fatalista e ao recuo ante o conflito que se encontram na origem das depressões? Na Terceira Parte, voltarei a abordar a relação entre busca de conforto psíquico, fatalismo e depressão a partir da psicanálise.

---

[41] *Depressão: comprometa-se com seu tratamento*, assinado pelos professores Ângela Miranda-Scippa e Irismar Reis de Oliveira.

[42] Chris Martinez, "Uma indústria do bem-estar", cit.

Diante de tal unanimidade, o psiquiatra e pesquisador inglês David Healy, ex-secretário da Associação Britânica de Psicofarmacologia, lançou em 2004 o livro *Let them eat Prozac: the unhealthy relationship between the pharmaceutical industry and depression* [Deixem que comam Prozac: a relação nociva entre a indústria farmacêutica e a depressão][43], em que contesta o mito criado pelas companhias farmacêuticas segundo o qual as causas das depressões se reduzem à falta do neurotransmissor serotonina no cérebro. Healy também presta aos leitores o importante serviço de divulgar os efeitos colaterais do uso contínuo de antidepressivos, a começar pelos graves sintomas de dependência que, segundo o autor, as companhias farmacêuticas procuram justificar como efeitos da própria depressão. Além desse problema, os psicanalistas percebem com frequência que os tratamentos com antidepressivos deixam de fazer efeito depois de algum tempo, levando o usuário a um estado crônico de desafetação sem dor, mas também sem desejo. "Já não sinto nem a depressão nem mais nada", disse-me uma conhecida que, depois de tomar Efexor por uma década, me pediu uma indicação de analista. Estudos recentes revelaram também que o impacto benéfico dos medicamentos baseados na fluoxetina só é significativo para pacientes gravemente deprimidos[44].

Alain Ehrenberg sugere que o desenvolvimento de medicamentos cada vez mais especializados vem provocando uma falência teórica no seio da psiquiatria, que já não conta com hipóteses etiológicas para a compreensão das doenças mentais. Medicam-se comportamentos, detectados um a um através das exaustivas tabelas propostas pelo DSM-IV; o diagnóstico se estabelece *a posteriori*, a depender do sucesso da medicação. Como o número de comportamentos incluídos entre os indicadores de depressão é cada vez maior, o diagnóstico vem se tornando cada vez mais impreciso.

> A partir do momento em que não se sabe mais definir a depressão, mas que se dispõe de antidepressivos eficazes, manejáveis e que agem bem sobre o humor depressivo, seja este inibido ou ansioso, como definir essa patologia a não ser como aquela que os antidepressivos curam? Nesse caso, a noção de conflito perde

---

[43] David Healy, *Let them eat Prozac: the unhealthy relationship between the pharmaceutical industry and depression* (Nova York, Universidade de Nova York, 2004).
[44] Jeremy Laurance, "Estudo aponta que antidepressivos têm baixa eficácia", *Folha de S.Paulo*, 26/2/2008.

totalmente o interesse para guiar o diagnóstico. De fato, o paradigma descritivo se substitui ao paradigma etiológico.[45]

À aparente eficiência dos tratamentos medicamentosos soma-se a *paixão pela segurança*[46] que caracteriza a sociedade contemporânea, para a qual a ideia de que a vida seja um percurso pontuado por riscos inevitáveis produz uma espécie de escândalo. A aliança entre os ideais de precisão científica e de eficiência econômica produz uma versão fantasiosa da vida humana como um investimento no mercado de futuros, cujo sentido depende de se conseguir garantir, de antemão, os ganhos que tal investimento deverá render. É evidente que, de acordo com a lógica subjacente a esse projeto, o campo incerto da subjetividade, tributário do movimento errante do desejo inconsciente, deve ser reduzido à sua dimensão mais *insignificante* a fim de que nenhum rodeio inútil se interponha entre cada projeto de vida e sua meta final. Tal desvalorização dos meios (e dos rodeios, dos descaminhos, da errância e de todas as formas de digressão que permitem certo usufruto desinteressado do tempo) em prol de uma finalidade urgente e inquestionável favorece o sentimento genuinamente depressivo de desvalorização da vida, como pretendo argumentar no capítulo seguinte.

O mais expressivo representante dessa concepção utilitária da vida humana é o psiquiatra norte-americano Peter Kramer, que desde o final da década de 1990 afirma que não há nenhuma razão para que as medicações do "bem-estar" sejam ministradas apenas àqueles que se dizem doentes. Secundado no Brasil pelo psiquiatra Valentim Gentil Filho, do Hospital das Clínicas de São Paulo, Kramer defende uma "medicina de comportamentos"; já não se trata de tentar curar o sujeito, nem mesmo a pessoa. O mais recente "avanço" da psiquiatria consiste em substituir, pontualmente, comportamentos indesejáveis por outros, mais adequados. Dessa forma, não há razão para não se oferecer medicamentos também às pessoas consideradas "normais", de modo a eliminar um ou outro comportamento indesejado, um ou outro estado de humor desagradável, e assim possibilitar a conquista de um estado de ânimo estável e sem conflitos, uma saúde mental "melhor que bem". O psicanalista André Green qualificou essa corrente pragmática de "psiquiatria veterinária".[47]

---

[45] Alain Ehrenberg, *La fatigue d'être soi*, cit., p. 191.
[46] Ver p. 288.
[47] Citado em Alain Ehrenberg, *La fatigue d'être soi*, cit., p. 261-4.

A expressão de André Green faz pensar na falência da produção de teorias que tentam, no seio da psiquiatria, compreender as chamadas doenças mentais. As classificações em forma de *transtornos* oferecidas pelos DSM norte-americanos e pelo CID-10, da OMS, fazem obstáculo a qualquer tentativa de abordagem metapsicológica dessa forma epidêmica de sofrimento psíquico. Com quantos "transtornos" se faz uma depressão? O relatório da OMS começa pelos transtornos do humor, que serão os primeiros a identificar o padecimento daqueles que se dizem depressivos. "Estados de ânimo depressivos" e "perda de interesse ou de capacidade para o prazer" são os primeiros critérios para a classificação dos transtornos de depressão maior (TDM)[48]. Segue-se uma lista de "transtornos" que podem caracterizar outras formas de sofrimento psíquico: insônia, fadiga, sentimentos de culpa e de inutilidade, diminuição do apetite, das funções sexuais, da sociabilidade, do pensamento (por exemplo, indecisão e incapacidade de concentração, sintomas frequentes também, como se sabe, entre neuróticos obsessivos), da capacidade de trabalho e assim por diante.

A infindável listagem dos transtornos poderia incluir também, no centro das depressões, importantes transtornos existenciais, expressos por meio das (poucas) palavras daqueles que se queixam, nos consultórios dos psicanalistas, de que suas vidas não fazem sentido e não valem a dor de viver. Além disso, encontramos com frequência, entre os depressivos, transtornos na percepção temporal revelados por aqueles que sentem que o tempo cotidiano, sem a sustentação de uma fantasia a respeito do futuro, tornou-se um tempo estagnado, um tempo que não passa. Transtornos da esperança trazem graves efeitos colaterais de resignação e fatalismo, sintomas da anulação do sujeito (do desejo) quando ele vive a impressão, ou a certeza, de que sua existência não há de fazer nenhuma diferença no curso "natural" de uma vida que não lhe pertence, pois já está desde sempre determinada por interesses e poderes planetários imunes aos efeitos da ação política. Sem contar os transtornos da imaginação, colonizada pela indústria onipresente do espetáculo. Ou seja, o que importa, no estudo das depressões, é entender em que consiste o nó que amarra o conjunto de "transtornos" que se manifestam, acima de tudo, pela via da palavra, ainda quando tais incidências da linguagem atinjam também o funcionamento do corpo erógeno.

---

[48] Luis Hornstein, *Las depressiones*, cit., p. 144.

Demissão subjetiva

Talvez seja possível ensaiar uma abordagem efetivamente teórica e buscar uma hipótese comum a essa série interminável e fragmentária de transtornos que não devem, nem podem, ser medicados ou escutados um a um. Escolho, para começar, a hipótese lacaniana que relaciona a depressão a uma posição específica do sujeito. *Demissão subjetiva* foi como Lacan designou a posição do sujeito que se deprime: aquele que sofre da única culpa justificável, em psicanálise, a culpa por ceder em seu desejo. Não se trata de supor que a alternativa para as depressões seria o domínio egoico e consciente do *objeto* do desejo. O desejo, em psicanálise, é por definição inconsciente – e seu objeto, perdido. A posição do sujeito ante o objeto (perdido) de seu desejo determina seu lugar no fantasma, de onde ele ensaia sua versão inconsciente a respeito do que o Outro quer dele. Dessa posição sobre a qual se sustenta a estrutura, o neurótico, forçosamente, deverá cair – se não na vida, certamente ao longo de uma análise. Mas o depressivo é aquele que se deixa cair ou – tomo de empréstimo aqui a expressão de Mauro Mendes Dias[49] – aquele que "cai antes da queda". Há uma covardia nesse deixar-se cair, no que toca ao enfrentamento com a castração. Não que o depressivo se saiba covarde; o que ele percebe são os efeitos dessa covardia originária e inconsciente sobre todos os aspectos de sua vida subjetiva. No que essa covardia difere daquela do neurótico não deprimido – que também recua do enfrentamento com a castração – é um ponto ao qual devo voltar nos capítulos seguintes.

No que toca à demissão subjetiva, o que varia de um sujeito para outro não é o maior ou menor "conhecimento" do objeto do desejo, mas o compromisso – ou o descompromisso – com a condição desejante, através das escolhas de vida que representam o que mais importa e interessa a cada sujeito. A via do compromisso com o desejo é a única via não alienada de produção de sentidos para a vida, ou seja, a única cuja escolha não serve a um suposto desígnio do Outro. O desejo, em Lacan, é "metonímia do nosso ser". Na impossibilidade de reencontro com a totalidade do *ser*, para sempre perdido, as moções do desejo representam o ser a partir de pequenos fragmentos, de frações metonímicas, como as ruínas das grandes edificações desaparecidas permitem deduzir que um dia elas estiveram inteiras, ali. Ceder dessa dimensão equivale assim a desistir de ser.

---

[49] Mauro Mendes Dias, *Cadernos de seminário: neuroses e depressão* (Campinas, Escola de Psicanálise de Campinas, 2004).

O que chamo *ceder de seu desejo* acompanha-se sempre, no destino do sujeito, [...] de alguma traição. Ou o sujeito trai sua via, trai a si mesmo [...] ou, mais simplesmente, tolera que alguém com quem ele se dedicou mais ou menos a alguma coisa tenha traído sua expectativa, não tenha feito com respeito a ele o que o pacto comportava, qualquer que seja o pacto [...], pouco importa. Algo se desenrola em torno da traição, quando se a tolera, quando, impelido pela ideia do bem – quero dizer, do bem daquele que traiu –, se cede a ponto de diminuir suas próprias pretensões e dizer-se – Pois bem, já que é assim, renunciemos à nossa perspectiva [...]. Aqui, vocês podem estar certos de que se reencontra a estrutura que se chama *ceder de seu desejo*.[50]

Essa seria, para Lacan, a única causa justificada dos sentimentos de culpa; não a culpa do neurótico em dívida para com as pretensões incestuosas que o *supereu* herdou do complexo de Édipo, mas a culpa daquele que se deprime, que se vê abatido e sem razão de viver porque intui que traiu a si mesmo, traiu a via que o representava como sujeito de um desejo marcado pelo significante. E se ele traiu, pensa Lacan, foi sempre na tentativa de responder a um ideal de Bem – um ideal cristão? O texto citado é de 1967 – que coloca o bem do outro à frente do bem do sujeito: "[...] pois, se é preciso fazer as coisas pelo bem, na prática deve-se deveras sempre perguntar pelo bem de quem"[51].

---

[50] Jacques Lacan, *O Seminário, livro 7: A ética da psicanálise* (1959-1960) (trad. Antonio Quinet, Rio de Janeiro, Jorge Zahar, 1988), p. 384-5.
[51] Ibidem, p. 383.

II
Um sujeito em desacordo com o Bem

Comigo me desavim
fui posto em todo perigo
Não posso viver comigo
não posso fugir de mim.
Com dor, da gente fugia
antes que esta assim crescesse;
Agora já fugiria
de mim, se de mim pudesse.
Que meio espero ou que fim
do vão trabalho que sigo
Pois que trago a mim comigo
tamanho inimigo de mim?

Sá de Miranda

A culpa de ceder de seu desejo supõe uma condição subjetiva particular, muito característica do que venho chamando de indivíduo moderno: a condição de que a verdade do sujeito esteja em desacordo com o que seu meio social estabeleceu como sendo o Bem. Esse desacordo entre o sujeito e o Bem pode ocorrer em qualquer época, em qualquer cultura. Mas nas condições da modernidade, até mesmo de nossa modernidade tardia, ele se generaliza. Arrisco afirmar que, nas condições anteriores à modernidade, o Bem não seria necessariamente incompatível com a verdade de um sujeito, uma vez que este se reconhecia, acima de tudo, como partícipe da mesma tradição a partir da qual esse Bem se estabelecera. É quando as tradições perdem a força de determinar os destinos das novas gerações, quando a verdade deixa de ser entendida como revelação divina e se multiplica em versões parciais e saberes especializados, quando o Outro deixa de estar representado, imaginariamente, por uma única e incontestável figura de autoridade, que o indivíduo é obrigado a se afirmar como centro de suas referências e a se responsabilizar por estabelecer alguma concordância entre a verdade do ser e o Bem, entendido como convicção coletiva estabilizadora do laço social. Nesse sentido, a liberdade e a autonomia individuais conquistadas na modernidade cobram do sujeito o preço de (mais) alienação[52].

Dito de outra forma: na modernidade, a verdade do sujeito advém do inconsciente. O sujeito da psicanálise se constitui como efeito da operação de recalque necessária para separá-lo do gozo do Outro. Dessa operação, resulta a ignorância do *indivíduo* (este compreendido como uma função do *eu*) a respeito da verdade que sustenta seu desejo[53].

Em Freud, o recalque primário que inaugura o inconsciente é entendido como condição universal da fundação do sujeito[54]. Não é essa, portanto, a condição daquelas manifestações do inconsciente afetadas pelas transformações do laço social ao longo da história. O que varia da passagem das sociedades tradicionais para a modernidade é, por um lado, o estatuto imaginário do Outro, que se fragmenta em inúmeras representações; por outro lado, o aumento da responsabilidade do *eu* – que se individualiza – por suas escolhas, o que favorece a culpa neurótica[55].

Lacan, em sua formulação, inverte a razão do que o senso comum entende como culpa moral: em vez de se abater por ter se deixado levar para longe do caminho do Bem, entendido como organizador supremo das regras morais, o depressivo da psicanálise sente-se derrotado por ter cedido de um bem muito mais precioso, o caminho singular e intransferível de comunhão com a força inconsciente que o sustenta.

É evidente que já não se trata do mesmo sujeito. Mas mesmo nas sociedades em que o Bem parecia sustentado por uma convicção inquestionável a respeito

---

[52] Ver Maria Rita Kehl, *Sobre ética e psicanálise*, cit.

[53] Daí o sentido da subversão feita por Lacan sobre a verdade do sujeito cartesiano, que pode ser resumida como: "eu penso onde não sou/ sou onde não penso". Ver Jacques Lacan, "La instancia de la letra en el inconsciente o la razón desde Freud", em *Escritos*, cit., v. I, p. 473-509. [Ed. bras.: "A instância e a letra", em *Escritos*, cit.]

[54] Sigmund Freud, "Tótem y tabú" (1913-1914), cit., v. II, p. 1745-850.

[55] Ver Maria Rita Kehl, *Sobre ética e psicanálise*, cit.

dos desígnios do Outro, as representações da melancolia já sinalizavam um desajuste semelhante entre um homem, tomado individualmente, e o Bem, estabelecido pela coletividade a que ele pertence.

No prefácio de *Saturne et la mélancolie*[56], Raymond Klibansky escreve que o estudo do longo percurso da melancolia empreendido por ele, Panofsky e Saxl equivale à história da sensibilidade do homem contemporâneo. Se assim for, vale retomar alguns pontos de inflexão dessa longa história, pelo menos no Ocidente. Talvez o percurso nos ajude a compreender como foi que o conceito de melancolia cedeu lugar ao de depressão como expressão privilegiada dos impasses da sensibilidade contemporânea.

O termo "exceção" é utilizado no texto atribuído a Aristóteles, o célebre *Problema XXX*, para designar a posição do melancólico entre seus semelhantes. Na Antiguidade, o caráter excepcional do melancólico era atribuído ao excesso de bile negra, responsável pela predominância dos *ventos* sobre os outros elementos que compõem o corpo. São os ventos que emprestam ao caráter melancólico sua inconstância (a predisposição a "sair de si"), sua predisposição a abatimentos profundos e ao furor, mas também sua rapidez de pensamento e sua criatividade. Marcilio Ficino, ao comentar o *Problema XXX*, escreve que, no pensamento aristotélico, "todos os homens que excelleram em qualquer domínio eram melancólicos [...] e não existiram gênios a não ser entre os homens tomados por algum furor"[57].

Nem todo homem tomado pela bile negra é melancólico, assim como nem todo melancólico deve ser considerado um doente. Ocorre que a volubilidade do caráter do melancólico, a capacidade de "tornar-se outro" que o predispõe à arte poética por seu talento para a *mímesis,* faz do melancólico um indivíduo instável, que oscila perigosamente entre o gênio e a loucura – dois estados da alma cuja diferença não é de qualidade, e sim de grau.

---

[56] Raymond Klibansky, Erwin Panofsky e Fritz Saxl, *Saturne et la mélancolie, études historiques et philosophiques: nature, religion, médecine et art* (1964) (trad. Fabienne Durand-Bogaert e Louis Evrard, Paris, Gallimard, 1989). Devo a primeira indicação da pesquisa de Panofsky, Klibansky e Saxl a Sérgio Alcides, Sob o signo da iconologia: uma exploração do livro Saturno e a melancolia, de R. Klibansky, E. Panofsky e F. Saxl. *Topoi: Revista de História*, Rio de Janeiro, 7 Letras, v. 2, n. 3, jul.-dez. 2001, p. 131-73. Vale observar que Saturno, planeta associado à melancolia, também rege as relações dos homens com o tempo; na mitologia grega, Saturno é Cronos, o deus do tempo.

[57] Citado por Jackie Pigeaud em sua apresentação a Aristóteles, *O homem de gênio e a melancolia: o Problema XXX, 1* (tradução do grego, apresentação e notas de Jackie Pigeaud, tradução do francês Alexei Bueno, Rio de Janeiro, Lacerda, 1998), p. 59.

Mas muitos, pela razão de que o calor se encontra próximo ao lugar do pensamento, são tomados pelas doenças da loucura ou do entusiasmo. O que explica as Sibilas, os Bakis, e todos os que são inspirados, quando eles assim se tornam não por doença, mas por mistura de sua natureza. E Maracus, o Siracusiano, era ainda melhor poeta nos seus acessos de loucura. Mas esses nos quais o calor excessivo se detém, no seu impulso, em um estado médio são certamente melancólicos mas são mais sensatos, e se são menos bizarros, em compensação, em muitos domínios, são superiores aos outros, uns no que concerne à cultura, outros às artes, outros ainda à gestão da cidade.[58]

As alternâncias de calor e frio explicam por que, no melancólico, acessos de fúria e ousadia se alternam com o medo, e mesmo "o anúncio de um perigo, se ele encontra um estado particularmente frio da mistura, torna alguém covarde"[59]. São considerados melancólicos alguns valorosos heróis da mitologia grega que sucumbiram à *ékstasis,* a "saída de si próprio" facilitada pela polimorfia melancólica a qual, quando não encontra derivação na arte poética, torna o sujeito propenso a perigosas "passagens ao ato". É o caso de Hércules, que num acesso de loucura massacrou seus filhos e mais tarde se atirou no vulcão Etna; de Belerofonte, que se retirou para o deserto; de Ájax, que se suicidou por ter sido acometido, publicamente, de um delírio furioso.

É importante observar que, no *Problema XXX,* a melancolia não é reduzida ao estatuto de doença, o que coloca para o melancólico uma questão ética que poderíamos traduzir, modernamente, como a de uma escolha de destino para o seu sofrimento. A interpretação médica da melancolia, desde Galeno, ensinou aos antigos que não são os deuses que se expressam pela voz dos inspirados, e sim o desequilíbrio nas misturas que compõem o corpo que os leva a criar. Mas tal determinação humoral é insuficiente para explicar "como, da violência, ela [a inspiração] produz um sentido [...]. Como, com o dom, fazer o ser?"[60].

A partir de Aristóteles, a questão do desacordo entre o sujeito e o Bem que situa o melancólico em um lugar de exceção tomou as mais diversas formas nas representações da melancolia no Ocidente. O breve percurso que se segue, no qual recolho algumas das representações antigas da melancolia, foi

---

[58] Aristóteles, *O homem de gênio e a melancolia*, cit., p. 95.
[59] Ibidem, p. 97.
[60] Ibidem, p. 48.

inspirado na pesquisa coordenada por Jean Clair para a montagem da grande exposição *Mélancolie: génie et folie en Occident* [Melancolia: gênio e loucura no Ocidente][61]. Essa pesquisa iconográfica é dedicada a Raymond Klibansky e repercute, em várias passagens, o exaustivo levantamento de representações da melancolia empreendido desde a década de 1920 por Saxl, Klibansky e Panofsky a partir do projeto de Aby Warburg. O livro foi publicado em 1964 sob o título original *Saturn and melancholy*[62].

De acordo com o itinerário da melancolia empreendido por Jean Clair e colaboradores, uma das representações iconográficas mais conhecidas da melancolia é a de Ájax[63], lendário herói da guerra de Troia cujo suicídio inspirou uma das mais expressivas representações plásticas da melancolia da Antiguidade. Ájax é o herói que se desmoraliza e comete suicídio em consequência do ataque de loucura com que Palas Athena o castiga, e do qual se envergonha perante a comunidade dos valentes guerreiros que lutavam em Troia. A vergonha é um afeto causado quando um homem é ferido em sua imagem pública, enquanto o tormento da culpa é uma questão de foro íntimo, provocada pela (auto)condenação da consciência moral. Em uma sociedade guerreira, em que o valor de um homem se estabelece *em ato* diante de todos os seus companheiros, o sentimento público da vergonha é mais determinante do que a culpa. A crise melancólica que leva o herói ao suicídio resulta da vergonha por seu ato ensandecido, do qual ele não poderia ser considerado "culpado", mas que o desmoraliza diante das exigências de bravura e autocontrole, considerados um Bem na sociedade a que o guerreiro pertencia. O suicídio de Ájax, visto como manifestação de melancolia pelo pensamento da Antiguidade, reforça a ideia de que o melancólico sofreria os efeitos da perda de seu lugar ante os desígnios do Outro.

---

[61] Exibida em Paris, no Grand Palais, de outubro de 2005 a janeiro de 2006.
[62] Raymond Klibansky, Erwin Panofsky e Fritz Saxl, *Saturne et la mélancolie*, cit.
[63] Homero, *Ilíada*, III, 229. "Depois da morte de Aquiles, Ájax perde para Ulisses a disputa pela herança das armas do herói. Por arrogância, perde também a proteção de Palas Athena. A deusa, para castigar o herói, lança-o em uma crise de loucura que o faz degolar e estripar inocentes animais domésticos que, em sua alucinação, lhe aparecem inimigos perigosos. De volta a si, Ájax envergonha-se da covardia cometida e da fraqueza de ter perdido a consciência; depois de se despedir do filho pequeno, suicida-se com a sua própria espada. A estatueta de Ájax cabisbaixo, meditando sobre o suicídio, é uma das representações mais antigas da melancolia, esculpida em Roma, no início da era de Augusto, por volta do século I a.C." (Paul Demont, "La mélancolie dans l'Antiquité: de la mélancolie au tempérament", em Jean Clair [org.], *Mélancolie: génie et folie en Occident*, Paris, Réunion des Musées Nationaux, 2005, p. 34-49).

Aos conflitos do homem medieval com seu Bem corresponde uma outra representação da melancolia. As representações da melancolia medieval remetem à acedia, ou acídia, a prostração da vontade que acometia os ermitãos penitentes e os monges submetidos à rígida disciplina dos mosteiros. Em um período em que a Igreja detinha o monopólio do bem e da verdade, os monges cristãos eram aqueles que supunham melhor "conhecer" o que o Outro – no caso, Deus – esperava deles. Não que não houvesse divergências a respeito de qual seria a versão mais fiel sobre o desejo do Outro entre os cristãos: da ascese radical proposta pelos anacoretas nos primeiros séculos da era cristã ao maniqueísmo que caracterizou a heresia cátara, no século XII, inúmeros desvios dogmáticos atestam que nenhuma representação imaginária dos desígnios de Deus foi capaz de monopolizar de maneira absoluta a produção de certezas entre os cristãos.

O ponto em comum entre diferentes ideais sacrificiais, no cristianismo, consiste em apostar que a força da vontade movida pela fé deveria ser capaz de dominar a força contrária, das pulsões, de modo que o penitente demonstrasse seu amor a Deus renunciando aos prazeres do corpo. A acedia era considerada um pecado porque o enfraquecimento da vontade, a qual deveria ser permanentemente mobilizada para resistir às tentações da carne, facilitaria o acesso do demônio, com seu cortejo de tentações[64]. Prostrado pelo abatimento da vontade, assolado pelas tentações do pecado, o melancólico medieval sofreria as consequências de sua incapacidade de seguir pelo caminho escolhido para a maior glória de seu Deus. O pecado da acedia viria a justificar a inclusão da

---

[64] Os padecimentos de santo Antônio ou santo Antão, precursor dos anacoretas no século IV, foram retratados no fim da Idade Média em inúmeras gravuras e pinturas em que o santo aparece assolado pelas mais demoníacas figuras da tentação. Entre as representações do santo produzidas entre os séculos XIV e XVI, encontram-se obras de artistas consagrados, como Hieronymus Bosch (1490) e Lucas Cranach (1506). O mesmo santo viria a ser personagem de uma peça de Flaubert, *La tentation de Saint Antoine*, concebida em 1849, reescrita em 1856 e publicada somente em 1874. Santo Antônio, o eremita abatido pela dúvida sobre sua vocação, fraqueja ainda mais sob a tortura autoimposta de abstinência sexual e jejum: "Como eu sofro! É por ter jejuado demais! Minhas forças se esvaem. Se eu comesse... uma vez só, um pedaço de carne [...] Ah! A carne vermelha... um bago de uva que se morde! O leite aquecido tremula sobre o prato!... Mas o que há comigo! ...Que há comigo! Sinto meu coração se dilatar como o mar, quando ele incha antes da tempestade. Uma indolência infinita me abate, e o ar quente parece trazer o perfume de uma cabeleira. Não há nenhuma mulher por perto, no entanto..." (Gustave Flaubert, *La tentation de Saint Antoine*, Paris, Gallimard, 1983, p. 62). Tradução minha.

preguiça, outra manifestação de abatimento da vontade, entre os sete pecados capitais[65]. Para são Tomás de Aquino, a acedia seria causada pela retração da alma diante do objeto de seu desejo.

É grande a nossa tentação de associar tal retração da alma "diante do objeto de seu desejo" com a demissão subjetiva de Lacan. Tomemos essa analogia com um pouco de cautela. É preciso considerar a distância que separa a subjetividade medieval do sujeito da psicanálise. Para Tomás de Aquino, o objeto *indiscutível* do desejo de um cristão seria a aproximação da alma com Deus. O que está sendo designado como *desejo* em tal afirmação não tem necessariamente correspondência com a singularidade da condição desejante do sujeito contemporâneo. Ao contrário, se o verdadeiro cristão deseja exatamente aquilo que Deus deseja dele, é a condição de gozo do Outro que é atendida pelo mandato cristão, e não a irremediável insuficiência expressa pelo sujeito do desejo. O gozo (parcial) dos prazeres da carne que tentava o penitente cuja resistência sucumbia ao "demônio do meio-dia" afastava-o definitivamente do caminho – um caminho prescrito pelas autoridades eclesiásticas, portanto não inconsciente – de atender à demanda de gozo do Outro.

Por que a alma se retrairia ante a aproximação com Deus, a não ser em razão das exigências sobre-humanas impostas sobre o corpo pulsional como condição para tal aproximação? O oposto da acedia, em são Tomás, seria a fortaleza da alma; a acedia é uma espécie de desilusão, tristeza ou desistência diante dos bens espirituais que um cristão poderia alcançar se abrisse mão dos bens carnais – estes, considerados verdadeiros males. Tal oposição entre o gozo espiritual, entendido como participação do sujeito no gozo do Outro[66], e a satisfação parcial das pulsões tornava o penitente uma presa fácil da pulsão de morte. A metáfora para a acedia – "demônio do meio-dia"[67] – remete à fraqueza corporal

---

[65] Ver, a esse respeito, Jean Lauand, "O pecado capital da acídia na análise de Tomás de Aquino", em "Seminário internacional: os pecados capitais na Idade Média", *Caderno de Resumos*, Porto Alegre, UFRGS, 2004.

[66] Ver a analogia entre o gozo feminino e o gozo místico feita por Lacan em *O Seminário, livro 20: Mais, ainda* (1972-1973) (2. ed., trad. M. D. Magno, Rio de Janeiro, Jorge Zahar, 1985), capítulo IX, "Do Barroco: aonde isso fala, goza, e nada sabe", p. 142-59.

[67] A expressão "demônio do meio-dia", designação medieval da melancolia, é também o título de uma extensa pesquisa sobre as formas contemporâneas da depressão empreendida por Andrew Solomon, escritor norte-americano que tomou o projeto como tentativa de cura de um longo e grave episódio depressivo. Ver Andrew Solomon, *O demônio do meio-dia*, cit.

produzida pelo prolongado jejum a que os monges se submetiam por amor a Deus. A fome, o calor, a prostração do corpo enfraquecido abatem também a vontade da "alma", que recua diante da impossível proposta de encontro puramente espiritual com Deus – o que comprova que "nem tudo, da pulsão, pode ser sublimado"[68].

Nesse sentido, os melancólicos da Idade Média poderiam ser considerados portadores de um saber que contrariava o sentido supremo do Bem, tal como estabelecido pela hegemonia da Igreja. A acedia melancólica, abatimento da vontade que os fazia a desistir de levar adiante as renúncias pulsionais exigidas pelo Outro, sinalizaria, por um lado, que o corpo não pode ser (todo) subjugado pela força do espírito e, por outro, que a participação no gozo do Outro – no caso, Deus – não é acessível aos homens.

Jean Clair[69] aponta que o estabelecimento do pecado da acedia coincide, no final do período medieval, com o aumento da preocupação das autoridades eclesiásticas com a inatividade, considerada um pecado contra Deus e uma falta perante a sociedade. No período que marca o início da passagem do feudalismo para o capitalismo, aos primeiros sinais do surgimento de uma nova forma de acumulação de riquezas, a luta contra a acedia teria ultrapassado o terreno monopolizado pelos teólogos e, sob a forma da *desídia* (preguiça), tornava-se objeto de reflexão dos moralistas laicos.

É no Renascimento que encontramos, na melancolia, o protótipo de uma subjetividade que prenuncia o surgimento do sujeito moderno. Do século XV em diante, foi o campo do Outro que se desarticulou e perdeu a unidade mantida durante séculos sob a hegemonia da Igreja católica. O desajuste que o melancólico sinalizava, nesse caso, seria efeito da impossibilidade de reconstituir uma *unidade* no campo do Outro, dada a multiplicidade de acontecimentos, descobertas e saberes que se abriam de maneira irrevogável diante dele. Enumero rapidamente a Reforma protestante, que abalou as certezas dos fiéis em relação aos caminhos da fé; a revolução copernicana, que deslocou a terra e o homem do centro do universo; o alargamento das fronteiras do mundo conhecido por efeito das navegações e do comércio; o surgimento das primeiras cidades, que promoveram o convívio entre desconhecidos e abalaram a segurança da vida comunitária característica das aldeias medievais; a redescoberta do mundo greco-romano, aliada à invenção

---

[68] Jacques Lacan, *O Seminário, livro 7: A ética da psicanálise*, cit., p. 352.
[69] Jean Clair, *Mélancolie: génie et folie en Occident*, cit., p. 71.

da imprensa, que permitiu a circulação de outras ideias, não controladas pelas autoridades eclesiásticas; a invenção dos primeiros instrumentos científicos de abordagem do mundo sensível, que abalaram os dogmas da Igreja a respeito da obra de Deus.

O homem do Renascimento não é aquele que perde seu lugar junto ao Outro por ter errado ou pecado, mas porque o campo simbólico se tornou, para ele, indecifrável. O pensamento humanista resgatava o aspecto positivo dessa queda: o da emancipação do homem em função de nova condição. O homem, deslocado do centro da criação, foi convocado a se tornar o centro de suas próprias referências e assim encontrar (ou inventar) seu lugar na ordem do universo. A melancolia renascentista adquire, assim, um prestígio muito diferente do abatimento da vontade característico da acedia medieval. O melancólico do humanismo, convocado a buscar em si mesmo a medida de suas escolhas, reúne vontade de saber, consciência de si, busca de sentido, angústia diante da escolha. "O homem, enquanto microcosmo, não tem uma natureza particular", escreveu o humanista Pico de la Mirandola. "Ele participa de todos os níveis do cosmo. Cabe a ele decidir o que ele quer[70]." Com isso, encontra-se mais próximo do gênio que da degeneração da vontade. Tal otimismo humanista não impediu, porém, que o melancólico renascentista sofresse o peso de uma consciência angustiada ante a insignificância de sua presença no mundo.

A representação mais expressiva da melancolia renascentista, datada do século XVI, foi uma pequena gravura de Albrecht Dürer, *Melancolia I* (1514). Na gravura de Dürer, o gênio melancólico, que chegou até o limite de sua aspiração ao conhecimento, toma a forma de uma figura andrógina e alada, híbrido de homem, mulher e anjo[71]. Para Panofsky e Saxl, autores de *Saturne et la mélancolie*, a representação da melancolia na gravura de Dürer simbolizaria o abatimento do *indivíduo*, essa formação subjetiva que começara a brotar a partir do Renascimento, em busca de uma imagem de si mesmo diante do espelho do universo, que também se tornara enigmático. Tal figura parece perdida em divagações, cercada

---

[70] Pico de la Mirandola, *Oratio de dignitate hominis*, citado por Peter-Klaus Schuster, "*Melencolia I*, Dürer et sa postérité", em Jean Clair, *Mélancolie: folie et génie en Occident* (Paris, Gallimard, 2005), p. 93.

[71] A ambiguidade da figura melancólica na gravura de Dürer talvez tenha o sentido de reunir em um único ser aspectos diversos da condição humana, como, por exemplo, a razão (masculina), a sensibilidade (feminina) e o espírito, representado pelas asas do anjo.

por instrumentos científicos de mensuração e conhecimento do universo: um compasso, uma ampulheta que marca a passagem implacável do tempo, mapas do mundo que se ampliara a partir dos descobrimentos, formas geométricas, um grande livro sobre os joelhos e, às suas costas, um quadrado mágico onde se inscreve a esperança de sintetizar a harmonia do universo. Seu olhar ensimesmado não se dirige a nada nem a nenhum desses objetos; antes sinaliza o abatimento ante a incapacidade de (tudo) saber.

Para os autores de *Saturn and melancholy*, a obra de Dürer teria marcado definitivamente o fim da Idade Média. Em *Melancolia I*, as razões do abatimento melancólico já não se explicariam pela acedia, pois a melancolia passava a designar um estado de espírito diferente: o desânimo e a inibição do homem renascentista diante dos novos recursos investigativos que caracterizaram o avanço da ciência de seu tempo. O melancólico, face às descobertas científicas que propunham uma nova abordagem – racional e investigativa – dos mistérios da natureza, sentiria a *nostalgia da verdade revelada*[72]. A possibilidade, ou pelo menos o desejo, de domínio racional do real teria deixado o homem renascentista diante da perda do sentido metafísico do mundo. A partir do Renascimento, o sujeito moderno nunca mais deixaria de se sentir vacilante em razão dessa perda de um saber que a ciência não é capaz de reconstituir, e "lhe impõe a incerteza do Outro"[73].

É interessante notar que a cifra I que acompanha o título da gravura não indica apenas o primeiro numeral romano, mas também a primeira letra da palavra imaginação, *Imaginatio*. Faz sentido, se observarmos o desinteresse da figura melancólica em relação aos instrumentos do conhecimento científico que o cercam. É como se a melancolia imaginativa, diferente de suas duas outras formas, a melancolia mental e a melancolia racional, buscasse ainda na capacidade (alada?) da fantasia as respostas para os mistérios do mundo desencantado pela racionalidade científica[74]. Walter Benjamin chama a atenção para o fato de que os objetos

---

[72] Jacques Adam, "La mélancolie, entre renoncement et enthousiasme", em Colette Soler (org.), *Des mélancolies*, cit., p. 33-40.

[73] Ibidem, p. 30.

[74] Lacan, no *Seminário 11*, escreveu a propósito da tela "Os embaixadores", de Holbein (1533), que o olhar dos dois homens, em meio aos objetos mais avançados da ciência e da técnica de seu tempo dirige-se para o nada, revela a impotência de saber sob a forma de uma recusa de saber. Os dois termos, impotência e recusa (diante da possibilidade de saber), não estão distantes de nossa hipótese sobre a melancolia no Renascimento. Ver Jacques Lacan, *Os quatro conceitos fundamentais da psicanálise* (Rio de Janeiro, Jorge Zahar, 1964), cap. VII.

da vida ativa, na *Melancolia* de Dürer, estão inertes – não teriam ali a função de objetos de conhecimento, mas de ruminação.

Albrecht Dürer, considerado também um melancólico convertido ao luteranismo depois da Reforma, criou duas gravuras de São Jerônimo, entre as inúmeras representações renascentistas do asceta que viveu no século IV. Em ambas, o santo é representado meditando ou estudando em sua cela, retirado do mundo, como que em busca da verdade diante da imensidão de possibilidades do saber.

A redescoberta da Antiguidade greco-romana trouxe para o homem do Renascimento a teoria aristotélica dos quatro elementos que compõem o universo – água, terra, fogo e ar –, aos quais Galeno, no século II, fizera corresponder quatro humores do corpo e quatro temperamentos. A recuperação renascentista da teoria dos quatro humores, de Hipócrates a Galeno, revelava a esperança dos pensadores do Renascimento de reencontrar alguma ordem simétrica no mundo, alguma correspondência harmoniosa entre o homem e a natureza: quatro humores (sanguíneo, fleumático, colérico e melancólico), quatro elementos (água, ar, fogo e terra), quatro qualidades (seco, úmido, quente e frio). O sangue doce e quente seria o humor predominante nos tipos sanguíneos; a fleuma, fria e úmida, nos fleumáticos; a bile amarela, quente e seca, nos coléricos; e a bile negra, fria, seca e espessa, nos melancólicos[75].

Mas a teoria dos quatro humores causados pelos quatro fluidos do corpo não afastava a ideia de que o melancólico renascentista, além do excesso de "bile negra", sofria da contradição entre a vontade e a impossibilidade de tudo saber. Já no século XVII, no apogeu do Classicismo, o teólogo inglês Robert Burton, bibliotecário em Oxford durante toda a vida, escreveu uma exaustiva *Anatomia da melancolia*[76], em que reuniu tudo o que se podia saber até então a respeito dessa instigante forma de sofrimento. Burton assina o prefácio de seu livro com o pseudônimo de "Democritus Junior", numa referência ao comportamento de Demócrito tal como descrito (supostamente) por Hipócrates, que teria diagnosticado como melancolia o mal que levara seu paciente a retirar-se do mundo para o isolamento na natureza selvagem. A melancolia de Demócrito, cuja vontade de

---

[75] Jean Starobinsky, "La mélancolie au jardin des racines grecques", *Les collections du Magazine Littéraire: Les écrivains et la mélancolie – mal de vivre, spleen et dépression d'Homère à Philip Roth*, Paris, hors-série, n. 8, out./nov. 2005, p. 39-45.

[76] Robert Burton, *Anatomie de la mélancolie* (1621) (Paris, Gallimard, 2005).

saber o fazia dissecar os corpos dos animais, também o levava a descrer e a rir de tudo. O riso de Demócrito seria uma manifestação da impossibilidade de tudo saber e da falta de sentido do mundo, manifestação tão melancólica quanto as lágrimas de seu antípoda Heráclito[77]; mas aquele demonstrava uma frieza diante da dor dos homens muito diferente da piedade expressa pelo choro deste.

No entanto, voltando ao texto *princeps* de Aristóteles, o excesso de piedade de Heráclito pode ser entendido como uma forma louca de "sair de si", assim como, para Hipócrates, a melancolia zombeteira de Demócrito pode não significar um sinal de loucura, mas uma demonstração de sensatez diante de um mundo louco. Os antigos sempre supuseram a existência de um saber oculto na melancolia.

A *Anatomia da melancolia*, de Burton, que teria lido tudo o que se escrevera até então sobre o tema, é um apanhado de todas as explicações existentes para as origens da melancolia: doenças diversas, má alimentação (por excesso ou escassez), falta de exercícios e de banhos frios, excesso de isolamento, falta de divertimento para a alma e para o corpo, inércia da alma ou do corpo, reclusão em ambientes artificiais, má iluminação dos quartos, mau uso da sexualidade, vícios, excessos, abstinência e, como não poderia deixar de ser, uma grave consequência da negação da existência de Deus. À multiplicidade de causas da melancolia corresponde uma enorme variedade de sugestões curativas. A cura da melancolia poderia encontrar-se na ingestão de certos alimentos, no consumo moderado de vinho e de água fresca, no convívio com pessoas agradáveis, nas caminhadas ao ar livre, nas atividades físicas de todos os tipos, nas leituras amenas, nas mudanças de ares, na música, nos prazeres sadios, na oração... A investigação das causas e as sugestões de remédios para a melancolia, tributárias da confiança de Robert Burton no espírito científico de sua época, remetem o leitor contemporâneo às listas exaustivas de transtornos depressivos que cobrem quase todas as possibilidades do comportamento humano e tentam responder a cada uma com uma intervenção medicamentosa.

Mas há passagens da *Anatomia da melancolia* que nos permitem supor, em seu autor, traços característicos do melancólico que perdeu seu lugar na ordem do mundo[78] e se consome em reflexões sobre o sentido da vida e a existência de Deus.

---

[77] Comentário de Jean Clair a uma pintura de Donato Bramante (1444-1514), "Heráclito e Demócrito", utilizada também como frontispício do livro de Burton. Ver Jean Clair, *Mélancolie: folie et génie en Occident*, cit, p. 149.

[78] Sentimento frequente entre os depressivos contemporâneos, como pretendo abordar nos capítulos dedicados à psicanálise das depressões.

Burton, teólogo inglês a salvo dos tribunais da Inquisição, dedicou um capítulo, intitulado "Digressão a respeito do ar", à sua própria melancolia, entendida como anseio sem esperanças de conhecer todos os mistérios do mundo – as regiões longínquas do planeta, o movimento da Terra e dos astros, a localização do paraíso terrestre e do inferno, as substâncias de que são feitos tanto o céu como o centro da Terra, a diversidade dos mundos e dos planetas habitados e a variedade dos povos que os habitam e, enfim, *em que consistem a existência e os desígnios de Deus*[79]. O desejo do Outro tornava-se cada vez mais inacessível aos sujeitos – cujo desamparo se manifestava por meio dos sintomas da melancolia – nos primeiros séculos da modernidade.

A mesma desarmonia entre o homem e o mundo, desta vez entendida como perda da união idílica com a natureza, marca os poetas românticos do século XVIII, representados pelo grupo de Jena. A melancolia era considerada a marca do gênio romântico que, entre razão e loucura, entre ordem e caos, buscava tocar o Sublime sem sucumbir à degeneração da sensibilidade. Os primeiros românticos, embora acalentassem a crença nostálgica em uma totalidade no campo do Outro, admitiam a impossibilidade de o homem restaurar a perfeita união com a natureza, assim como, na arte, a impossibilidade de alcançar a união espontânea entre forma e conteúdo. Os poetas do primeiro movimento romântico sofreriam de nostalgia pela perda de uma suposta inocência estética acessível a seus antecessores, impossível para as gerações de artistas nascidos no século XVIII. Para se aproximar da totalidade perdida, propunham uma estética do fragmento.

> Posto que transcendental é justamente o que se refere à união ou separação do ideal e do real, poder-se-ia dizer que a tendência para fragmentos e projetos é a componente transcendental do espírito histórico. Muitas obras dos antigos acabaram como fragmentos. Muitas obras dos modernos já nascem assim.[80]

---

[79] "Por que sofre Ele com as maldades que se comete no mundo se Ele tem o poder de evitá-las? Por que não nos ajuda a fazer o bem, a resistir ao mal, a reformar as vontades, se foi Ele quem criou o pecado, e por que permite que se cometam tantos atos monstruosos, indignos de Seu saber, de Sua sabedoria, de Seu governo, de Sua misericórdia e de Sua providência, por que Ele abandona tudo à sorte e ao acaso?" (Robert Burton, *Anatomie de la mélancolie*, cit., p. 235). Tradução minha.

[80] Friedrich Schlegel, *Conversa sobre a poesia e outros fragmentos* (ed. bil., trad. Victor-Pierre Stirnimann, São Paulo, Iluminuras, 1994), p. 93.

O que o poeta e filósofo Schlegel entendia por *antiguidade* era todo o longo período anterior ao moderno, quando a separação entre o sujeito e o mundo ainda não teria se consumado. Os poetas filósofos que criaram a estética do fragmento e da ironia não se propunham com isso a restaurar a união pré-moderna entre o espírito e o mundo, mas apenas evocá-la. Para a primeira geração dos românticos, o Belo referia-se a um objeto perdido. O fragmento, como a metonímia (e as ruínas, tão estimadas pelo gosto romântico), lembra o Todo do qual se destacou; por isso o representa em parte.

A dolorosa consciência dessa perda estaria na origem da melancolia dos filósofos de Jena. O homem fica muito mais desamparado quando percebe que nem mesmo a linguagem tem o poder de transpor o abismo que o separa da natureza e que a tarefa solitária do poeta, por sua conta e risco, é dar nome ao Real: "Sem poesia, nada de realidade"[81], escreveu Schlegel.

Melancolia e modernidade

De gênio a degenerado: o *spleen,* forma moderna da acedia, marcou o poeta símbolo da melancolia moderna, Charles Baudelaire[82]. Na grande Paris, "capital do século XIX"[83], a condição melancólica do sujeito moderno é representada pelo poeta *flâneur,* que vagueia em busca de fragmentos do passado (recalcado?) na contramão da multidão urbana composta de operários, mendigos, velhos, bêbados, prostitutas e todos os desgarrados das formas comunitárias de pertencimento e amparo recentemente dissolvidas pelo capitalismo industrial. Em Baudelaire, a forma subjetiva do indivíduo já se completou: ele se vê isolado entre seus semelhantes, seus rivais, seus irmãos, todos tão desenraizados quanto ele. O *spleen* baudelairiano é próximo do tédio, mas não se resume a ele. Parente da doce melancolia romântica, da dissipação produzida entre paraísos artificiais, o *spleen* conjuga gozo e desencanto, misantropia e gosto estético pelo mal, como nas melhores

---

[81] Ibidem, p. 107.

[82] No capítulo VIII, estendo-me um pouco mais a respeito da análise de Walter Benjamin sobre poesia e melancolia em Baudelaire. Ver Walter Benjamin, *Charles Baudelaire, um lírico no auge do capitalismo* (São Paulo, Brasiliense, 1989).

[83] Expressão de Walter Benjamin, título de um de seus ensaios sobre a modernidade em Baudelaire.

expressões artísticas da melancolia[84]. Na expressão do próprio poeta, o *spleen* seria uma manifestação da "indolência natural dos inspirados"[85]. Mas o isolamento do poeta tem também o sentido de resistência às formas de agenciamento que a modernidade promove para arrastar as multidões em sua rede.

> A modernidade é o transitório, o fugidio, o contingente, a metade da arte, cuja outra metade é o eterno e o imutável... Para que toda *modernidade* seja digna de se tornar antiguidade, é preciso que a beleza misteriosa que a vida humana ali coloca involuntariamente tenha sido extraída dela.[86]

"Para viver a modernidade", escreve Benjamin, "é preciso uma constituição heroica"[87]. "Viver a modernidade", nesse caso, significa não recuar diante dos desafios que ela propõe e não se deixar enfeitiçar pelas maravilhas com que ela nos seduz: "Essa multidão se consome pelas maravilhas, as quais, não obstante, a Terra lhe deve"[88]. O heroísmo de Baudelaire não consiste em se fazer defensor da multidão fascinada e consumida pelas mercadorias e pelo trabalho braçal que a aproxima e afasta do brilho das mercadorias. Consiste apenas, o que já é muito, em descrer de tal fascínio. O poeta que concorda de bom grado em perder a auréola do gênio consagrado entre as rodas das carruagens que trafegam pelos grandes bulevares[89] conserva, no entanto, a distinção secreta de *não pertencer* à multidão com a qual se mistura. Daí o sentido político de seu dandismo. Daí a metáfora do albatroz com que se faz representar no poema de mesmo nome: o poeta se compara à ave cujas asas imensas lhe permitem voar como um imperador dos céus, mas que no convés do barco é motivo de chacota dos marinheiros em razão de seu andar desajeitado[90].

---

[84] A psicanalista e crítica literária Julia Kristeva, em *O sol negro: depressão e melancolia* (Rio de Janeiro, Rocco, 1989), persegue a relação entre melancolia e gênio artístico a partir das obras de Holbein e Dürer e das narrativas de Dostoiévski, Nerval e Marguerite Duras.

[85] A expressão é de Baudelaire, a propósito de Auguste Barbier. Citado por Walter Benjamin, "Baudelaire", em *Passagens* (Belo Horizonte, UFMG, 2006), p. 285.

[86] Comentário de Baudelaire sobre a arte de Guys. Citado por Walter Benjamin, "Baudelaire", cit., p. 285.

[87] Walter Benjamin: "Paris do Segundo Império", em *Charles Baudelaire...*, cit., p. 73.

[88] Charles Baudelaire, citado em Walter Benjamin, ibidem, p. 73.

[89] Idem, "Perte d'auréole", em *Oeuvres complètes* (Paris, Seuil, 1968), p. 180.

[90] O poema termina assim: "O poeta se compara ao príncipe das alturas / Que habita os vendavais e se ri da seta no ar / Exilado no chão, em meio à turba obscura / As asas de gigante impedem-no de andar" (Charles Baudelaire, "L'albatros", em *Oeuvres complètes*, cit., p. 45). Tradução de Ivan Junqueira.

Assim como em seus antecessores, da Antiguidade ao Renascimento, a matéria da melancolia, em Baudelaire, ainda é a relação com o espaço público – no caso, o espaço urbano – marcado pela perda do pertencimento dos cidadãos às formas comunitárias de convívio que a modernidade destruiu. Em Baudelaire, consuma-se a ideia do Belo como objeto perdido. Mas seu trabalho não é recriar o sublime através dos fragmentos de uma unidade ideal, supostamente perdida, como na proposta dos românticos setecentistas. De acordo com Walter Benjamin, Baudelaire teria assumido para si a tarefa heroica de, através de sua poesia, emprestar uma forma simbólica à modernidade, esse tempo cujo devir não se anuncia no horizonte. Baudelaire percebeu, muito cedo, que a modernidade é uma época disforme que se caracteriza por ser "o que menos se parece consigo mesmo", pois o capitalismo desde sua origem revelou-se capaz de incluir as próprias forças que se opõem a ele entre as matérias-primas de sua acumulação de riquezas. Dito em termos familiares ao leitor contemporâneo, a racionalidade aparentemente infinita do capitalismo consiste em fazer com que as resistências, conscientes ou inconscientes, trabalhem a seu favor, incluindo até mesmo as representações recalcadas do mal-estar entre os *valores agregados* às mercadorias. Mas disso Baudelaire não poderia saber.

O trabalho hercúleo de Baudelaire teria sido o de, a partir dos restos e fragmentos das formas de vida obsoletas, catados no lixo das ruas, "dar forma à modernidade", de modo que ela viesse, por fim, a se tornar antiguidade. Teria o poeta, encarnação moderna do herói, pago com a melancolia o preço de sua escolha? Ou a solução poética encontrada por Baudelaire, a invenção de uma lírica "fundamentada em uma experiência para a qual o choque se tornou norma"[91], poderia ser entendida como tentativa de cura para a melancolia?

Walter Benjamin, cuja leitura da poesia de Baudelaire marcou definitivamente a recepção contemporânea da obra desse poeta, teria sido o último dos pensadores modernos a tomar a palavra melancolia no sentido pré-freudiano[92], relacionando o desencanto e a falta de vontade do melancólico diretamente ao efeito de um desajuste ou mesmo de uma recusa das condições simbólicas do laço social. O Romantismo tardio de Baudelaire – o último dos poetas román-

---

[91] Walter Benjamin, *Charles Baudelaire...*, cit., p. 110.

[92] O que não implica desconhecimento da obra de Freud, como se pode observar em várias passagens de sua obra, a começar (para o nosso interesse) pela reflexão sobre "Além do princípio do prazer", incluída nos escritos sobre Baudelaire.

ticos e o primeiro dos modernos – é interpretado por Benjamin como uma tentativa de superação do desencanto melancólico causado pelo fracasso das revoluções, pelo desalento do indivíduo diante de um tempo brutal cuja superação não se anunciava em nenhum horizonte.

É importante observar que o Romantismo, em Walter Benjamin, designa uma estrutura de sensibilidade *social* que vai de Novalis a Baudelaire, de Rousseau aos surrealistas: o romantismo benjaminiano tem uma faceta revolucionária. Sua recusa da modernidade não é nostálgica nem conservadora. Nas palavras de Michael Löwy, Benjamin interpreta o Romantismo como uma "crítica à modernidade capitalista em nome de valores pré-modernos [...]. Protesto contra os aspectos degradantes do capitalismo, reificação das relações sociais, dissolução da comunidade e desencantamento do mundo"[93].

Até certo ponto, o melancólico benjaminiano pode ser entendido a partir da mesma chave interpretativa usada para explicar seus semelhantes pré-modernos: como um sujeito que se sente apartado da dimensão pública do Bem. Seja porque, em decorrência do processo que o conduziu à definição de sua via individual, ele se desadaptou, seja porque a hegemonia dos mandatos éticos e morais estaria migrando para outras instâncias de poder, inacessíveis à percepção dos cidadãos comuns formados na tradição da hegemonia da Igreja.

Dizer do desencontro entre o sujeito e o Bem equivale a afirmar que as condições *imaginárias* que permitiam aos membros das sociedades pré-modernas construírem suposições *compartilhadas*[94] a respeito dos desígnios do Outro haviam perdido consistência e sustentação na cultura. O Outro, como instância puramente simbólica, é inconsciente. Os sujeitos nascidos nos primeiros séculos da era moderna, diante da recém-conquistada liberdade de escolher seus destinos, foram condenados a sustentar, fantasmática e individualmente, sua versão a respeito do Bem – ou seja, sobre o bem do Outro, que para o neurótico se confunde sempre com a moeda com que ele deveria pagar a dívida simbólica. É nessas condições que o Bem (do Outro), representado no psiquismo pelo

---

[93] Michael Löwy, *Walter Benjamin: aviso de incêndio – uma leitura das teses "Sobre o conceito de história"* (São Paulo, Boitempo, 2005), p. 18.

[94] Parto da suposição de que existe uma relação necessária entre neurose e individualismo. Embora concorde com Adorno sobre o caráter emancipador do individualismo, o indivíduo está condenado à neurose. Sua relativa independência em relação ao grupo a que pertence obriga-o a construir sozinho, com os recursos da fantasia, sua versão da dívida simbólica, indissociável de sua compreensão (imaginária) a respeito do que seria o Bem para o Outro.

supereu herdeiro do complexo de Édipo[95], dissocia-se das representações do que seria, para o sujeito do desejo inconsciente, o seu bem – ou seja, sua via desejante, singular e intransferível.

Com diferentes configurações imaginárias, tal desajuste entre o Bem do Outro e o bem do sujeito estaria na origem de todas as formas anteriores de melancolia, ao menos no Ocidente, como expressão do mal-estar na cultura. Na modernidade, essa busca se tornara recentemente solitária: o (re)encontro com o bem do sujeito dependeria de um trabalho de criação singular e de um enfrentamento, sintomático ou criativo, com os desígnios do Outro. No caso particular de Baudelaire, em sua relação conflituosa com a modernidade, o objeto da melancolia ainda não havia se deslocado para o âmbito da vida privada. Seria um objeto perdido, sim, tal como Freud viria a descrever no século seguinte, porém um objeto cuja natureza ainda dizia respeito a representações e sentimentos relativos à vida pública (em oposição à privacidade familiar).

Benjamin afirma que Baudelaire, assim como tantos outros de sua geração, teria perdido a aposta nas transformações prometidas pela Revolução Francesa. Para o poeta, que participou ativamente dos confrontos de rua em 1830 e 1848, alinhado aos proletários, a desilusão causada pelo fracasso da revolução produziu uma descrença progressiva em relação à ação política. Neste poema de *Mon coeur mis à nu,* a descrença parece ter dado lugar a uma tentativa irônica de conformar-se, de encontrar uma "explicação" que tornasse menos vergonhosa a ascensão de Napoleão III, e menos impossível ao poeta conformar-se com ela:

Minha embriaguez em 1848.

De que natureza era essa embriaguez?

Gosto da vingança. Prazer natural da demolição. Embriaguez literária; lembranças de leituras.

O 15 de maio. Sempre o gosto da destruição. Gosto legítimo, se é legítimo tudo que é natural.

Os horrores de junho. Loucura do povo e loucura da burguesia. Amor natural do crime.

Meu furor ante o golpe de Estado. Quantos tiros levei! Mais um Bonaparte! Que vergonha!

---

[95] Como herdeiro do complexo de Édipo, o *supereu* atualiza no psiquismo tanto a instância da Lei que interdita o incesto quanto a eterna esperança de (re)encontro com o gozo do Outro. Ver Jacques Lacan, "Kant con Sade", em *Escritos,* cit. [Ed. bras.: "Kant com Sade", em *Escritos,* cit.]

E tudo, no entanto, se pacificou. Não teria o Presidente um direito a invocar? O que é o imperador Napoleão III. O que ele vale. Achar a explicação de sua natureza, e de sua providencialidade.[96]

Ainda estamos distantes do melancólico freudiano, cujo objeto perdido é, por natureza, inconsciente, pois diz respeito aos laços mais íntimos e precoces da vida familiar. A melancolia de Baudelaire parece derivar, ainda, da inserção conflituosa do poeta no laço social. É na vida pública, representada principalmente pelo espaço urbano de sua cidade, Paris, que Baudelaire procura o(s) objeto(s) que a modernidade desterrou. Sua poesia intervém como sintoma de sofrimento e como tentativa de cura em relação à dolorosa consciência dessa perda. Seu combate não é "militante": é estético, como se pode observar a partir do poema em prosa acima. Ante a derrota de 1848, o poeta toma uma distância irônica em relação ao seu antigo entusiasmo (perdido, como se evidencia nas considerações amargas das últimas linhas) e desloca o combate no campo simbólico: "Embriaguez literária; lembranças de leituras". Baudelaire bovarista? Nem tanto, já que ele dispõe dos meios para fazer, da literatura, a praça de guerra em que exerce o "gosto [legítimo] da destruição".

Se a poesia em Baudelaire pode ser entendida como tentativa de cura, é sinal de que o poeta não esteve inteiramente abatido pela melancolia; sua intransigência diante do processo contra *Flores do mal* atesta que ele não recuou do desafio vanguardista que havia lançado contra o gosto burguês. Derrotado (ao contrário de seu contemporâneo Flaubert), o poeta foi além e lançou sua candidatura à Academia Francesa, numa clara demonstração de que não retirava o ultraje que lançara contra os escritores laureados e os leitores conformistas de seu tempo[97]; um verdadeiro "atentado simbólico", na expressão de Pierre Bourdieu[98]. A "embriaguez literária" talvez tenha sido o grande recurso

---

[96] "Mon ivresse en 1848. / De quelle nature était cette ivresse? / Goût de la vengeance. Plaisir naturel de la démolition. Ivresse littéraire; souvenir des lectures. / Le 15 mai. Toujours le goût de la destruction. Goût légitime, si tout ce qui est naturel est légitime. / Les horreurs de Juin. Folie du peuple et folie de la bourgeoise. Amour naturel du crime. / Ma fureur au coup d'État. Combien j'ai essuyé de coups de fusil! Encore un Bonaparte! Quelle honte! / Et cependant tout s'est pacifié. Le Président n'a-t-il pas un droit à invoquer? / Ce qu'est l'Empereur Napoléon III. Ce qu'il vaut. Trouver l'explication de sa nature, et sa providentialité" (Charles Baudelaire, "Mon coeur mis a nu" [1864-1867], em *Oeuvres complètes*, cit., p. 631; tradução minha).

[97] Ver Charles Baudelaire, "Perte d'auréole", cit.

[98] Ver Pierre Bourdieu, *As regras da arte* (1992) (trad. Maria Lúcia Machado, São Paulo, Companhia das Letras, 1996).

de Baudelaire contra o conformismo queixoso que caracteriza os melancólicos. Em nome de sua arte, ele teria sido "o primeiro a romper com o público", segundo Jules Laforgue[99]. Ao romper com as expectativas estéticas da sociedade francesa da segunda metade do século XIX, Baudelaire condenou-se à miséria material e ao isolamento social, mas não abriu mão da liberdade criativa. Não recuou de seu desejo.

Volto a abordar a relação da poesia de Baudelaire e a melancolia, na trilha da análise empreendida por Walter Benjamin, no capítulo VIII.

---

[99] Citado por Walter Benjamin, *Passagens*, cit., p. 289.

III
Melancolia e fatalismo

> Aquele que derrama vinho rubro na cama sórdida
> Aquele que toca fogo em cartas e fotografias
> Aquele que vive sentado nas docas debaixo das gaivotas
> Aquele que alimenta os esquilos
> Aquele que não tem um centavo
> Aquele que observa
> Aquele que dá socos na parede
> Aquele que grita
> Aquele que bebe
> Aquele que não faz nada
>
> *Hans Magnus Enzensberger*, trecho de "Hotel Fraternité" (traduzido por Aldo Fortes e musicado por Arnaldo Antunes)

Aqui nos aproximamos da contribuição mais valiosa de Benjamin, a meu ver, no que toca à hipótese que norteia o presente trabalho. Para ele, o desacordo entre o sujeito e seu Bem (que ele não nomeia assim) desemboca na melancolia quando a falta de perspectivas, sociais ou individuais, leva o sujeito a recuar de sua via e adotar uma atitude *fatalista* diante do conflito – o que não foi, absolutamente, o caso de Baudelaire.

O melancólico benjaminiano vê-se desadaptado, ou excluído, das crenças que sustentam a vida social de seu tempo; mas ao contrário do empenho investigativo e criativo que caracteriza seus precursores renascentistas, sente-se abatido pelo sentimento da inutilidade de suas ações. Daí a relação entre a melancolia e o fatalismo, sentimento de insignificância do sujeito como agente de transformações, tanto na vida privada quanto na política.

Michael Löwy buscou, em alguns textos capitais de Walter Benjamin, desde *Origem do drama barroco alemão*[100] até as teses *Sobre o conceito de história*[101], uma relação entre a melancolia e o fatalismo que considero valiosa para dialogar com a hipótese da relação entre a depressão e a demissão subjetiva encontrada em Lacan.

No livro de 1925, Walter Benjamin retoma a teoria dos quatro humores, segundo a qual a bile negra produziria o complexo menos nobre: o melancólico é "invejoso, triste, avaro, ganancioso, desleal, medroso e de cor terrosa"[102]. No entanto, a tese atribuída a Aristóteles, no *Problema XXX*, estabelece uma importante relação entre o humor "pouco nobre" da melancolia e o homem de gênio, que experimenta o "contraste entre a mais intensa atividade intelectual e seu mais profundo declínio"[103]. A associação entre genialidade e melancolia é retomada por Benjamin quando analisa as restrições ao pensamento impostas pela Igreja no período Barroco, contra as quais alguns espíritos excepcionais precisavam convocar toda a sua onipotência para não sucumbir ante os dogmas da fé:

> Se a melancolia irrompe dos abismos da condição da criatura, *à qual o pensamento especulativo da época se via acorrentado pelos liames da própria Igreja*, sua onipotência se explicava. De fato, entre as intenções contemplativas, ela é a mais própria da criatura, e há muito já se havia observado que sua força não era menor no olhar do cão do que na atitude meditativa do gênio.[104]

Apesar de Benjamin considerar aqui (como mais tarde, no caso de Baudelaire) o componente de genialidade presente no quadro da melancolia, em *Origem do drama barroco alemão* a acedia melancólica refere-se ao sentimento de um mundo vazio, em que "as ações humanas são privadas de todo valor". O período Barroco foi precedido pela moral rigorosa do luteranismo que, a partir do século XVI,

---

[100] Walter Benjamin, *Origem do drama barroco alemão* (1925) (trad. Sérgio Paulo Rouanet, São Paulo, Brasiliense, 1984).

[101] Idem, "Sobre o conceito de História" (1940), em *Magia e técnica, arte e política* (São Paulo, Brasiliense, 1989).

[102] Idem, *Origem do drama barroco alemão*, cit., p. 168.

[103] Ibidem, p. 170.

[104] Idem. Chamo a atenção para a relação entre o fatalismo e a restrição ao pensamento especulativo imposto pela Igreja da contrarreforma. (Grifo meu.)

teria sido, para Benjamin, responsável por tal desvalorização da vida na Terra[105]; o próprio Lutero teria sofrido de uma crescente depressão, nos dois últimos anos de sua vida. Para Benjamin, a exigência de submissão absoluta dos luteranos aos dogmas da fé abate o cristão:

> Que sentido tinha a vida humana se nem mesmo a fé, como no calvinismo, podia ser posta à prova? [...] A própria vida protestava contra isso. Ela sente profundamente que não está aqui para ser desvalorizada pela fé. Ela se horroriza profundamente com a ideia de que a existência inteira poderia transcorrer dessa forma. Sente um terror profundo pela ideia da morte.[106]

Se a própria vida reage à sua desvalorização em nome da salvação e se rebela contra a idealização da morte, o melancólico benjaminiano poderia ser comparado ao asceta medieval, derrotado em seu ideal ascético pela força das pulsões de vida, como o santo Antônio de Flaubert. Mas a análise de Walter Benjamin leva em conta condições sociais muito diferentes das que abatiam os ascetas da Idade Média: a mobilidade social recém-inaugurada nas sociedades de corte, precursoras do Estado moderno. Como a perspectiva de ascensão dos cortesãos dependia absolutamente da vontade do monarca, a esperança de mobilidade social participava da mesma conjunção de fatores que produzia o fatalismo, origem da acedia, a "indolência do coração" do melancólico. Vejamos como isso de dá.

Quinze anos depois de escrever *Origem do barroco alemão*, Benjamin lançou suas teses *Sobre o conceito de história* (1940). A sétima das dezoito teses é dedicada à crítica do historicismo, representada pelo historiador Fustel de Coulanges, que equipara a história dos vencedores ao triunfo inevitável do Bem[107]. Tal procedimento visa anular toda a esperança de transformação do estado vigente da vida social. Se as formas de dominação impostas pelos vencedores

---

[105] "Ao negar o efeito especial e miraculoso dessas obras, ao abandonar a alma à graça da fé e ao considerar a esfera secular e política como um campo de prova para uma vida apenas indiretamente religiosa, e na verdade destinada à demonstração das virtudes burguesas, o luteranismo conseguiu sem dúvida instalar no povo uma estrita obediência ao dever, mas entre os grandes instilou a melancolia" (ibidem, p. 161).

[106] Ibidem, p. 162.

[107] Alguns defensores incondicionais do capitalismo neoliberal não deixam de fazer o mesmo, ao projetar, retrospectivamente, as motivações e as razões próprias do investidor capitalista para explicar a história humana, desde Adão e Eva.

de ocasião representam o triunfo do Bem, o que mais esperar do futuro? Qual o sentido, para os derrotados, de pensar um projeto de transformação da vida presente? O mecanismo mental que sustenta tal conformismo é o da "identificação afetiva (dos perdedores) com os vencedores": de maneira análoga à da *covardia moral* apontada por Lacan, encontramos aqui as condições da demissão subjetiva daquele que abre mão de sua via para tentar se colocar do lado do Bem do Outro. A origem do fatalismo melancólico é a "indolência do coração, a acedia, que hesita em apoderar-se da imagem histórica que lampeja fugaz"[108]. Quem se beneficia do fatalismo historicista? "A identificação afetiva com os vencedores ocorre, sempre, em benefício dos vencedores de turno"[109], escreve Benjamin.

O comentário de Löwy à tese VII esclarece:

> A origem da empatia que se identifica com o cortejo dos dominadores encontra-se, segundo Benjamin, na *acedia*, termo latino que designa a indolência do coração, a melancolia. Por quê? [...] A tese VII não explica de maneira alguma, mas é possível encontrar a chave do problema em *Origem do drama barroco alemão* (1925): a *acedia* é o sentimento melancólico da todo-poderosa fatalidade, que priva as atividades humanas de qualquer valor. Consequentemente, ela leva a uma submissão total à ordem das coisas que existem. Enquanto meditação profunda e melancólica, ela se sente atraída pela majestade solene do cortejo dos poderosos. O melancólico, por excelência, dominado pela indolência do coração – *acedia* – é o cortesão. A traição lhe é habitual porque sua submissão ao destino o faz sempre se juntar ao campo do vencedor.[110]

Aqui sim, na identificação afetiva com os vencedores, encontramos uma relação entre a melancolia e a (auto)traição – a mesma que, segundo a intuição de Lacan, estaria na origem da culpa depressiva daquele que "cede de seu desejo". A disposição fatalista a colocar-se sempre a favor dos "vencedores de turno", identificados a partir do artifício historicista como se fossem os detentores do Bem, leva o sujeito a "trair a própria via", traição, análoga àquela que Lacan projeta na origem da culpa depressiva.

Vale considerar que, para Freud, essa espécie de identificação da maioria com os valores e crenças impostos por uma minoria é entendida como um dos

---

[108] Walter Benjamin, "Sobre o conceito de história", cit., tese VII, p. 222-32.
[109] Ibidem, p. 225.
[110] Michael Löwy, *Walter Benjamin: aviso de incêndio*, cit., p. 71.

"meios para se defender a cultura"[111], sendo a instalação da ordem obtida por meio das identificações entendida como um avanço civilizatório em relação à ordem imposta pela força. Se assim for, devemos concluir que as condições da melancolia estariam instaladas no coração da modernidade? Vejamos de que ordem são as identificações que conduzem à melancolia fatalista, no pensamento de Walter Benjamin.

No drama barroco, o personagem traidor é identificado com o cortesão, representado como maquiavélico e intrigante – pensemos em Laio, em Polônio.

Se a indecisão do príncipe o lança na apatia e na acedia, a infidelidade é a causa da melancolia do cortesão, cuja posição social é caracterizada pela extrema dependência em relação às boas graças dos poderosos.

> Não se pode imaginar nada mais inconstante do que o cortesão [...] no drama barroco. A traição é seu elemento. [...] Seu comportamento inescrupuloso revela em parte um maquiavelismo consciente, mas em parte uma vulnerabilidade desesperada e lamentável a uma ordem de constelações calamitosas, tida como impenetrável, e que assume um caráter totalmente reificado. Coroa, púrpura e cetro são em última instância os adereços cênicos no sentido do drama de destino, e encarnam um *Fatum* a que se submete em primeiro lugar o cortesão, áugure deste fado. Sua deslealdade para com os homens corresponde a uma lealdade, impregnada de devoção contemplativa, para com esses objetos.[112]

É importante notar que o conceito de fatalidade melancólica começa a ser pensado por Benjamin, no início de sua produção intelectual, a propósito do teatro barroco; continua nas considerações sobre os obstáculos à poesia lírica no século XIX e vai até os seus últimos escritos, em que discute com os historicistas sobre o conceito da história. Tal percurso não me parece nada casual. A melancolia, tal como ela se manifesta na arte desde o período Barroco – ou seja, na contrarreforma –, é entendida por Benjamin como tributária de uma determinada maneira de se interpretar a história e, consequentemente, de se posicionar diante dos conflitos sociais e políticos do presente.

A construção de uma interpretação da história entendida do ponto de vista "dos vencedores" exigiria, se transposta para os termos da psicanálise, um

---

[111] Sigmund Freud, "El futuro de una ilusión" (1927), em *Obras completas*, cit., cap. 2, p. 2961-92.

[112] Walter Benjamin, *Origem do drama barroco alemão*, cit., p. 178.

procedimento de recalque da dívida simbólica em relação às lutas (derrotadas) dos antepassados desses vencidos, fascinados pelo cortejo dos poderosos. A famosa frase de Benjamin – "Nunca há um documento da cultura que não seja, ao mesmo tempo, um documento da barbárie"[113] – expressa perfeitamente o pessimismo do filósofo em relação às ideologias do progresso (tão caras ao nosso tempo), que se sustentam à custa do esquecimento das vítimas da história. Os monumentos triunfais de toda cultura, além de celebrar a vitória dos "vencedores de turno", têm a função de, a partir do fascínio que produzem *também* entre os derrotados, contribuir para recalcar a memória das atrocidades cometidas pelos mais fortes em sua escalada triunfal. Para Benjamin, até mesmo a ideia de revolução é indissociável da recuperação do passado, pois não há emancipação que se sustente à custa do esquecimento (ou do recalque) das lutas e derrotas de nossos antepassados. Segundo Löwy, ao comentar a tese III:

> A redenção, o Juízo Final [...] é então uma apocatástase no sentido de que cada vítima do passado, cada tentativa de emancipação, por mais humilde e "pequena" que seja, será salva do esquecimento e "citada na ordem do dia", ou seja, reconhecida, honrada, rememorada.[114]

As teses sobre a história contêm uma preciosa indicação a respeito do "objeto perdido" da melancolia benjaminiana. Este seria um objeto recalcado, sim; mas, à diferença da melancolia freudiana, esse objeto inconsciente não seria a mãe primordial do sujeito tomado em sua história singular, e sim as multidões derrotadas nas lutas que precederam as gerações que se identificam, de maneira fatalista, com o ponto de vista dos vencedores. Nesse caso, a perda de lugar do sujeito no campo do Outro pode ser entendida como fruto dessa operação de recalque, a partir da qual os "derrotados da história" apagam os significantes que poderiam situá-los como herdeiros das lutas e do sofrimento de seus antepassados, para tentar inserir-se vantajosamente do lado dos "vencedores de turno".

Na clínica psicanalítica, tal apagamento da herança simbólica se evidencia através das queixas, tão frequentes a ponto de terem se tornado uma espécie de clichê psicológico, a respeito da "fraqueza" do pai. "Não tive propriamente um pai", "Meu

---

[113] Idem, "Sobre o conceito de história", cit., tese VII, p. 225.
[114] Michael Löwy, *Walter Benjamin: aviso de incêndio*, cit., p. 55.

pai sempre foi fraco" e outras formulações similares dão a entender que o pai, quando não cumpre os ideais sociais que o alinham do lado do poder – cuja manifestação mais importante é, hoje, o poder de consumo – é entendido pelo filho como um pai que *não vale*. Na Terceira Parte, pretendo tratar da incidência dessa inconsistência do pai imaginário sobre as depressões.

A partir da traição representada pela identificação com os vencedores, outros componentes do fatalismo melancólico seriam: o sentimento de que as ações humanas estariam privadas de valor, a deslealdade para com os homens em troca de lealdade para com os objetos signos de poder, a indolência fatalista ante um mundo vazio e a reificação das relações humanas. Nenhuma dessas condições da melancolia benjaminiana é estranha ao sujeito contemporâneo. Sobretudo, nenhuma delas é estranha aos depressivos, estes que vieram substituir os melancólicos, a partir de meados do século XX, como representantes privilegiados da subjetividade contemporânea.

Mas essas não são as condições da melancolia para a psicanálise, de acordo com a designação freudiana. Ao romper com o paradigma psiquiátrico da psicose maníaco-depressiva e trazer o significante *melancolia* para o campo da vida familiar, via complexo de Édipo, Freud nos força a abandonar esse significante como indicativo do sintoma social. Os índices alarmantes divulgados pela OMS indicam que é possível que a melancolia tenha sido substituída pela depressão como o nome mais adequado à expressão contemporânea do mal-estar, herdeira do que teria sido a melancolia pré-freudiana.

Não existe substituição que nos poupe da perda. Ao trocar a denominação do "melancólico" pela do "depressivo" para manter a linha analítica que articulava a antiga melancolia ao sintoma social, parte do brilho e do valor atribuído pela tradição ocidental a essa forma de mal-estar teve de ser deixada para trás. Os queixosos, os autotorturados característicos da melancolia freudiana, também não fazem por merecer essa herança. É preciso admitir que a aura romântica, tanto reflexiva quanto criativa, (mal-)equilibrada na tensa fronteira entre o gênio e a loucura – a aura dos antigos melancólicos –, perdeu-se. "Pode-se dizer que um traço característico do gênio poético é saber muito mais do que ele sabe"[115], escreveu Schlegel. Cabe-nos indagar a respeito do saber que se oculta sob os sintomas contemporâneos da depressão.

---

[115] Fragmento atribuído a Wilhelm Schlegel, em Friedrich Schlegel, *Conversa sobre a poesia e outros fragmentos* (ed. bil., trad. Victor-Pierre Stirnimann, São Paulo, Iluminuras, 1994), p. 103.

Os depressivos que buscam a clínica psicanalítica estão longe de pensar em si mesmos como gênios poéticos – ainda que, eventualmente, possam sê-lo. Mas é possível apostar que os depressivos, com sua falta de charme, e apesar da contaminação psiquiátrica do diagnóstico, conservem em outros termos o mesmo tipo de saber inconsciente dos antigos melancólicos. Um saber sobre a inconsistência do Outro e a inutilidade de tentar servi-lo; saber esse pouco acessível ao neurótico, no qual as defesas características da estrutura estão funcionando a todo vapor[116]. É possível que os depressivos sejam os atuais portadores de um saber a respeito das condições contemporâneas do mal-estar. Daí a atualidade das depressões, herdeiras do que representou a melancolia até o surgimento da psiquiatria moderna e até que Freud deslocasse esse significante para o terreno da vida privada, situando sua origem nos estágios primordiais da constituição do sujeito.

O cortejo espetacular dos vencedores do século XXI

Para operar teoricamente a partir das indicações de Walter Benjamin sobre a relação entre a melancolia (no nosso caso, a depressão) e o fatalismo, são necessárias duas verificações. Primeiro, saber se é possível transpor para as condições contemporâneas a figura do cortesão melancólico a que se refere Benjamin em *Origem do barroco alemão*. Segundo, situar os "vencedores de turno" e os correspondentes "cetro e coroa", signos de poder em troca dos quais o cortesão trai seus laços de lealdade.

Em uma época em que a mobilidade social (inaugurada com as sociedades de corte) talvez tenha esgotado suas possibilidades[117], pelo menos no que se refere ao recurso da venda da força de trabalho, a posição de dependência que caracterizava o cortesão talvez sirva de metáfora para as multidões de "prestadores de serviços"

---

[116] Uma das hipóteses sobre as ocorrências depressivas nas neuroses que pretendo desenvolver nos próximos capítulos é que a depressão resulta da posição periclitante do sujeito no fantasma. Essa hipótese parte de uma ideia desenvolvida por Mauro Mendes Dias em *Cadernos do seminário: neuroses e depressão*, cit., e dialoga com ela.

[117] "Não devemos nos esquecer de que o individualismo burguês já se 'esgotara' nos meados do século passado [século XIX]. Em outras palavras: aquela ingênua confiança de que o indivíduo podia desenvolver-se livremente, inclusive fora de qualquer comunidade, e de que o interesse individual é um bom fio condutor para a liberdade individual foi-se tornando cada vez mais problemática. A partir do *fin de siècle*, o desespero substitui a segurança [...]" (Agnes Heller, *O cotidiano e a história* [1970], trad. Carlos Nelson Coutinho e Leandro Konder, Rio de Janeiro, Paz e Terra, 1972, p. 77).

das classes baixas e médias urbanas. Penso na multidão de "vendedores de projetos", "organizadores de eventos", trabalhadores autônomos ou terceirizados que dependem da chamada boa apresentação, da produção de uma "imagem pessoal" que lhes possibilite vender a si mesmos no mercado de trabalho cada vez mais competitivo.

Não por acaso, o setor dos prestadores de serviços é o que fornece ao imaginário popular os personagens que predominam, por exemplo, nas tramas das telenovelas. Nesses melodramas contemporâneos, os conflitos giram em torno da ação de oportunistas e golpistas que circulam em torno dos poderosos, ruminando artifícios e traições que lhes permitam cair nas boas graças dos "poderosos de turno". Reforça-se com isso o imaginário social que vê na traição a única via *rápida* de ascensão social desses que tentam se virar sem garantias trabalhistas, sem proteção sindical, sem uma rede de solidariedade formada por outros da mesma categoria, nas condições de concorrência selvagem do capitalismo tardio.

Traição e fatalismo: ambos dizem respeito a uma modalidade de alienação, no duplo sentido da palavra[118], em que o fascínio pelas formas imaginárias (*semblante*) do Outro obscurece a dimensão do conflito. É o que ocorre na vida social nos casos em que injustiças, desigualdade e exploração, que nos primórdios do capitalismo produziram conflitos entre classes, ficam obscurecidos em função da atração exercida pelo espetáculo do triunfo dos vencedores. Ocorre na vida psíquica, quando o sujeito abre mão de sua via desejante em nome de um suposto bem do Outro, a quem ele espera servir.

Alain Ehrenberg, para quem a depressão se tornou o sintoma social predominante nos países do Primeiro Mundo a partir da década de 1960, considera que a "desconflitualização do psíquico" é concomitante, se não tributária, da desconflitualização do campo social. Segundo o autor, assim como a divisão subjetiva, resultante do conflito do sujeito consigo mesmo, é constitutiva da "unidade da pessoa", o conflito (entre interesses, classes etc.) é condição da oxigenação da vida social. "A depressão é um dos marcadores da dificuldade de se produzir uma relação a partir de conflito. O conflito não é mais o grande motor da unidade social e da pessoa[119]."

---

[118] Tanto no que se refere à alienação política, no sentido do marxismo tradicional, quanto à alienação do sujeito do inconsciente no campo da linguagem e das práticas falantes, que o antecedem e ultrapassam.

[119] Alain Ehrenberg, "Le sujet incertain de la dépression et l'individualité fin de siècle", em *La fatigue d'être soi: dépression et société* (Paris, Odile Jacob, 2000), p. 272: "La dépression est l'un des marqueurs de la difficulté pour le conflit à produire une relation. Le conflit n'est plus le grand ressort de l'unité du social et de la personne".

Voltarei a esse ponto na Terceira Parte. Por enquanto, façamos um rodeio teórico para tentar localizar os atuais "vencedores de turno" que se apresentam como detentores inquestionáveis do Bem: estes em nome de quem os depressivos aceitam o pacto de traição de sua via desejante.

A produção do conformismo

> Em cada época, é preciso arrancar a tradição ao conformismo, que quer apoderar-se dela.
> *Walter Benjamin*, "Sobre o conceito de história"

Penso que uma das condições mais significativas do fatalismo benjaminiano, que também poderemos chamar de conformismo, na sociedade contemporânea – e que atingem fortemente adolescentes e jovens –, tenha sua origem na sedução exercida pelas formações imaginárias predominantes no estágio atual do capitalismo. Tais condições da vida social não são alheias ao sujeito da psicanálise, tomado a partir da singularidade de sua posição nas estruturas clínicas.

A constituição do psiquismo é tributária do Outro, tanto no sentido simbólico do campo (aberto) da linguagem quanto em sua face imaginária, ancorada em personagens – aos quais o sujeito atribui, na vida social ou na esfera das relações amorosas, alguma forma de poder – que substituem os primeiros seres de amor da vida infantil, como porta-vozes dos significantes mestres que organizam o laço social.

Do ponto de vista da constituição dos sujeitos, sabemos que a separação entre a criança e o Outro materno produz a perda de um objeto (dito objeto *a*, inaugurador de toda a série de objetos aos quais o desejo há de dirigir seu impulso) que, por sua própria natureza, é impossível de ser reencontrado. Esse objeto perdido passa a funcionar, então, como *causa do desejo*. Não confundir com o suposto "objeto do desejo", promessa e/ou fantasia com a qual estamos sempre a nos iludir: o desejo não tem objeto que o satisfaça; é puro impulso em busca do reencontro impossível com um objeto perdido. A rigor, todos os objetos podem satisfazê-lo de maneira fugaz, e nenhum há de satisfazê-lo definitivamente antes da morte, único objeto total ao alcance do humano.

Para não ter de suportar tal destino de desejar o que já não há e arcar com a falta, o sujeito inventa o que Lacan chamou de fantasma: um modo de negociar o objeto *a*, em sua função de *causa do desejo*, em troca da demanda do Outro. O neurótico se defende da castração ao "transportar para o Outro a função do *a*"[120]. Negocia o desejo pela demanda, e tenta trocar a (in)satisfação pela esperança de gozo. Já não é ele quem deseja, é o Outro que o demanda. Atender a essa demanda é um modo de fazer-se objeto para o gozo do Outro; operação tentadora, mas impossível. Felizmente: pois nas circunstâncias em que parece possível reverter o efeito da castração – é disso que se trata –, a angústia ante a ameaça da dissolução do sujeito torna-se insuportável.

A instância do *supereu*, herdeira das interdições *e das moções de gozo* que caracterizam o complexo de Édipo, também pode ser considerada uma representante da realidade social no psiquismo, a operar através da proposição de ideais do eu e da regulação da oferta de modalidades de gozo. O *supereu* exige que o sujeito goze, ao mesmo tempo que o proíbe de gozar. A solução de compromisso entre esses dois mandatos impossíveis se dá pela via da adesão do *eu* aos ideais[121] que, em última instância, são formações imaginárias organizadoras do campo social, variáveis de cultura para cultura. Os ideais do *eu* nunca são puramente individuais; eles se formam pela via das identificações que incluem necessariamente o Outro, os Outros.

Freud considera, em "O ego e o id" (1923), que a influência do *supereu* sobre o *eu* é atravessada pela estreita ligação que o *supereu* mantém, desde a sua formação, com o inconsciente. Nesse caso, *as formas históricas da cultura que integram o supereu agem diretamente sobre o sujeito do inconsciente*. Cabe-nos indagar quais transformações relevantes na vida contemporânea incidem sobre a constituição dos sujeitos, e se faz sentido propor que o aumento dos casos de depressão seja efeito sintomático dessas transformações.

Tal investigação deve valer tanto para explicar o aumento das ocorrências depressivas entre os sujeitos neuróticos – as quais, de acordo com a teoria freudiana, são causadas pelo sentimento de "perda de amor" do *supereu* – quanto das depressões ditas crônicas, cuja determinação estrutural pretendo examinar na Terceira Parte.

---

[120] Jacques Lacan, *O Seminário, livro 10: A angústia* (trad. Vera Ribeiro, Rio de Janeiro, Jorge Zahar, 2005), p. 62: "Qual é a realidade por trás do uso falacioso do objeto da fantasia no neurótico? Isso é suficientemente explicado pelo fato de ele ser capaz de transportar para o Outro a função do *a*. Essa realidade tem um nome muito simples – é a demanda".

[121] Daí a relação do sujeito com seus ideais ser sempre marcada pelas duas formas de angústia: a de castração (outra herdeira do Édipo) e a que sinaliza o risco de "morte" do sujeito ao tentar ocupar, pela conquista dos ideais, o lugar de objeto do gozo do Outro.

Nas sociedades industriais, ou superindustriais[122], do século XXI, a face imaginária do Outro vem sendo positivada constantemente por obra da indústria do espetáculo, cuja oferta de imagens recobre quase toda a face do planeta[123]. A essa grande dispersão das representações imaginárias do Outro, não corresponde, necessariamente, igual multiplicidade de mandatos e de enunciados. Uma das características mais paradoxais da chamada sociedade do espetáculo é justamente essa combinação entre uma grande variedade de imagens que se oferecem à identificação e a repetição praticamente idêntica dos enunciados que elas veiculam.

É possível que, no atual estágio do capitalismo, a condição de desamparo do sujeito moderno ante o descentramento e a multiplicação das formações imaginárias que, dessa forma, impossibilitam uma representação estável e socialmente compartilhada do Outro[124] esteja em vias de superação. Se essa hipótese se confirma, a (re)unificação dos enunciados do Outro vem sendo operada, pelo menos em parte, pela ação onipresente da indústria do espetáculo e pela repetição coerente de suas mensagens, que aparentemente se diversificam para repetir sempre o mesmo mandato. A multiplicidade de discursos, de saberes e de valores que caracterizaram a modernidade vem dando lugar a uma nova forma de discurso único, fundado sobre razões de mercado, muito mais eficaz do que a dominação da Igreja na Idade Média – já que a norma contemporânea se impõe pela sedução, não pela interdição.

Os mandatos que caracterizam o "discurso do Outro" na vida contemporânea advêm de formações do imaginário produzidas e difundidas pela indústria das chamadas comunicações ou, como me parece mais apropriado nomeá-las a partir das teses de Debord, indústrias do espetáculo. O avanço das técnicas de sondagem das "motivações incoscientes" do chamado público consumidor joga um papel decisivo nesse quadro, o que torna possível afirmar que uma série de enunciados que dizem respeito às representações recalcadas deixaram de ser inconscientes. Eles participam da constituição da realidade social através de seus principais arautos: as mensagens publicitárias emitidas não apenas pelos

---

[122] "Superindustrial" é um termo tomado de empréstimo de Fernando Haddad e designa o estágio em que a acumulação capitalista se apropriou totalmente do imaginário social.

[123] Ver Guy Debord, *A sociedade do espetáculo* (1967) (trad. Estela dos Santos Abreu, Rio de Janeiro, Contraponto, 2002), p.17: "O espetáculo é o sol que nunca se põe no império da passividade moderna".

[124] Ibidem, p. 6: "Na modernidade, o Outro é inconsciente".

outdoors, o rádio e a televisão¹²⁵, mas também pela internet, pelos aparelhos de celular, ou embutidas na forma de *merchandising* na teledramaturgia e no cinema, assim como em algumas notícias dos telejornais¹²⁶.

Vale ressaltar que, em Guy Debord, a ideia de "sociedade do espetáculo" não se reduz à mera constatação de que somos permanentemente assediados por uma abundante oferta de imagens. O conceito de espetáculo, em Debord, não se resume a "um conjunto de imagens, mas [é] *uma relação social entre indivíduos, mediada por imagens*"¹²⁷. Isso equivale a dizer que, na sociedade do espetáculo, as imagens, em sua forma mercadoria, é que organizam prioritariamente as condições do laço social. Que o inconsciente recalcado, *parte necessária* dessa relação social, seja incluído entre os termos dessa mediação por imagens, é apenas uma consequência do desenvolvimento da técnica¹²⁸. As imagens, por sua própria condição, se oferecem como resposta ao enigma do inconsciente pela via da produção de sentido, que é a mesma via da produção de identificações. Dessa forma, o movimento errático do desejo cede lugar ao gozo promovido pelo encontro com a imagem que encobre a falta de objeto.

De certa forma, é como se uma réplica do fantasma, que situa o sujeito do inconsciente diante da demanda de gozo do Outro, se apresentasse aos sujeitos a partir de um outro lugar, socialmente compartilhado e alheio ao inconsciente. Não se trata de ir tão longe a ponto de supor o apagamento da dimensão singular das formações do inconsciente; mas sim que a consistência com que o imaginário social responde às representações recalcadas do desejo favorece a *covalidação social do fantasma*, o que implica a possibilidade de as respostas fantasmáticas ao enigma do desejo do Outro já não precisarem forçosamente

---

¹²⁵ Compartilho, no entanto, da opinião de Anselm Jappe, para quem, "em nível de massa, a importância da tevê como meio de acesso ao mundo supera desde muito tempo atrás aquela de todos os outros meios colocados juntos" (Anselm Jappe, "O reino da contemplação passiva", em Adauto Novaes [org.], *Muito além do espetáculo*, São Paulo, Senac, 2005, p. 257).

¹²⁶ Isleide Fontenelle diferencia a propaganda, "anúncio comercial pago pelo detentor do produto/marca, da publicidade, forma de comunicação mais sutil, já que ocorre em meio às chamadas notícias 'reais', ou seja, do jornalismo informativo", em *Coolhunter: pesquisas de mercado de "tendências culturais" e transformações na comunicação mercadológica contemporânea*, em Clóvis Barros Filho et al. (org.), *Bravo mundo novo*. 1. ed. São Paulo: Alameda, 2009, v. 1, p. 17-42.

¹²⁷ Guy Debord, *A sociedade do espetáculo*, cit., p. 14.

¹²⁸ Isleide Fontenelle, em tese de pós-doutoramento, vem estudando a evolução das técnicas de pesquisas de *marketing*, com seus recursos cada vez mais acurados de sondagem das motivações inconscientes, e cuja origem remonta ao fim do século XIX, coincidindo com a criação da psicanálise.

ser tomadas a cargo dos sujeitos, em sua singularidade. A face imaginária do Outro, na vida contemporânea, vem sendo atualizada continuamente nos termos da indústria espetacular através de seu setor de ponta, a publicidade. Por ela, a demanda do Outro vem coincidir com os mais primitivos mandatos do *supereu*, prometendo atender aos anseios recalcados ao longo da travessia edípica: anseios de abrir mão da via do desejo em troca de uma oferta (imaginária) de gozo. Poucos resistem à aparente segurança dessa troca: os otários e os sábios talvez, além dos depressivos que a recusam sem saber, necessariamente, o que fazem. A angústia, por sua vez, é o preço inevitável a ser pago por essa perspectiva imaginária de supressão da falta.

Tal estado generalizado de *hunheimliche* – encontro, no Real, com representações inconscientes (recalcadas) – contribui para a formação de uma série de patologias sem representação, manifestas no corpo ou em ato, já que no terreno das representações inconscientes parece que pouco falta para que tudo esteja traduzido em imagens socialmente validadas[129]. As patologias "sem representação" são as drogadições, as anorexias, as bulimias, as hipocondrias, além das formas cada vez mais banalizadas de delinquência. A estas, acrescente-se o sentimento fatalista que abate os depressivos diante de um horizonte dominado pelo "cortejo triunfal dos vencedores de turno".

A aparência de multiplicidade de imagens ofertadas, com a consequente pulverização das demandas do Outro, na vida contemporânea, é enganosa. Sob as mais variadas imagens e os mais diversos enunciados, a versão imaginária do desejo do Outro, hoje, tem tanta consistência e coerência como na Idade Média, quando a hegemonia da Igreja católica ainda não fora abalada pelas teses de Lutero. O que o Outro exige do sujeito contemporâneo é sempre que ele goze. Muito. Que essa seja uma das faces contraditórias do imperativo superegoico – "goze!/não goze!"[130] – só faz tornar essa exigência, promovida a condição organizadora do laço social, ainda mais angustiante e opressiva para os sujeitos.

Ao contrário do que pode parecer, uma cultura regida por imperativos de gozo não produz necessariamente sujeitos mais independentes das injunções e da

---

[129] Nesse sentido, penso que o "deserto do Real", proposto na obra de Slavoj Žižek, seja antes uma inundação do imaginário. Ver Slavoj Žižek, *Bem-vindo ao deserto do Real!* (São Paulo, Boitempo, 2003).

[130] Para uma boa discussão do imperativo superegoico do gozo, ver Ricardo Goldenberg (org.), *Goza!* (Salvador, Ágalma, 1996).

crueldade superegoicas. A culpa neurótica em relação ao *supereu* torna-se ainda mais impagável sob tais condições, em que os ideais parecem não exigir das pessoas mais do que a disposição de usufruir dos prazeres do presente, de cultivar o corpo e entregar-se às fantasias associadas aos apelos de consumo. O sujeito culpado não leva em conta, porque não sabe disso, a impossibilidade de responder ao gozo ao qual é convidado ou, do ponto de vista do *supereu*, lhe é exigido[131]. O sentimento de insuficiência, o medo de perder o amor dessa instância que representa, no psiquismo, a esperança de recuperar a fatia de narcisismo e a porção de gozo perdidas torna os neuróticos candidatos à depressão.

É preciso levar em consideração, ainda, o modo como o imperativo do gozo se articula aos ideais de eficácia econômica. Tal articulação subverteu os ideais de renúncia pulsional que oprimiam os contemporâneos de Freud, convocados a sacrificar suas modestas possibilidades de prazer em favor da produtividade, no período de consolidação do capitalismo industrial. Na sociedade contemporânea, o gozo fálico não se obtém mais apenas nos breves intervalos de tempo roubados ao trabalho alienado. Na passagem do capitalismo produtivo para o capitalismo consumista, a porção subjetiva cedida pelos cidadãos, *trabalhadores ou não*, à acumulação de capital não diminuiu, embora em muitas profissões as jornadas de trabalho tenham até sido encurtadas[132]. O que o capitalismo em estágio avançado expropria dos sujeitos já não se limita àquela fatia do tempo de vida cedida de graça ao lucro do patrão, que Marx qualificou de mais-valia[133]. O capitalismo contemporâneo apropria-se e alimenta-se de algo mais íntimo do que a força de trabalho, essa tal parcela de tempo dedicada à glória de Deus e do Outro; hoje, o capitalismo alimenta-se do mais-de-gozar.

É fácil perceber os efeitos de vazio subjetivo produzidos por tal apropriação, a despeito de todas as engenhocas que o mercado oferece para compensar os

---

[131] Ainda Žižek, em debate com psicanalistas por ocasião de sua vinda a São Paulo em 2003, respondeu sobre a questão do que um analista pode fazer para sustentar o valor da castração no mundo atual com a seguinte proposta: não cabe ao psicanalista proibir as pessoas de gozar. Mas ele pode ser o porta-voz da autorização para não gozar. É importante que se possa dizer, publicamente: "Vocês podem não gozar".

[132] Na década de 1980, participei de debates no Sindicato dos Bancários de São Paulo a respeito do uso criativo do tempo livre, já que a jornada de trabalho da categoria havia sido reduzida de oito para seis horas diárias.

[133] Karl Marx, "A mercadoria", em *O capital* (trad. Reginaldo Sant'Anna, Rio de Janeiro, Civilização Brasileira, 1968).

sujeitos dessa expropriação do que lhes é mais genuíno: a invenção singular de destinos da pulsão.

Na sociedade de consumo, gozar é a forma mais eficaz de trabalhar para o Outro. A dimensão subjetiva dos prazeres, das pulsões, dos afetos, transformou-se em força de trabalho na sociedade regida pela indústria da imagem[134]. O que esse trabalho produz? Nada mais nada menos que os sujeitos de que o atual estágio do capitalismo necessita: sujeitos esvaziados do que lhes é mais próprio, mais íntimo, portanto disponíveis para responder aos objetos e imagens que os convocam; sujeitos ligados ao puro "aqui e agora" de um presente veloz, incapazes de imaginar um devir que não seja apenas a reprodução da temporalidade encurtada característica do capitalismo contemporâneo. Voltarei a esse ponto.

Isso gira no vazio, na mesma velocidade com que se produzem as concentrações do capital virtual na bolsa de valores: um dinheiro a que não corresponde nenhuma produção de riquezas. Custa-nos entender o óbvio, lembrado por Marx em *O capital*: a produção de riquezas, em uma sociedade, não é idêntica ao acúmulo de dinheiro. O dinheiro, como mercadoria circulante universal, só equivale à riqueza nos casos em que possibilita a intensificação das trocas, não só materiais, mas também simbólicas. Riqueza, em Marx, significa intensificação e circulação de capacidades, de necessidades, de modos de gozo, de invenções, de potencial humano. Uma economia que apenas concentre o capital não produz uma sociedade rica, do mesmo modo como as razões do mercado estão longe de produzir uma sociedade justa ou razoável.

Acima das trocas humanas produtoras de riqueza, uma nova forma abstrata do poder, chamada *mercado financeiro*, regula a vida social, sustentada pela crença globalmente compartilhada que faz equivaler acumulação de dinheiro à riqueza. Em consequência, os desígnios do capital financeiro, sempre fora do alcance do homem comum, não podem ser contrariados. Trabalha-se para o mercado como se trabalha para o gozo: o mercado financeiro e a indústria do espetáculo são as duas pontas avançadas da acumulação do capital no século XXI.

Ao apropriar-se dos signos de gozo circulantes no imaginário social, os valores da eficiência econômica estendem-se a todos os âmbitos da vida, numa escala sem precedentes na história. A afirmação de Frederic Jameson, para quem "o capitalismo colonizou o inconsciente", diz respeito à apropriação das formações

---

[134] Ver Maria Rita Kehl, "Três observações sobre os *reality shows*", em Eugênio Bucci e Maria Rita Kehl, *Videologias* (São Paulo, Boitempo, 2004), p. 173.

do inconsciente por imagens produzidas e distribuídas em escala industrial, assim como à oferta de gozo associada a elas. Tal afirmação deve ser completada com a advertência de Tomás Abraham[135]: "[...] uma sociedade sem valores extraeconômicos tende a uma deriva perigosa". Uma sociedade governada pelo vale-tudo das razões de mercado torna-se ingovernável, além de produzir uma descrença generalizada na potência dos homens como agentes de transformação política, descrença esta que remete ao abatimento fatalista dos depressivos.

Eugênio Bucci, em sua tese de doutoramento, acrescenta um elemento importante à compreensão dessa "deriva perigosa" da colonização do inconsciente pela ação combinada entre indústria do espetáculo e interesses econômicos. O autor nos recorda que Marx já previra a dimensão de fantasia necessária para sustentar o fetiche da mercadoria, mas não poderia prever a dimensão superindustrial da produção dessa mercadoria inefável, cujo valor é todo sustentado pela fantasia: a mercadoria imagem.

> A fantasia, antes uma mera pressuposição, tornou-se dominante na relação do sujeito com a mercadoria. Na era do espetáculo, da videosfera [expressão de Régis Debray], do imaginário superindustrial, isto é, do imaginário fabricado superindustrialmente, a composição do valor da mercadoria se altera. [...] O significante da mercadoria é o que a põe em movimento na direção do sujeito – e este procura nela não um uso racional, conscientemente calculado, mas o *gozo imaginário*, dado pela completude que a mercadoria lhe proporciona imaginariamente.[136]

Tal gozo, que Bucci chama de imaginário, nada mais é do que uma modalidade do gozo fálico. Isso significa que continuamos em falta de gozo – ainda bem. Mas a insistência no imperativo que empurra o sujeito em sua direção funciona como promessa permanente de que o gozo imaginário seja capaz de "fazer sumir a falta do gozo (real) perdido"[137]. Ora, fazer sumir a falta implica apagar o sujeito do desejo; daí decorre que a angústia participa inevitavelmente desse circuito, empurrando os sujeitos ainda mais, ora em direção às compensações do gozo imaginário, ora em direção aos efeitos anestesiantes

---

[135] Tomás Abraham, "O neoliberalismo quer ser sociável e se maquia", em Ricardo Goldenberg, *Goza!*, cit., p. 55.

[136] Eugênio Bucci, *Televisão objeto: a crítica e suas questões de método* (Tese de doutorado, São Paulo, ECA/USP, 2002).

[137] Idem.

das drogas e dos psicofármacos. Trair sua via desejante em nome de uma oferta de gozo que se revela, ao final, impossível, já que é sempre do gozo fálico que se trata, e nunca do gozo Outro, lança o sujeito no buraco entre desejo e gozo, buraco cavado por ele mesmo no cerne da falta-a-ser. Pois o ser, sempre faltante para o humano, só se constrói precariamente ao longo do caminho daquele que persegue seu desejo.

> Por isso, a oferta de mercadorias não arrefece, mas amplia-se e supera-se vertiginosamente. O único modo que essa oferta encontra de permanecer é pelo crescimento exponencial da dose. Gozar imaginariamente é *gozar mais*. O gozo imaginário não é, pois, absoluto. Ele só é gozo conforme seja um gozo a mais relativamente ao antes experimentado. As mercadorias deslizam pelo oceano imaginário como objetos a mais, [...] sempre portadoras de apelos mais intensos, por entre sujeitos que deslizam como mercadorias.[138]

Essa talvez seja a modalidade contemporânea da perda do lugar junto ao Outro que está na origem das depressões, de maneira análoga ao que ocorria nas antigas formas de melancolia. Em primeiro lugar, é preciso lembrar que a demanda de gozo que provém do Outro é impossível de ser atendida. Mas como esse convite ao apagamento do sujeito do desejo vem se transformando em uma fantasia socialmente compartilhada, ele se tornou o principal agente causador da servidão ante o cortejo das mercadorias, prometendo ao mesmo tempo apagar a falta e apaziguar a angústia que a *falta da falta* inevitavelmente promove. A articulação entre angústia, servidão e fatalismo fala por si mesma: o nó que amarra esses três componentes das depressões é o sentimento de superfluidade dos sujeitos, tomados tanto em sua singularidade desejante como em sua dimensão criativa, de agentes capazes de produzir transformações na vida social[139].

Qual é a via mais acessível de compensação para esse sentimento de superfluidade? A busca do reconhecimento. Já se observou a prevalência do ressentimento nas sociedades cujos membros se colocam, antes de mais nada, como demandantes de

---

[138] Idem.

[139] Hannah Arendt insiste nessa dimensão humana pouco contemplada pela psicanálise: a capacidade de criar o novo a partir da ação política, da imaginação artística e do trabalho. Ver Hannah Arendt, *The human condition* (Chicago, The University of Chicago, 1958). [Ed. bras.: *A condição humana*, 10. ed., trad. Roberto Raposo, Rio de Janeiro, Forense-Universitária, 2000.]

reconhecimento por parte do Outro[140]. Tal dependência se agrava quando a condição do reconhecimento já não depende do esforço, do trabalho, do talento, nem mesmo da perseverança e da insistência em obter um lugar junto ao Outro. O indivíduo universal, conquista das revoluções burguesas, torna-se dispensável ante a predominância do econômico, que curto-circuitou a dimensão dos meios[141] para ir direto aos fins, ao fim. "O importante é ganhar, não competir", escreve Goldenberg[142] ao comentar uma possível ressonância cínica da predominância do econômico sobre o político, sobre o moral e sobre tantas outras dimensões da vida social. Podemos nos referir, sem pudor, a uma radical inversão de valores. Na origem da produção capitalista, "o valor seria determinado pelo trabalho investido em um produto cujo destino é a *capacidade de ser vendido* e de permitir, com isso, o ciclo da acumulação"[143].

A ressonância dessa incidência da lógica econômica sobre a noção subjetiva do valor foi resumida por Goldenberg: *tem valor porque se vende*[144]. O reconhecimento buscado, portanto, é do valor de venda de cada um. Só que já não é mais o trabalho alienado aquilo que se vende. Nas condições atuais do mercado de trabalho, tal valor vem se tornando cada vez mais supérfluo. O que se vende, no estágio atual do capitalismo, é a dimensão mais íntima dos sujeitos, seu próprio *valor de gozo*[145]. O sujeito não vende seu tempo de trabalho; vende a si mesmo como objeto de gozo para o Outro.

Gozar para se fazer instrumento do gozo do Outro e, dessa forma, gozar ainda mais: trata-se de um imperativo verdadeiramente irrecusável. Nunca a frase de Adorno esteve tão certa: "Divertir-se significa estar de acordo"[146]. As obras da cul-

---

[140] Para a relação entre ressentimento e busca de reconhecimento, ver Tzvetan Todorov, *O homem desenraizado* (trad. Christina Cabo, Rio de Janeiro, Record, 1999). Ver também Maria Rita Kehl, "O ressentimento na política", em *Ressentimento* (São Paulo, Casa do Psicólogo, 2004).

[141] A relação entre meios e fins é de procrastinação: o fim exige um rodeio, um prolongamento do trabalho físico ou mental, que resulta em uma vivência do tempo mais estendida, menos imediata. Isso remete à relação entre os depressivos e o tempo, que examinarei na Segunda Parte.

[142] Ricardo Goldenberg, *Goza!*, cit., p. 10.

[143] Isleide Fontenelle, "Humanidade espetacular: emancipação ou autodestruição virtual?", *Margem Esquerda*, v. 4, 2004, p. 164.

[144] Ricardo Goldenberg, *Goza!*, cit., p. 10.

[145] O conceito de *valor de gozo* é de Eugênio Bucci, em *Televisão objeto...*, cit.

[146] Theodor Adorno e Max Horkheimer, "A indústria cultural" (1947), em *Dialética do esclarecimento* (trad. Guido Antônio de Almeida, Rio de Janeiro, Jorge Zahar, 1969), p. 135: "Mas a afinidade original entre os negócios e a diversão mostra-se em seu próprio sentido: a apologia da sociedade. Divertir-se significa estar de acordo".

tura do divertimento já não disfarçam seu caráter de documentos da barbárie. Sua função é instaurar o eterno presente da vida espetacular, para a qual todo passado é remoto e toda experiência, supérflua. No dizer de Bucci, o sujeito da cultura do espetáculo observa o mundo como se fosse um eterno álbum familiar preenchido não pelas imagens de seus parentes, mas pelos acontecimentos do mundo das celebridades. Tão longe, tão perto:

> Essas imagens o engolem, elas o seduzem, mas não lhe pertencem. O sujeito vê o presente avançar sobre o passado e sobre o futuro, mergulha numa temporalidade que lhe parece própria da intimidade, mas essa superfície que o envolve, estranhamente, não contém sua vivência, apenas traga seu desejo.[147]

Assim se produzem os sujeitos expropriados da experiência do inconsciente e do desejo, ávidos pelo consumo de imagens[148] que lhes indiquem quem eles são. Pois o que distingue a sociedade de consumo não é o fato de que todos comprem incessantemente os bens em oferta, acessíveis a poucos, mas que todos *estejam de acordo* com a ideia de que tanto o sentido da vida social como o valor dos sujeitos sejam dados pelo consumo. Dito de outra forma, o que caracteriza a sociedade de consumo é o fato de que o fetiche da mercadoria, acrescido do valor (imaginário) de gozo, seja o verdadeiro organizador do laço social.

Se não há como divergir de tal demanda-oferta de gozo proposta pelos vencedores "de turno", é inevitável que a banalidade se imponha no campo das ações humanas, privadas de valor. Fica evidente que o que se considera *ação humana*, aqui, são os *atos* capazes de produzir alterações no campo simbólico[149]. Ações como escolher a marca da cerveja, exibir o tênis de grife ou o carro do ano, malhar o corpo na academia e outras tantas modalidades dessa agitação que preenche todo o tempo não ocupado pelo trabalho ficam excluídas dessa categoria.

---

[147] Eugênio Bucci, "Meu pai, meus irmãos e o tempo", em Lorenzo Mammi e Lilia Moritz Schwarcz (orgs.), *8 x Fotografia* (São Paulo, Companhia das Letras, 2008), p. 79.

[148] Embora poucos possuam recursos para consumir os bens em oferta, as imagens que ocupam a esfera pública são acessíveis a todos.

[149] Para uma boa tradução política do conceito lacaniano de ato e dos riscos que ele implica, ver Slavoj Žižek, *Bem-vindo ao deserto do Real!*, cit., p. 176: "O Ato acontece numa emergência em que alguém tem de assumir o risco e agir sem legitimação, engajando-se numa espécie de aposta pascaliana de que o Ato em si há de criar condições para sua própria legitimação 'democrática' retroativa".

Esse é o sentido contemporâneo da "submissão total à ordem das coisas que existem"[150] e da falta de saber que o imperativo da felicidade e da diversão produz. De que saber se trata? Daquele capaz de situar o sujeito do inconsciente, esse que perdeu as referências sobre a demanda do Outro.

É difícil, até mesmo para os críticos e para os descontentes, imaginar as condições de superação de uma ordem social sustentada bem menos por estratégias de interdição do que por técnicas de sedução. Travestida de convite à diversão, ela revela a atração dos candidatos à depressão, anulados em sua dimensão de sujeitos da ação transformadora, pela "majestade solene do cortejo dos poderosos"[151].

Nessas condições, é fácil entender o aumento dos episódios depressivos entre os neuróticos: histérico(a)s e obsessivo(a)s, cada um à sua maneira, são presas fáceis da tentação de abrir mão de sua via desejante, sempre periclitante por sinal, em troca de tantas ofertas/demandas de gozo de/para o Outro. Os episódios de depressão combinam o vazio subjetivo produzido por essa negociação, o sentimento de insuficiência narcísica diante das exigências do *supereu* e a culpa pela covardia moral a que Lacan se referiu em duas ocasiões diferentes.

Mas, além dos neuróticos que se deprimem, existem os depressivos. A depressão é uma posição específica do sujeito. Na Terceira Parte, buscarei as mediações necessárias para entender como tais dispositivos de produção de mais-alienação se transmitem por meio do discurso materno (e, mais tarde, do paterno), de modo a facilitar a saída depressiva no momento decisivo das escolhas de neurose, que é o segundo tempo do complexo de Édipo.

---

[150] Michael Löwy, *Walter Benjamin: aviso de incêndio*, cit., p. 71.
[151] Idem.

IV
A recusa do depressivo

Mas se as depressões podem ser entendidas como sintomas do mal-estar em sua versão contemporânea, é preciso levar em consideração também o outro aspecto do sintoma, que é o de ser uma tentativa (ainda que mal-sucedida) de cura. Aquele que se abate e se deprime ao trair sua via em nome da adesão às imagens que representam um Outro triunfal indica que, em algum aspecto, a identificação afetiva falhou. O depressivo é aquele que se retira da festa para a qual é insistentemente convidado; sua produção imaginária empobrecida[152] não sustenta as fantasias que deveriam promover a crença na combinação aparentemente infalível entre o espetáculo e o capital[153]. Os depressivos, cujo número parece aumentar na proporção direta dos imperativos de felicidade, são incômodos na medida em que questionam esse projeto. Daí seu parentesco com os melancólicos pré-modernos, que sofriam por ter caído do (suposto) lugar de onde pretendiam atender à demanda do Outro.

A depressão, como sintoma social, é aquilo que resiste – ao imperativo do gozo, à fé na felicidade consumista, à própria oferta de possibilidades de traição da via desejante. O depressivo, que sofre do único sentimento de culpa legítimo, o de ter traído sua via, culpa-se diante do *supereu* por não tirar proveito de sua traição. Sente-se culpado por não ter sido capaz de corresponder aos ideais contemporâneos

---

[152] O aspecto da pobreza imaginária do depressivo será abordado no capítulo VIII.
[153] Lembrar novamente Guy Debord, *A sociedade do espetáculo*, cit., p. 34: "O espetáculo é o dinheiro que *apenas se olha*". Essa formulação decorre de uma anterior, p. 25: "O espetáculo é o *capital* em tal grau de acumulação que se torna imagem".

de bem-estar e felicidade. A dolorosa consciência de sua inadaptação é confirmada pelo empenho da indústria farmacêutica em devolver os depressivos ao convívio regular com o coro dos contentes. A singularidade do sofrimento depressivo vem sendo banalizada pelo esforço de uma ala da psiquiatria que, aliada à indústria farmacêutica, esforça-se por reduzir as depressões a um somatório de transtornos entre os quais praticamente qualquer pessoa pode se incluir. Junto com a medicação, o que se vende é sobretudo a esperança de que o depressivo possa rapidamente normalizar sua conduta sem ter de se indagar sobre seu desejo.

Nesse sentido, não estamos muito longe dos primórdios da psicanálise. É fato que o significante *desejo* tem sido exaustivamente utilizado para fazer apelo ao consumidor – fala-se em "desejo de consumo", "objeto do desejo", "realizar desejos" ("você merece..."). Convida-se o consumidor a ultrapassar todos os limites em direção ao "seu" desejo. Contudo, tais expressões sedutoras estão longe de incluir o movimento errático do desejo sobre o território vazio onde o objeto, por definição, falta. A oferta interminável de objetos de gozo não impede que, hoje, a dimensão de "continente negro" que recai sobre o par desejo/castração seja tão incômoda quanto nos tempos de Freud.

A diferença é que, se nos primeiros séculos do capitalismo industrial era importante curar o neurótico de suas inibições para fazê-lo produzir, hoje as neurociências se empenham em animar os depressivos para torná-los aptos a consumir. Ou, pelo menos, a desejar consumir, a estar de acordo com as demandas de consumo – essa forma avançada de poder disciplinar que normaliza a vida social.

No entanto, quanto mais aqueles que sofrem depositam exclusivamente nos efeitos dessubjetivantes da medicação sua esperança de cura, mais se afastam da possibilidade de retomar uma via singular de compromisso com o desejo. Quanto mais aderem ao *furor sanandi* da indústria farmacêutica, que promete a imediata eliminação do mal-estar como se fosse essa a direção da cura (ou o segredo da felicidade), mais ficam sujeitos à acedia, à indolência melancólica do coração.

O exemplo a seguir refere-se a um episódio de minha experiência clínica.

O pedido de análise de D. chegou a mim pela internet. Ele havia assistido a um debate sobre drogas, do qual participei, e conseguiu meu e-mail por intermédio da emissora de tevê que exibiu o programa. Dizia-se viciado em drogas e pedia-me, literalmente, *socorro*. Na primeira entrevista, apresentou-se por meio das substâncias que consumia. No dia a dia, fumava maconha ("para relaxar") e tomava antidepressivos, indicados pelo médico da mãe para curá-lo do "desânimo". Nos fins de semana, sempre que convocado para alguma festa *rave* – única forma de lazer capaz de mobilizá-lo –, suspendia os antidepressivos e tomava ecstasy para enfrentar a "maratona". Perguntei o que mais teria a dizer sobre si, além de se apresentar como consumidor de drogas e remédios.

Aos vinte anos, filho de pais separados, D. vivia com a mãe em um pequeno apartamento de classe média baixa. O pai, depois da separação, afastara-se do filho. Pagava a faculdade, que D. seguia sem grande interesse, e tinha pouco contato com o filho. D. tinha certeza de que o pai não aprovaria sua análise; filho de imigrantes árabes, o pai seria um homem fechado e disciplinado para quem os abatimentos do filho não passavam de "frescuras". O dinheiro da análise vinha da mãe, mas sofria forte concorrência dos gastos com as noites de balada. Fora isso, a vida social de D. era tão nula quanto seus outros interesses culturais e profissionais.

Ele se descrevia como dividido entre a hiperatividade das *raves* e o recolhimento em seu quartinho. Nas ocasiões de festa, D. simplesmente *obedecia* à convocação de sua única amiga: comprava a dose necessária de ecstasy e preparava-se para divertir-se o máximo que pudesse, enquanto conseguisse aguentar. A droga era indispensável para que ele "entrasse no clima" da festa. Sem ela, era impossível sustentar a crença no mais-de-gozar prometido. A maratona das *raves* não produzia em D. nenhuma experiência a relatar em análise. Tudo o que ele trazia era uma sensação de esvaziamento, o avesso da pura intensidade sem fantasia vivida durante uma ou duas noites. Depois disso, fechava-se em seu "mundinho", do qual nem a mãe, incomodada, conseguia que saísse. O empenho materno, em todo caso, era ambíguo: ao menos nos períodos de recolhimento, que D. chamava de depressão, o filho estava junto dela.

O abatimento cotidiano de D. expressava-se pela pergunta dirigida com frequência à analista: "Fazer isso... ou aquilo... talvez.... mas para quê?". Todas as atividades ligadas à vida social, fossem relativas à carreira escolhida, à circulação no espaço da cidade, à política estudantil ou ao mero convívio com colegas, lhe pareciam inúteis. Nenhuma fantasia relativa ao (pobre) imaginário social que sustenta a função paterna e os ideais era capaz de representar, para ele, a dimensão de um futuro a almejar, de uma outra vida a construir. Em resposta a essa condição, também o discurso de D. era pobre no que se refere às atividades mentais da fantasia e do sonho. Vivia dominado pelo tempo do puro presente, sem contar com recursos criativos que lhe permitissem pelo menos sonhar com sua superação. Um tempo que lhe parecia infernalmente longo diante da falta de perspectivas em relação ao devir, ou curto demais, perante a demanda urgente do Outro.

Donald Winnicott, em *O brincar e a realidade*, relaciona a falta de criatividade ao fatalismo:

> É através da apercepção criativa, mais do que qualquer outra coisa, que o indivíduo sente que a vida é digna de ser vivida. Em contraste, existe um relacionamento de *submissão com a realidade externa*, em que o mundo em todos os seus pormenores é reconhecido apenas como algo a que ajustar-se ou a exigir adaptação. A submissão traz consigo um sentido de inutilidade e está associada à ideia de que nada importa e que não vale a pena viver a vida.[154]

A experiência do mundo relatada por D. me parece muito bem caracterizada pela reflexão de Winnicott. É possível que ele tenha conhecido suficientemente o "viver criativo" na infância para compreender que sua vida presente parecia aprisionada "pela criatividade de outrem, ou de uma máquina" – a máquina de produzir gozo na qual ele depositava todas as expectativas de desfrute de seu tempo livre. Mas o recolhimento sob proteção da mãe e a desistência de relacionar-se com o pai (compartilhada por este) fizeram com que a capacidade inventiva de D. parecesse, a ele próprio, supérflua. Ou inútil. A submissão a que se refere Winnicott guarda fundas relações com o fatalismo que se encontra na origem da melancolia benjaminiana, equivalente à nossa atual clínica das depressões.

Embora tenha escutado D. por menos de um ano, arrisco uma hipótese sobre o ponto de amarração entre as duas formas extremas da vivência do tempo a que ele se entregava. O que articula para ele o tempo que não passa, do recolhimento depressivo ao tempo veloz da *balada*, é a identificação do sujeito com uma imagem de si mesmo. Uma imagem de si mesmo como que capturada no instante do gozo, espelhada em centenas de imagens que se oferecem diariamente à identificação nas propagandas de cervejas, refrigerantes, celulares, tênis e outros objetos cujo valor de gozo ultrapassa o mero valor de uso. Os depressivos revelam o fracasso da identificação com a imagem especular – fracasso que, como todo sintoma, é sobredeterminado.

Lembremo-nos de que a identificação especular está atada à relação com o Outro pela via da alienação ao Eu Ideal, por onde o sujeito tenta obturar a falta-a-ser.

---

[154] Donald Winnicott, *O brincar e a realidade* (1971) (trad. José Octávio de Aguiar Abreu e Vaneide Nobre, Rio de Janeiro, Imago, 1975), p. 95; grifos meus.

O tempo da imagem especular que funda a relação com o Ideal, e que para Lacan é um tempo fundamental da relação imaginária, "é fundamental justamente por ter um limite. Nem todo investimento libidinal passa pela imagem especular. Há um resto. Esse resto [...] é o pivô de toda essa dialética"[155].

Aquilo que resta do narcisismo especular é o falo. Ao contrário do que se pode supor, na dimensão da imagem, o falo é sempre aquilo que falta. O falo não está na imagem: está além, ou aquém dela.

> Em toda medida em que se realiza aqui, em i(a), o que chamei de imagem real, imagem do corpo funcionando na materialidade do sujeito como propriamente imaginário, isto é, libidinizado, o falo aparece a menos, como uma lacuna. Apesar de o falo ser, sem dúvida, uma reserva operatória, não só ele não é representado no nível imaginário, como é também cercado e, para dizer a palavra exata, cortado da imagem especular.[156]

O falo, significante da falta, é simbólico. Sob o império do espetáculo, quanto mais o sujeito se cola às imagens especulares que se lhe oferecem como garantias identitárias, paliativas para a falta-a-ser, menos chances ele tem de entrar na dialética fálica. E maiores são suas possibilidades de se angustiar ante a iminência de ser tomado como objeto do Outro.

Assim, o mesmo D. que se oferece ao gozo do Outro na forma de imagem capturada no instante do (seu) próprio gozo é aquele que desvanece na manhã seguinte, na solidão do quartinho – sem ter nada a relatar sobre a experiência da noite anterior. A *rave* e o quartinho não eram, para ele, duas formas opostas de indagação sobre seu desejo; eram antes duas faces complementares da relação com a demanda do Outro materno, relação fortalecida pela recusa do rapaz em identificar-se com algum traço do pai.

Todas as outras formas de circulação no espaço público o intimidavam. Fora da cena das *raves*, turbinado pelo ecstasy quando sabia exatamente qual imagem gozante interessava ao Outro, D. sentia-se invisível: ele não era *ninguém*.

A análise de D. durou poucos meses. Quando me anunciou que precisaria parar por algum tempo, alegando falta de dinheiro, estava começando a questionar seu papel de único consolo de uma mãe tão isolada quanto ele. Talvez por isso o dinheiro do pagamento tenha sido cortado por ela. Mesmo assim, aprendi com esse jovem tímido

---

[155] Jacques Lacan, *O Seminário, livro 10: A angústia*, cit., p. 49.
[156] Idem.

e sensível alguma coisa a respeito da relação entre a pobreza das produções imaginárias na depressão e a inconsistência do imaginário que sustenta a função paterna[157].

Mas sei que D. talvez tivesse defendido melhor sua análise, diante da mãe, se eu não tivesse cometido um erro importante. Preocupada em entender a ausência de qualquer interesse na dimensão pública da vida, por parte desse adolescente tardio, deixei de interrogá-lo sobre o único aspecto de sua vida no qual ele poderia estar implicado de maneira criativa: sua vida no quartinho. Hoje, penso que deveria ter insistido com D. para que me relatasse não o que se passava nas *raves,* mas o que ele vivia no isolamento do quartinho. É possível que, durante os longos períodos de reclusão em seu "mundinho", D. ensaiasse alguma outra experiência de si, tributária da Coisa materna, sim, do qual a análise também deveria vir a libertá-lo – mas só depois. Depois que ele tivesse condições de valorizar e tornar pública, pela palavra dirigida à analista, o tempo lento e (quase) vazio transcorrido na solidão do quartinho, e as (pobres) fantasias que ocupavam sua vida psíquica durante seus períodos de reclusão. Ali, no seu "mundinho", como D. o nomeava, escondido da demanda do Outro, talvez se produzisse algum outro valor subjetivo: o valor de um gozo que não se vende. O tempo roubado ao convívio com a mãe no isolamento do quarto era o mesmo tempo roubado ao trabalho de gozo que a pertinência ao seu grupo social – ou ao seu "segmento de mercado" – lhe exigia.

Meu engano foi, em primeiro lugar, não ter valorizado suficientemente a iniciativa e a insistência do rapaz em buscar o espaço exogâmico da minha clínica, somadas a seu esforço em dirigir a palavra a um Outro não materno[158]. Em segundo lugar, penso que errei por ter escutado as referências ao mundinho de D. apenas em sua dimensão regressiva, sem perceber que tal regressão talvez fosse a primeira condição, ainda que ambivalente (perigosamente perto da presença da mãe), de sua resistência a se fazer instrumento do gozo do Outro. Se ele tivesse tido tempo de falar da singularidade desse gozo parcial e secreto, por mais pobre que fosse a fantasia que o sustentava, por mais regressivo que fosse o caráter autoerótico de seu isolamento, talvez D. houvesse tido a oportunidade de entender o valor de sua *recusa.*

Pois o depressivo, em sua estranha recusa a acreditar nos semblantes da felicidade, está muito mais próximo de sua via desejante do que ele imagina.

---

[157] Esse tema será desenvolvido na Terceira Parte deste livro.

[158] Hoje tenho clareza de que, na análise com pacientes depressivos, o(a) analista deve se situar em uma posição transferencial (imaginária) decididamente *paterna.*

Segunda Parte
O tempo e o cão

O capitalismo é o senhor do tempo. Mas tempo não é dinheiro.
Isso é uma monstruosidade.
O tempo é o tecido da nossa vida.

Antonio Candido

V
Os tempos do Outro

> As representações do tempo são componentes essenciais da consciência social, cuja estrutura reflete os ritmos e as cadências que marcam a evolução da sociedade e da cultura. O modo de percepção e de apercepção do tempo revela inúmeras tendências fundamentais da sociedade e das classes, grupos e indivíduos que as compõem. O tempo ocupa um lugar de primeiro plano no "modelo do mundo" que caracteriza esta ou aquela cultura, tanto quanto outros componentes desse "modelo" como o espaço, a causa, a mudança, o número, a relação entre o mundo sensível e o mundo suprassensível, a relação do particular ao geral e da parte ao todo, o destino, a liberdade etc.
>
> *A. Y. Gourevitch*[1]

O tempo é uma construção social. Toda ordem social é marcada, à sua maneira, pelo controle do tempo; essa talvez seja a face mais invisível e mais onipresente do poder. O tempo, "tecido da nossa vida" no dizer de Antonio Candido, é também a condição ontológica do psiquismo. A qualidade que define o psíquico não é espacial, é temporal; daí a dificuldade dos neurocientistas em localizar, no tecido cerebral, o inconsciente freudiano.

A inclusão da dimensão temporal, sob a forma subjetiva da *espera* de satisfação, marca a origem do sujeito psíquico[2]. A primeira manifestação da onipotência do Outro primordial, para o *infans*, consiste em submeter a urgência da satisfação das

---

[1] A. Y. Gourevitch, "O tempo como problema de história cultural", em Paul Ricoeur (org.), *As culturas e o tempo* (trad. Gentil Titton et al., Petrópolis/São Paulo, Vozes/Edusp, 1975).

[2] Ver Sigmund Freud, "Los dos principios del funcionamiento mental" (1921), em *Obras completas* (trad. Jose Luis López-Ballesteros, Madri, Biblioteca Nueva, 1976) v. II, p. 1638-42. [Ed. bras.: "Formulações sobre os dois princípios do funcionamento mental", em *Obras psicológicas completas*, Rio de Janeiro, Imago, 2006, v. XII.]

necessidades do recém-nascido a uma certa demora. O psiquismo se instaura a partir do trabalho de representação do objeto de satisfação esperado, na tentativa de anular o angustiante intervalo de tempo vazio. Tal representação adquire, em primeiro lugar, a forma de uma substituição alucinatória (designada, em alguns textos freudianos, como *identidade de percepção*[3]) do seio que tarda a se apresentar para saciar e tranquilizar o *infans*. Ante o fracasso irremediável da satisfação alucinatória da pulsão, o trabalho psíquico sofre uma mudança de qualidade que consiste em substituir a identidade de percepção por uma *identidade mental*. Em "Os dois princípios do funcionamento mental", posterior à "Interpretação dos sonhos", Freud escreve que tal substituição instaura no psiquismo a possibilidade de já não "representar (apenas) o prazeroso, mas o real, ainda que desagradável"[4]. Tal modificação acarreta para o funcionamento psíquico uma dimensão *temporal*: em vez de presentificar imediatamente o objeto faltante na forma de uma alucinação, o aparelho psíquico passa a representá-lo como aquilo que não está, mas deverá retornar. A possibilidade de substituir a *representação de coisa* pelo que Freud chama de *representante da representação* ou *representante ideativo* (*Vorstellungsrepräsentanz*) é uma condição decisiva – embora não definitiva – para o nascimento de um sujeito psíquico que Lacan virá a chamar, mais tarde, de *je*, o sujeito do desejo inconsciente.

O tempo é instituído, para cada sujeito, no intervalo entre a tensão de necessidade (pulsional) e a satisfação; mas como, para o filhote humano, a satisfação de necessidades depende inteiramente de que um Outro queira se ocupar dele, tal intervalo logo se apresenta a ele como o tempo que separa a demanda do Outro[5] da possibilidade de o sujeito responder a ela. Dito de outra maneira: o sujeito do desejo, em psicanálise, é um intervalo sempre em aberto, que pulsa entre o tempo próprio da pulsão e o tempo urgente da demanda do Outro. Nisso se resume a

---

[3] Idem, "La interpretación de los sueños" (1900), em *Obras completas*, cit., v. I, p. 343-720. No capítulo 7, "Psicología de los procesos oníricos", item E, p. 710. [Ed. bras.: "A interpretação dos sonhos", em *Obras psicológicas completas*, cit., v. IV e V.]

[4] Idem, "Los dos principios del funcionamiento mental", cit., p. 1639.

[5] Por que escrevo demanda e não oferta (por parte do Outro)? Porque a indiferenciação entre o *infans* e a mãe e a resultante ambivalência que caracterizam a inauguração da vida psíquica fazem com que, do ponto de vista da criança, toda oferta do Outro seja interpretada como demanda. O bebê desconhece a natureza do objeto capaz de aplacar a insatisfação inicial a que chamamos fome. A mãe, que oferece o seio, ocupa o lugar de um Outro que supostamente sabe o que o filho deve querer. Assim, do ponto de vista do *infans*, não há diferença entre oferta e demanda. As consequências dessa indiscriminação serão examinadas com mais vagar na Terceira Parte deste livro.

alienação que distingue o humano de outras formas de vida animal: não somos senhores de nossa relação com o tempo[6].

O tempo e o sujeito

Lacan, em "O tempo lógico"[7], faz recordar ao leitor de Freud que o sujeito da psicanálise não advém de um *lugar*, ou seja, de uma relação com o espaço, mas de um *intervalo*, isto é, de uma lógica temporal. O sofisma analisado por Lacan no ensaio citado esclarece a natureza da relação necessária entre o saber possível do sujeito do inconsciente e a experiência subjetiva do tempo.

Lacan parte de um problema lógico segundo o qual o diretor de um presídio submete três prisioneiros a um desafio de cuja solução depende a liberdade de apenas um deles. De cinco discos, dois pretos e três brancos, cada prisioneiro terá um colado nas costas, onde não consegue vê-lo – mas os dos outros dois, sim. Será libertado aquele que em primeiro lugar deduzir, a partir da observação dos outros, a cor de seu próprio disco. Acontece que, salvo no caso em que um dos participantes do jogo enxergasse nas costas de seus companheiros dois discos pretos, é impossível deduzir a resposta correta sem levar em conta, além das cores dos discos que cada um vê, as reações e as hesitações dos outros dois[8].

---

[6] Mas se, para Freud e Lacan, tal desacordo entre o tempo das necessidades vitais e a satisfação propiciada pelo Outro é condição universal indispensável para o nascimento do sujeito psíquico, a expropriação de uma parcela de tempo de vida do trabalhador para a produção de mais-valia, descoberta por Marx, é uma particularidade das sociedades capitalistas modernas.

[7] Jacques Lacan, "El tiempo lógico y el aserto de certitumbre anticipada: un nuevo sofisma" (1945), em *Escritos* (Madri, Siglo Veintiuno, 1994) v. I, p. 187-203. [Ed. bras.: "O tempo lógico e a asserção de certeza antecipada", em *Escritos*, Rio de Janeiro, Jorge Zahar, 1998.]

[8] São três as soluções possíveis para o problema: 1) dois discos negros e um branco: nesse caso, o portador do disco branco conclui imediatamente sobre a sua cor, a partir da observação dos outros dois; 2) dois brancos, um negro: os dois portadores de discos brancos hesitam ao ver um disco negro; se um deles se precipitar, o outro conclui que é também um negro, pelas mesmas razões da primeira solução; e 3) três discos brancos: depois de um breve tempo entre duas hesitações, todos se precipitam juntos para a porta. Lacan resume assim o cálculo que conduz a essa conclusão: "Sou um branco, e eis como sei disso. Dado que meus companheiros eram brancos, pensei que, se eu fosse negro, cada um deles teria podido inferir o seguinte: 'Se eu também fosse negro, o outro, posto que deveria reconhecer nisto imediatamente que é branco, teria saído em seguida; portanto, não sou um negro'. E os dois teriam saído juntos, convencidos de serem brancos. Se não fizeram assim, é porque eu era um branco como eles. Assim, corri à porta para dar a conhecer a minha conclusão" (Jacques Lacan, "El tiempo lógico", cit., p. 188).

Deixo ao leitor a tarefa de acompanhar no texto original a construção da teoria lacaniana sobre o tempo lógico. Tomo aqui apenas duas afirmações de Lacan que interessam ao meu argumento.

A conclusão correta do problema lógico proposto pelo diretor do presídio se constrói em três tempos: o instante de ver, o tempo para compreender e o momento de concluir. Desses três intervalos, o primeiro e o terceiro são instantâneos. Somente o segundo "supõe a duração de um *tempo de meditação*" indispensável para precipitar o sujeito em direção ao terceiro momento, da conclusão. Lacan não quantifica essa duração[9], mas fica evidente que ela precede a certeza do sujeito sobre si mesmo, isto é, sobre a cor de seu disco, que ele só pode deduzir ao se relacionar subjetivamente com as reações dos outros e refletir sobre elas.

O tempo de concluir é uma rápida fulguração que precipita o sujeito em direção à liberdade, de posse de uma certeza *nunca inteiramente garantida* a respeito de si mesmo. Não me parece gratuito o fato de que a *liberdade*, na historieta escolhida por Lacan, seja o prêmio prometido àquele que primeiro conseguir apostar na cor do disco pregado às suas costas. De fato, algo da ordem de uma independência em relação ao que o outro sabe sobre ele se produz ali, no momento de concluir. O momento de concluir é o tempo do advento do sujeito propriamente dito[10], que se desprende do registro da identificação com seus companheiros de cela para afirmar, por sua conta e risco, quem ele é.

É importante lembrar, como faz Antonio Quinet, que este "quem ele é" (no caso, "portador de um disco branco") não representa uma solução definitiva para o dilema do *ser*. "Não existe, no nível da linguagem, um significante que seja um atributo qualquer que possa fixar o sujeito para todo o sempre, fixar aquilo que seria o seu ser"[11]. O *ser* é um efeito simbólico da certeza antecipada do sujeito desejante.

No entanto, a pura precipitação, não sustentada pela duração do tempo de meditação anterior, não produz as condições do saber inconsciente que, na charada escolhida por Lacan, liberta o sujeito da dependência da relação especular com seus companheiros de cela. Qual é a natureza desse saber?

---

[9] Ibidem, p. 195: "O tempo para compreender pode reduzir-se ao instante do olhar, mas esse olhar em seu instante pode incluir todo o tempo necessário para compreender".

[10] No texto de Lacan, os três jogadores ocupam a posição do sujeito.

[11] Antonio Quinet, "Que tempo para a análise?", em *As 4+1 condições da análise* (Rio de Janeiro, Jorge Zahar, 2002), p. 58.

Em conferência a respeito da relação do sujeito com o tempo do desejo, Gabriel Lombardi[12] afirma que o saber inconsciente tem a qualidade da *túkhe*, a fortuna aristotélica. Na *Física* de Aristóteles, *autómaton* designa o acidente que ocorre a um ser incapaz de tomar decisões, enquanto a fortuna, a *túkhe*, é o acidente que ocorre a um ser capaz de escolhas. Ser capaz de escolhas implica uma posição ativa do sujeito, de modo que ele se apresente "no lugar e no momento oportuno para o encontro com algo que não se sabia estar lá, mas se desejava encontrar"[13]. Não se trata de um simples encontro ao acaso e sim de um *reencontro* com o objeto capaz de remeter o sujeito à causa de seu desejo[14]: daí que a antecipação desse momento seja marcada pela angústia, afeto que "prepara" o sujeito para o encontro com o desejo[15].

O instante desse reencontro tem a qualidade temporal do Kairós grego, momento oportuno, diferente do tempo linear Kronos, mesmo nome do deus Saturno que deu origem, na mitologia romana, ao conceito de tempo cronológico, extenso e linear, que conduz as coisas a seu amadurecimento e também a seu fim[16].

A *duração* seria assim uma das condições necessárias para a produção do instante fulgurante do acontecimento, sem a qual o sujeito conclui sem compreender e reduz sua escolha a uma precipitação inconsequente. Nem toda experiência temporal tem a qualidade do tempo lógico. Em conferência sobre o tempo nas sessões de análise e o tempo do final de análise, Colette Soler qualificou o tempo de compreender como um "*tempo não lógico*": "variável não lógica que impede de prever o tempo que será necessário para terminar uma análise, tempo obscuro que cada um necessita para fazer o luto de sua transferência"[17]. Soler propõe que a

---

[12] Gabriel Lombardi, "La cita y el encuentro", *Anais do Congresso "Os tempos do sujeito do inconsciente: a psicanálise no seu tempo e o tempo na psicanálise"*, São Paulo, Escola de Psicanálise dos Fóruns do Campo Lacaniano, mimeo, jul. 2008, p. 46.

[13] Idem.

[14] Que remeta o sujeito à causa, não mais que isso, já que o objeto *a* enquanto objeto causa do desejo é impossível de se (re)encontrar. Qualquer encontro que se assemelhe ao encontro com o objeto perdido não produz, para o sujeito, nada além da forma mais avassaladora da angústia.

[15] Luis Izcovich lembra que a ausência da angústia preparatória faz desse encontro um sucesso traumático. ("La prisa y la salida", *Anais do Congresso "Os tempos do sujeito do inconsciente"*, cit., p. 41.)

[16] Recorde-se a representação de Saturno como o deus que devora os próprios filhos.

[17] Colette Soler, "Le temps pas logique", *Anais do Congresso "Os tempos do sujeito do inconsciente"*, cit., p. 69.

psicanálise lacaniana valorize essa parcela do tempo não lógico necessária à historização do sujeito, sem a qual, para a autora, não há análise. O tempo não lógico fornece "margem de liberdade fora da qual cada um seria apenas uma marionete de seu inconsciente"[18].

A partir dessas considerações, concluímos que o tempo da certeza antecipada não deve ser confundido com o tempo da pura pressa. Ao contrapor o valor analítico da pressa ao eterno adiamento que o neurótico obsessivo promove no que toca ao encontro com seu desejo, Antonio Quinet propõe, com Lacan, que "a pressa é amiga da conclusão"[19]. Penso que tal afirmação deva ser tomada levando-se em consideração que a solução do aforismo apresentado em "O tempo lógico" é construída, necessariamente, em três tempos, sendo o tempo de compreender intermediário: aquele que não pode prescindir da duração. O valor da verdade revelado na pressa do prisioneiro que se precipita para afirmar quem ele é depende dessa duração, assim como das relações de reciprocidade necessárias para que o sujeito se identifique com o outro – ainda que seja para, a seguir, desprender-se delas.

A partir daí, é razoável supor uma relação entre o aumento dos casos de depressão e a urgência que a vida social imprime à experiência subjetiva do tempo. A temporalidade tecida de uma sequência de instantes que comandam sucessivos impulsos à ação, não sustentados pelo saber que advém de uma prévia experiência de duração, é uma temporalidade vazia, na qual nada se cria e da qual não se conserva nenhuma lembrança significativa capaz de conferir valor ao vivido. A verdade do encontro com o saber inconsciente depende não apenas do impulso, mas da dialética entre duração e conclusão: a mesma que inaugura a temporalidade psíquica na forma de tensão entre a espera de satisfação, propulsora do trabalho psíquico de representação, e o (re)encontro com a marca mnêmica do objeto. O que a urgência dos impulsos à ação promove, no dizer de Gabriel Lombardi, são os encontros falhados em que existe a *cita* (o encontro marcado), mas não acontece o (re)encontro: "Na depressão, a passagem do Kronos a Kairós fica prejudicada porque no lugar da oportunidade, do tempo do acontecimento, o depressivo se vê ante o vazio. É por isso que para ele Kronos se apresenta como tempo que não passa"[20].

---

[18] Idem.
[19] Antonio Quinet, "Que tempo para a análise?", cit., p. 64.
[20] Gabriel Lombardi, "La cita y el encuentro", cit.

No mesmo sentido, Luis Izcovich diferencia a precipitação, passagem ao ato produzida pela urgência da demanda do Outro, da "pressa lenta", que define "a relação do sujeito com o objeto causa do desejo"[21].

"Apressa-te lentamente" (*Festina lente*): essa máxima latina foi adotada na juventude por Italo Calvino por representar "a intensidade e a constância do trabalho intelectual"[22]. Sendo Calvino um artista, podemos supor uma forte relação entre o mencionado trabalho intelectual (no caso, a escrita) e sua posição diante do desejo, da qual não se exclui a *rapidez* referida no título de sua segunda "proposta para o próximo milênio": "Desde o início, em meu trabalho de escritor, esforcei-me por seguir o percurso velocíssimo dos circuitos mentais que captam e reúnem pontos longínquos no espaço e no tempo"[23].

Tal experiência da velocidade mental nos processos criativos é prazerosa por si mesma, independentemente de sua utilidade prática, diz Calvino.

A ideia da velocidade ligada ao prazer proporcionado pelos processos criativos remete o leitor ao conhecido texto freudiano sobre o chiste[24], no qual Freud reconhece, na criação do dito humorístico, o encontro do sujeito com a temporalidade inconsciente. No chiste, escreve ele, "um pensamento pré-consciente é abandonado por um momento à elaboração inconsciente, sendo o resultado logo acolhido no ato pela percepção consciente"[25]. O prazer obtido pela brevidade do dito chistoso resultaria da *economia de tempo psíquico* que o chiste obtém, como resultado do conhecido processo de condensação que Freud descreve em "A interpretação dos sonhos". O chiste traz à tona, num rápido instante presente, um recorte da temporalidade inconsciente que preservou não apenas a representação do recalcado, como também o que Freud chama de "as fontes infantis do prazer do jogo"[26].

No ensaio de Calvino, a apologia da rapidez não exclui "os prazeres do retardamento", que na literatura são finamente representados pelas digressões:

---

[21] Luis Izcovich, "La prisa y la salida", cit.

[22] Italo Calvino, "Rapidez", em *Seis propostas para o próximo milênio* (São Paulo, Companhia das Letras, 1990), p. 60.

[23] Ibidem, p. 61.

[24] Sigmund Freud, "El chiste y su relación con lo inconsciente" (1905), em *Obras completas*, cit., v. I, p. 1029-167. [Ed. bras.: "Os chistes e sua relação com o inconsciente", em *Obras psicológicas completas*, cit., v. VIII.]

[25] Ibidem, p. 1124.

[26] Ibidem, p. 1125.

Na vida prática, o tempo é uma riqueza de que somos avaros; na literatura, o tempo é uma riqueza de que se pode dispor com prodigalidade e indiferença: não se trata de chegar primeiro a um limite preestabelecido; ao contrário, a economia do tempo é uma coisa boa, porque quanto mais tempo economizamos, mais tempo poderemos perder.[27]

Esse parágrafo oferece uma curiosa alternativa ao valor absoluto da pressa em certas leituras da teoria lacaniana; desde que não se trate, como ocorre na neurose, de retardar a "hora da verdade do desejo"[28], a pressa só interessa à vida na medida em que se alterna com as diversas maneiras de se retardar a passagem do tempo – esses artifícios de perder tempo que são a chave da fruição prazerosa e/ou criativa. Calvino ilustra a tensa relação entre lentidão e velocidade, ambas igualmente necessárias à afirmação (criativa) do sujeito, com uma breve história chinesa:

Entre as múltiplas virtudes de Chuang-Tsê estava a habilidade para desenhar. O rei pediu-lhe que desenhasse um caranguejo. Chuang-Tsê disse que para fazê-lo precisaria de cinco anos e uma casa com doze empregados. Passados cinco anos, não havia sequer começado o desenho. "Preciso de outros cinco anos", disse Chuang--Tsê. O rei concordou. Ao completar-se o décimo ano, Chuang-Tsê pegou o pincel e num instante, com um único gesto, desenhou um caranguejo, o mais perfeito caranguejo que já se viu.[29]

Também nessa fábula chinesa os três tempos do texto lacaniano estão presentes. O instante de ver, no qual Chuang-Tsê rapidamente se percebe capaz de desenhar o caranguejo, precede os dez anos que o desenhista exigiu como tempo de compreender e o rápido gesto que materializou a imagem perfeita de um caranguejo, no momento de concluir. A fábula indica, radicalmente, que não existe medida razoável para a duração intermediária. Esta, durante a qual o sujeito se desprende das identificações e se apropria por sua conta e risco do saber inconsciente, não é, nem pode ser, referida à demanda apressada do Outro.

Freud, em "A interpretação dos sonhos", nos faz entender que o tempo ocioso que antecede as descobertas criativas, os "achados" aparentemente espontâneos que nos ocorrem independentemente dos processos conscientes de cálculo

---

[27] Ibidem, p. 59.
[28] Antonio Quinet, "Que tempo para a análise?", cit., p. 64.
[29] Italo Calvino, "Rapidez", cit., p. 67.

e raciocínio, é o tempo do pensamento inconsciente (não necessariamente recalcado)[30]. O instante do *Eureka!* na criação artística, na pesquisa intelectual, no *setting* analítico etc, depende de um tempo interior, singular para cada sujeito e impossível de determinar. A partir dos mesmos processos de *condensação* presentes na elaboração onírica, Freud percebe também na criação do chiste um alto grau de "ocorrência involuntária", capaz de, burlando a censura entre o inconsciente (Icc) e o pré-consciente (Prec), promover o encontro do sujeito com o saber inconsciente: "Um instante antes", escreve Freud, "não sabemos qual chiste vamos fazer; e prontamente, só necessitamos revesti-lo de palavras"[31]. Assim, o "percurso velocíssimo dos percursos mentais" a que se refere Calvino não é, nem pode ser, acompanhado pela consciência, pois não se constrói no tempo linear dos processos secundários, e sim na temporalidade sincrônica dos processos primários.

A temporalidade contemporânea, frequentemente vivida como pura pressa, atropela a duração necessária que caracteriza o momento de compreender, a qual não se define pela marcação abstrata dos relógios. Daí a sustentação periclitante do saber do sujeito, que o predispõe à queda na depressão, seja qual for sua estrutura neurótica. Por sua vez, o momento de concluir implica a conquista, durante o tempo de compreender, de alguma independência em relação ao tempo apressado da demanda do Outro. Por isso o percurso de uma análise, necessário para que o analisando possa finalmente colocar-se em sintonia com seu impulso desejante a ponto de afirmar, como Picasso: "Eu não procuro, eu acho", é um tempo de longa duração. "Não existe análise", diz Colette Soler, "sem o tempo diacrônico de historização da verdade do sujeito"[32]. Na duração do tempo diacrônico instaurado por essa "magia lenta" que é a psicanálise, os depressivos se instalam aliviados, sem pressa, seguros de que é dessa temporalidade distendida que eles precisam para se libertar da pressão aniquiladora das demandas do Outro.

A segunda proposição lacaniana em "O tempo lógico" é que o ato de afirmação do sujeito que se apodera do momento de concluir não se dá sem angústia, a qual, segundo Lacan, se apresenta aqui em sua "forma ontológica": a angústia de que uma hesitação maior quanto à apropriação do saber – um retardo na apro-

---

[30] Sigmund Freud, "La interpretación de los sueños", cit., cap. 6: "La elaboración onírica" e "La elaboración secundaria". Ver, nas páginas 648-9, a história da Revolução Francesa condensada no sonho de Maury.
[31] Idem, "El chiste y su relación con lo inconsciente", cit., p. 1124.
[32] Colette Soler, "Le temps pas logique", cit.

priação do tempo – conduza o sujeito a errar. Aquele que conclui e se precipita na ação, mesmo que sua conclusão dependa da relação com os outros, está sozinho no ato de concluir. Já não está em relação de reciprocidade com os outros, mas de rivalidade: ganha quem concluir antes dos demais. É no momento de concluir que o sujeito se separa da relação de "transitivismo especular" instituída com seus dois companheiros nos dois tempos anteriores e se afirma em ato como *eu*: *je*, sujeito do inconsciente na teoria lacaniana.

A qual forma ontológica da angústia Lacan refere-se nessa passagem? Aquela que está na origem de todas as formas posteriores da angústia dita "de castração", ou seja, a do sujeito que se desprende da relação especular com o outro ou com o Outro para se lançar, sozinho, em uma aposta que nunca está inteiramente garantida contra a possibilidade de engano. O tempo de meditação não protege o sujeito contra a falta: falta de verdade, falta de saber. Mas a chance de vir a saber exige que se suporte tal enfrentamento necessário com a angústia. Não a angústia de morte, aquela que se experimenta diante do perigo de desaparecimento do sujeito sugado pelo gozo do Outro, mas exatamente o seu oposto, a angústia de castração. Aquela cujo enfrentamento é vital para que o *eu* (*je*) conclua sua gênese psíquica ao se desprender do Outro e partir, só, para a empreitada que lhe permita algum dia dizer: *Eu sei que sou*. Sou aquele que deseja – dito assim mesmo, na forma intransitiva. O desejo, metonímia do ser.

Que tal certeza do ser desejante seja uma certeza *antecipada*, segundo o modelo proposto pela charada do "tempo lógico", expressa o vazio sobre o qual se precipita o sujeito, em direção a um objeto de desejo inexistente. Cabe a ele, que se antecipa ao vazio ao se afirmar desejante, construir uma via significante que lhe permita afirmar, *a posteriori*, desejante do quê.

Conservemos, tendo em vista os problemas colocados pela clínica das depressões, esse aspecto que marca a universalidade do sujeito do desejo para a psicanálise.

Mas não podemos deixar de observar que Lacan escolheu um problema lógico no qual a relação entre os três sujeitos, a despeito de sua interdependência inicial, se estabelece a partir de uma condição muito específica estabelecida pelo diretor do presídio: a condição de uma *rivalidade radical*. Ainda que os três prisioneiros só consigam chegar *juntos*, pela observação das reações uns dos outros, à conclusão de que todos são portadores de discos brancos, apenas a um dos três, o primeiro a sair com a resposta acertada, será concedida a liberdade. Esse segundo aspecto, em que a relação dos homens com o tempo é marcada pela angústia na forma da "subjetivação de uma competição com o outro em função do tempo lógico"[33], não me parece tributário de uma formação subjetiva universal, mas da forma muito particular que adquire o sujeito do inconsciente (*je*) em relação com o *eu* (*moi*) e seus avatares: a forma moderna do individualismo[34], perfeitamente metaforizada pelas condições impostas pelo diretor do presídio. Sob tais condições, a conclusão lógica e impessoal, resumida assim: "Pode-se saber que se é um branco quando os outros dois vacilaram duas vezes em sair"[35], fica marcada por uma versão imaginária que Lacan formula de forma bem mais dramática:

> Me apressei a concluir que eu era um branco, porque, senão, eles deviam se adiantar em se reconhecer reciprocamente como brancos (e se eu lhes tivesse dado tempo para isso, os outros, graças àquela mesma que tivesse sido a minha solução, teriam me lançado no erro).[36]

Essa é a forma da barbárie, que Lacan também resume em três tempos na conclusão de seu texto:

1. Um homem sabe que é um homem.
2. Os homens se reconhecem entre eles por serem homens.
3. Eu afirmo que sou um homem, por temor de que os homens me convençam de que não sou um homem.[37]

Para a psicanálise, a segunda forma ontológica da dependência se apresenta logo de saída. Um homem só vem a se reconhecer como homem se, ao ingressar no mundo (dos homens), for acolhido e reconhecido como tal por aqueles que o introduziram na vida, ou seja, na linguagem. O mesmo não se pode afirmar sobre a universalidade da terceira condição, que supõe o predomínio da rivalidade sobre todas as outras condições do laço social. Reconhecemos, entretanto, sua estrita atualidade, assim como o efeito depressivo desse permanente "temor de que os homes me convençam de que não sou um homem".

---

[33] Jacques Lacan, "El tiempo lógico", cit., p. 197.
[34] Ver capítulo I, p. 41-3.
[35] Jacques Lacan, "El tiempo lógico", cit., p. 200.
[36] Idem.
[37] Ibidem, p. 203.

Os tempos do Outro

> vale decir preciso
> o sea necesito
> digamos me hace falta
> tiempo sin tiempo.
>
> *Mario Benedetti*

As formas de organização e percepção subjetiva do tempo, que chamarei aqui de temporalidade, são, portanto – o que no nosso caso tem importância fundamental –, um dos modos de regulação social da pulsão. Não me refiro ao circuito pulsional, que se estabelece sobre *lugares* do corpo marcados pela experiência de satisfação, mas ao *ritmo* que se imprime às modalidades de satisfação, de procrastinação, de gozo. São muito diversas as modalidades de satisfação que as diferentes culturas oferecem às exigências pulsionais, marcadas, entre outras coisas, por distintas maneiras de se vivenciar a passagem – também chamada duração – do tempo. A experiência humana do corpo – suas demandas, seus ritmos e suas urgências, a maior ou menor tolerância ao prazer e ao desprazer – varia de uma cultura para outra, de uma época histórica para outra.

O uso do tempo também é sujeito às transformações da cultura; a duração de um dia, por exemplo, desde o amanhecer até o momento do repouso, não era experimentada, no tempo em que "o tempo não contava"[38], da forma como a experimentamos hoje, quando cada minuto exige uma decisão e promete alguma forma rápida de satisfação. De todas as formações sociais que a história deixou para trás, as experiências passadas de percepção do tempo talvez sejam as que mais se perderam, uma vez que seu registro não se encontra em nenhum documento e precisa ser deduzido a partir de outras formas de testemunhos históricos. "Estamos hoje tão apartados das culturas que foram nossas raízes quanto das culturas que sempre nos foram estranhas"[39], escreveu Paul Ricoeur ao comentar os diferentes modos de

---

[38] Paul Valéry, citado em Walter Benjamin, "O narrador: considerações sobre a obra de Nikolai Leskov" (1936), em *Obras escolhidas: magia e técnica, arte e política* (trad. Sérgio Paulo Rouanet, São Paulo, Brasiliense, 1996). Na página 206: "[...] todas essas produções de uma indústria tenaz e virtuosística cessaram. Já passou o tempo em que o tempo não contava. O homem de hoje não cultiva o que não pode ser abreviado".

[39] Paul Ricoeur, introdução a *As culturas e o tempo*, cit., p. 37-8.

percepção do tempo, da Antiguidade até os nossos dias, quando o tempo em que estamos mergulhados é determinado pela "primazia da mediação tecnológica sobre todas as outras relações do homem com a natureza"[40].

O tempo, como bem escreve François Julien, é "a última figura da transcendência no seio do pensamento ocidental"[41]. Essa última possibilidade de pensar e também de experimentar a transcendência, por meio da multiplicidade dos fenômenos temporais, vem se reduzindo drasticamente. O homem contemporâneo vive tão completamente imerso na temporalidade urgente dos relógios de máxima precisão, no tempo contado em décimos de segundo, que já não é possível conceber outras formas de estar no mundo que não sejam as da velocidade e da pressa.

São escassas as ocasiões que nos permitem outras formas de vivenciar os ritmos do corpo e os estados da mente que não os das sensações fugazes, das percepções e das decisões instantâneas. Em tais condições, sofre-se a falta do "tempo de compreender", a partir do qual o sujeito do desejo pode emergir como sujeito de um saber sobre si mesmo. O dispositivo psicanalítico oferece àqueles que o procuram, entre outras coisas, uma possibilidade de experimentar outra temporalidade, diferente daquela marcada pelos relógios e regulada pela urgência das demandas da vida prática. Uma temporalidade mais próxima da temporalidade da pulsação do sujeito do inconsciente.

Quantas vezes ocorre, ao término de uma sessão de análise, de o analisando se surpreender por não saber se falou durante horas ou durante alguns breves minutos[42]? Assim define Dominique Fingermann a "estranha temporalidade" que se inaugura desde as entrevistas preliminares para uma análise, a despeito da estrutura diacrônica e linear da fala:

> Desde as primeiras voltas nos ditos abre-se uma temporalidade atordoante para quem chega desprevenido e fica aturdido. Um tempo "sem pé nem cabeça" se inaugura aí, já que nessa ficção que artificia a verdade do sujeito, o presente se anuncia atropelado por um futuro suposto, formatado por um passado hipotético que nunca foi. Muitas

---

[40] Idem.

[41] François Julien, *Do "tempo": elementos para uma filosofia do viver* (trad. Maria das Graças de Souza, São Paulo, Discurso, 2004).

[42] Por isso é fundamental que os analistas não se deixem levar por suas próprias urgências particulares e não confundam o uso do tempo lógico com o de sessões breves, como frequentemente lhes convém.

vezes, nessa estranha temporalidade, reminiscências, novela familiar, sintoma, repetição traumática parecem dar notícia de um tempo que não passa.[43]

Para a autora, a função do ato analítico seria a de "extrair, da repetição, esta outra dimensão do tempo [...]: o Kairós, momento oportuno"[44].

Qual será o efeito, sobre a vida psíquica, da perda do registro mnêmico de outras formas de relação com o tempo? De que ordem são as marcas inconscientes das temporalidades pré-modernas? É evidente que algo do valor da vida se perde quando o tempo, matéria do vivido, passa a ser tributário dos instrumentos científicos criados para sua medição, hoje a serviço de um Mestre que reina sobre quase todo o planeta na forma dos caprichos, sempre misteriosos aos olhos do homem comum, do capital financeiro globalizado.

No fim do século XIII, os primeiros relógios mecânicos começaram a marcar, no alto das igrejas, uma nova forma de temporalidade em algumas cidades do continente que hoje conhecemos por Europa. A passagem do tempo, até então, era regulada pelos ciclos da natureza (determinantes para o trabalho no campo) e pelos horários dos ritos religiosos. Havia certa solidariedade entre o tempo do trabalho, comandado pelo percurso do sol, e o restante do tempo social, comandado pela Igreja, cujos sinos indicavam o momento das orações matinais e vespertinas, das missas, das cerimônias fúnebres. A marcação religiosa do tempo tinha a função de indicar o caráter sagrado dos ciclos da natureza, uma vez que a noite, o dia, as chuvas e as estações faziam parte da obra de Deus. A Igreja controlava também o uso que os fiéis deveriam fazer de seu tempo de vida – épocas de jejum, festas religiosas, horários de orações, condições para desfrutar da sexualidade etc. É evidente que estamos nos referindo a uma cultura em que a forma subjetiva do *indivíduo* não estava desenvolvida.

A. Y. Gourevitch indica uma relevante relação entre o individualismo e a apropriação do uso do tempo: "O tempo do indivíduo não lhe pertencia, mas dependia de uma força superior que o dominava"[45]. O indivíduo moderno também não é senhor de seu tempo – a diferença é que ele já não sabe disso. "Aproveitar bem o tempo" é um dos imperativos da vida contemporânea, que

---

[43] Dominique Fingermann, "O tempo de uma análise", *Anais do Congresso "Os tempos do sujeito do inconsciente"*, cit., p. 33.

[44] Ibidem, p. 35.

[45] A. Y. Gourevitch, "O tempo como problema de história cultural", cit., p. 278.

corresponde a uma série de possibilidades que de fato se abriram para o desfrute da vida privada nas sociedades liberais. O indivíduo, sob o capitalismo liberal, dispõe de uma enorme variedade de escolhas quanto ao desfrute de seu tempo livre, não mais regulado pelos ritos e pelas proibições da vida religiosa nem limitado pelas horas de luz do dia ou pelo maior ou menor rigor das estações. Por outro lado, a marcação que caracteriza o tempo do trabalho (de forma desproporcional à oferta efetiva de oportunidades de trabalho) invade cada vez mais a experiência da temporalidade, mesmo nas horas ditas de lazer. Não me refiro ao ócio, essa forma de passar o tempo tão desmoralizada em nossos dias, mas às atividades de lazer, marcadas pela compulsão incansável de produzir resultados, comprovações, *efeitos* de diversão, que tornam a experiência do tempo de lazer tão cansativa e vazia quanto a do tempo da produção. Nada causa tanto escândalo, em nosso tempo, quanto o tempo vazio. É preciso "aproveitar" o tempo, *fazer render* a vida, sem preguiça e sem descanso. A esse imperativo, como veremos, o depressivo resiste com sua lentidão, seu mergulho angustiado e angustiante em um tempo estagnado, que lhe parece não passar. Ainda que eles não saibam disso, a inadaptação dos depressivos em relação às formas contemporâneas de aproveitar o tempo pode ser reveladora da memória recalcada de outra temporalidade, própria do "tempo em que o tempo não contava".

Em uma sociedade predominantemente agrária, havia uma lentidão nos atos e nas atividades da vida cotidiana que marcavam uma temporalidade mais distendida. Somente no fim da Idade Média o desenvolvimento das cidades, marcado pela intensificação da produção artesanal e das trocas comerciais, começaria a exigir uma outra relação dos homens com o tempo.

> Os ciclos de produção dos artesãos não eram determinados pela alternância das estações. [...] o artesão da cidade estava ligado à natureza por relações mais complexas e contraditórias. Havia criado entre ela e ele um ambiente artificial constituído por seus diversos instrumentos de trabalho e por todas as espécies de dispositivos e mecanismos que mediatizavam suas relações com o ambiente natural. Na civilização urbana nascente, o homem já estava mais submisso à ordem que ele mesmo criara do que aos ritmos naturais.[46]

Sob essas novas condições ditadas pela vida econômica, a medição do tempo se torna mais precisa e rigorosa. A medida do tempo dedicado ao trabalho deixa

---
[46] Ibidem, p. 279.

de ser ditada pelo ciclo da luz de cada dia e passa a ser contada hora a hora. Durante os séculos XIV e XV, novos relógios, ainda desprovidos dos ponteiros dos minutos, começam a ser instalados não mais nas torres das igrejas, mas nas das prefeituras municipais, e marcando "uma verdadeira revolução na percepção do tempo social"[47]. O tempo do comércio, com suas exigências próprias, foi aos poucos substituindo o tempo da Igreja.

De lá para cá, o tempo humano nunca mais deixaria de ser contado em dinheiro. Quatro séculos depois da invenção dos primeiros relógios, a Revolução Industrial passaria a regular o tempo em função do trabalho mecânico, isto é, da produtividade. Minutos passaram a fazer diferença no que se refere ao rendimento do tempo do trabalho mecânico, como hoje os segundos fazem diferença diante dos instrumentos do trabalho computadorizado e dos relógios de precisão digital que medem a cada instante as oscilações dos investimentos nas bolsas de valores ao redor do planeta[48].

Se existe uma relação entre o estado subjetivo que os antigos chamavam de melancolia e a percepção do tempo – chamo a atenção para a frequência com que encontramos ampulhetas entre os instrumentos que cercam as figuras dos melancólicos, a partir do Renascimento –, essa relação se expressa de maneira dramática na lentidão dos depressivos contemporâneos, incapazes de atender à urgência das demandas do Outro. Tal lentidão, que se apresenta tanto aos olhos do sujeito deprimido quanto aos dos psiquiatras como mais uma entre as muitas disfunções características da depressão, talvez tenha algo a ensinar ao psicanalista. É razoável supor que a temporalidade moderna sacrifica o sujeito aos seus imperativos; vale perguntar, então, de que ordem é a recusa que a depressão *impõe* a alguns sujeitos desviantes dessa norma contemporânea que insiste em anunciar que *o futuro já começou*[49].

---

[47] Ibidem, p. 280.

[48] Mauro Mendes Dias chama a atenção para a analogia entre o sobe-e-desce das bolsas de valores no capitalismo globalizado e os altos e baixos das depressões ciclotímicas, em *Cadernos do seminário: neuroses e depressão* (Campinas, Instituto de Psiquiatria de Campinas, 2003), v. I e II.

[49] Trecho do *jingle* natalino da Rede Globo de Televisão, desde a década de 1970.

Tempo da consciência e tempo da memória

> Eu também tenho algo a dizer, mas me foge
> à lembrança...
>
> *Paulinho da Viola*

Quais são os modos de apropriação do tempo enquanto passagem, enquanto pura e contínua *duração*? Como a passagem do tempo se inscreve no psiquismo?

É poderosa a pregnância imaginária dos acontecimentos que se desenrolam no tempo. A esse registro chamamos memória, lembrança, rememoração. A memória obedece às leis que regem o imaginário. É ela quem nos dá alguma medida, tanto individual quanto coletiva, do fio do tempo, e estabelece uma consistente impressão de continuidade entre os infinitos instantes que compõem uma vida. Arrisco propor que o passado, cuja inscrição psíquica se dá através da memória, conserva o tempo em sua versão imaginária. É a memória que confere uma permanência imaginária a essa forma negativa do tempo, que é o passado. A função da memória, participante do mesmo registro psíquico do corpo e do narcisismo, é essencial para manter nosso sentimento imaginário de *identidade* ao longo da vida; ela funciona como garantia de que algo possa se conservar diante da passagem inexorável do tempo que conduz tudo o que existe em direção ao fim e à morte. Já o tempo como categoria abstrata do pensamento (Kant) pertence ao registro do simbólico. O trabalho humano de simbolização e organização do Real não cessa de contar e demarcar o tempo em séculos, lustros, décadas, anos, meses, semanas, dias, horas, minutos, segundos, frações de segundo... Marcações puramente simbólicas, destituídas de significação. Por fim, a pura passagem do tempo em direção à morte de todas as coisas, esse transcorrer inexorável, anterior ou independente de sua regulação social – esta que Freud afirma não ser passível de representação psíquica, a não ser pelo recurso à espacialização –, pertence ao registro do Real.

Se o passado se incorpora ao imaginário, o futuro, como pura abstração inscrita em cálculos de probabilidades, representa o registro simbólico do tempo – que não por acaso é o mesmo registro da morte. Voltarei a esse ponto. Quanto ao presente, essa partícula fugidia e irrepresentável, a única temporalidade em que o corpo efetivamente existe e age, inscreve-se sob o registro do tempo Real. De fato, como representar essa partícula ínfima de tempo a que chamamos presente?

François Julien retoma trechos das *Confissões* de santo Agostinho, para quem as manifestações do tempo se dão em termos de "de onde" (passado), "por onde" (presente) e "para onde" (futuro). Agostinho retoma Aristóteles, para quem o presente seria uma mera passagem, mas uma passagem fundamental, entre o passado que "não é mais" e o futuro que "ainda não é"[50].

> Todo o passado e todo o futuro tiram seu ser e seu curso do presente eterno; mas este "presente", se não se reunisse ao passado, se fosse sempre presente, ele "não seria tempo, seria eternidade"... Daí vem a questão, e até mesmo a questão por excelência, na qual a filosofia ficou presa: se, para ser tempo, o presente deve logo juntar-se ao passado, como podemos ainda declarar que ele "é", já que ele não pode ser senão "deixando de sê-lo"?[51]

Não existe presente, portanto, fora do decorrer[52], o qual inclui necessariamente as outras duas dimensões. Em Bergson, essa é a ideia de duração que define o "sentimento de continuidade da nossa vida interior" e depende absolutamente de certa função da memória. A *durée* bergsoniana seria, no dizer de Gilles Deleuze, aquilo que diverge de si, uma vez que não se define como o que (per)dura e sim, ao contrário, depende de uma misteriosa qualidade psíquica que une as sucessivas transições que ocorrem entre os instantes *antes* e os *depois*.

> O que é essa continuidade? A de um escoamento ou de uma passagem, mas de um escoamento e de uma passagem que se bastam a si mesmos, uma vez que o escoamento não implica uma coisa que se escoa e a passagem não pressupõe estados pelos quais se passa: a *coisa* e o *estado* não são mais que instantâneos da transição artificialmente captados; e essa transição, *a única que é naturalmente experimentada*, é a própria duração. Ela é memória, mas não memória pessoal [...] memória que prolonga o antes no depois e os impede de serem puros instantâneos que aparecem e desaparecem num presente que renasceria incessantemente.[53]

Embora a duração não seja um conceito da psicanálise, é possível ao psicanalista pensar nessa "memória que prolonga o antes no depois" como efeito da ligação (involuntária) entre as sucessivas inscrições pré-conscientes e inconscientes do vivido. Sem essa ligação entre as diferentes inscrições dos perceptos, responsável pela duração, o tempo vivido não deixaria nem um registro sequer, como o even-

---

[50] Aristóteles, *Física*, IV, 10, citado em François Julien, *Do "tempo"*..., cit., p. 16.
[51] Ibidem, p. 102.
[52] Ibidem, p. 68.
[53] Henri Bergson, "A natureza do tempo", em *Duração e simultaneidade* (trad. Cláudia Berliner, São Paulo, Martins Fontes, 2006), p. 51.

tual atropelamento de um cão não seria um acontecimento se o motorista que o matou não se lembrasse dele, por cinco minutos ao menos. Ou melhor, durante *no máximo cinco minutos*, pois sempre se tem mais o que fazer, no que pensar, a que prestar atenção.

A rigor, a atenção consciente não possui em relação a outros registros da passagem do tempo a autonomia que se supõe. Freud, na carta número 52 a Fliess, já construíra a hipótese de que, entre o sistema perceptivo e a consciência – esta que vigia e registra, prioritariamente, a passagem do tempo presente –, encontram-se inscrições psíquicas de três qualidades diferentes: os signos perceptivos, as marcas mnêmicas inconscientes e as pré-conscientes. Só a ligação entre essas três inscrições, situadas a cada intervalo entre percepção imediata e consciência, é capaz de dotar a inesgotável sequência de instantes vividos da qualidade de uma história de vida ou, como veremos mais adiante em Walter Benjamin, de uma experiência:

> Devo destacar que as sucessivas transcrições representam *a obra psíquica de sucessivas épocas da vida*. Em cada limite de duas dessas épocas, o material psíquico deve ser submetido a uma tradução. *Atribuo às particularidades das psiconeuroses a falta de tradução de certos materiais que levaria a determinadas consequências.*[54]

Nessa passagem, Freud indica, por um lado, que a consciência não possui uma completa autonomia em relação à memória, assim como a memória não pertence, com exclusividade, ao *sistema* inconsciente. Da mesma forma, não se deve entender que o *estado de inconsciência* em que a maior parte das lembranças permanece, até ser intencionalmente evocada pela consciência, seja da mesma qualidade que as lembranças recalcadas – estas, sim, responsáveis pelo impedimento da "tradução de certos materiais" para o sistema consciente.

Uma década mais tarde, na abertura de "O inconsciente", Freud lembra que, se todo recalcado é inconsciente, nem todo inconsciente é recalcado[55]. O estado inconsciente em que permanece a maior parte de nosso acervo mnêmico deve-se justamente ao fato de que a consciência só é capaz de trabalhar com escassas magnitudes de estímulos:

---

[54] Sigmund Freud, "Los origenes del psicoanálisis", em *Obras completas*, cit., v. III, p. 3552 e p. 3551-6, carta n. 52 a Fliess, 6/12/1896. (Grifo meu.) [Ed. bras.: "Extratos de documentos dirigidos a Fliess: carta 52", em *Obras psicológicas completas*, cit., v. I.]

[55] Idem, "Lo inconsciente" (1915), em *Obras completas*, cit., v. II, p. 2061. [Ed. bras.: "O inconsciente", em *Obras psicológicas completas*, cit., v. XIV.]

> [...] a consciência só integra em um momento dado um limitado conteúdo, de maneira que a maior parte daquilo que denominamos conhecimento consciente tem de achar-se de todo modo, durante longos períodos de tempo, em estado de latência, ou seja, em estado de inconsciência psíquica.[56]

Apesar dessa limitação quanto ao conteúdo dos estímulos que consegue integrar, a atenção consciente é provavelmente a função mais solicitada no mundo contemporâneo. É ela quem ata o psiquismo ao eterno presente, vivido não como fruição do corpo e da mente em repouso, mas como prontidão e antecipação permanente do futuro próximo que se representa (e se esgota) no instante seguinte. Embora essencial, a função da atenção consciente representa apenas uma fração muito pobre do trabalho psíquico, assim como é psicologicamente pobre o presente, tempo da ação orientada pela atenção e vigiada pela consciência.

A marcação abstrata do tempo a que se refere Gourevitch é vigiada pelo trabalho da consciência em sua função de adaptar o *eu* às exigências da realidade – que não é outra coisa senão uma construção social. A sensação corriqueira do tempo como curso contínuo, linear e abstrato é produto da consciência, cujo trabalho dobrado de prestar atenção a si mesma e ao que advém de outros sistemas obriga-a a "elaborar apenas quantidades escassas do mundo exterior"[57].

Em "Além do princípio do prazer"[58], Freud avança em suas considerações sobre a função do sistema psíquico da percepção-consciência (P-Cc), localizado na "fronteira" entre os estímulos do mundo exterior e as sensações de prazer e desprazer provenientes do interior do aparato anímico. No texto de 1920, Freud estabelece que a função do sistema P-Cc é dirigir a atenção para os estímulos *atuais,* em obediência à necessidade de proteger as camadas mais profundas do psiquismo. Para isso, a atenção consciente bloqueia momentaneamente as funções da rememoração, ao mesmo tempo que se desdobra sobre si mesma – sabemos que a consciência, para melhor dirigir a atenção para os eventos do mundo externo, também vigia constantemente *seu próprio funcionamento*.

---

[56] Ibidem, p. 2062.

[57] Idem, "Más allá del principio del placer" (1920), em *Obras completas*, cit., v. III, p. 2520 e p. 2507-41. [Ed. bras.: "Além do princípio do prazer", em *Obras psicológicas completas*, cit., v. XVIII.]

[58] As observações sobre a relação entre atenção, percepção, consciência e os sistemas psíquicos correspondentes a essas funções foram extraídas de Sigmund Freud, "Más allá del principio del placer", cit.

Não se trata de uma rejeição da hipótese contida na carta número 52 sobre a ligação entre as sucessivas inscrições psíquicas dos estímulos percebidos, no intervalo entre percepção e consciência. O que Freud afirma aqui é que não apenas o recalque tem o efeito de apagar essas marcas intermediárias, mas a própria consciência, quando excessivamente solicitada, encarrega-se de bloquear a ligação com as marcas mnêmicas – como se pudesse, dessa forma, ater-se ao *puro instante presente*. No entanto, esse bloqueio não pode ser tão completo a ponto de destruir a duração e, mais ainda, de impedir o reconhecimento dos estímulos percebidos a partir das marcas mnêmicas que lhes fornecem significação. O que o sistema P-Cc bloqueia para responder ao excesso de estímulos presentes não é a função pontual de *reconhecimento* desses estímulos – que é uma das funções da memória –, mas a da *rememoração*, atividade psíquica prazerosa na qual o sujeito se entrega ao fluxo das associações entre estímulos presentes e vivências passadas. A sensação reconfortante de continuidade entre passado e presente que permite ao sujeito reconhecer-se no que Freud chamou de "obra psíquica de sucessivas épocas da vida" é produzida pela associação entre várias séries de marcas mnêmicas. Para isso, a atividade psíquica deve estar desimpedida tanto dos efeitos do recalque quanto das solicitações que pesam sobre a atenção consciente e bloqueiam a rememoração. Mais adiante, essa condição de relativo repouso do aparato psíquico nos permitirá compreender o que Walter Benjamin chama de diferença entre *vivência e experiência*.

O modelo freudiano do aparato psíquico obedece a três temporalidades diferentes. O tempo da pulsão, regulado pelos modos de satisfação e pela repetição, seria cíclico; tempo do eterno retorno, comandado pela tendência predominante da pulsão de morte. Já as formações do inconsciente são atemporais: os processos inconscientes não tomam em consideração a passagem do tempo.

> Vimos que os processos anímicos inconscientes se acham "fora do tempo". Isso quer dizer, em primeiro lugar, que não podem ser ordenados temporalmente, que o tempo não produz modificações neles e que não se lhes pode aplicar a ideia de tempo. Tais características negativas aparecem com toda clareza ao comparar os processos anímicos inconscientes com os conscientes. *Nossa ideia abstrata do tempo parece mais bem baseada no funcionamento do sistema P-Cc, e corresponde a uma autopercepção do mesmo.*[59]

De acordo com Freud, portanto, a consciência registra a passagem do tempo na mesma medida em que observa seu próprio trabalho – o qual inclui, por sua vez, a

---

[59] Ibidem, p. 2520. (Grifo meu.)

tarefa de registrar o tempo abstrato. Daí decorre que nossa noção do tempo dependa inteiramente do maior ou menor grau de vigilância, ou de abandono, da consciência. O tempo contemplativo, experimentado em momentos de menor atividade do sistema P-Cc, carece de velocidade na proporção inversa de nosso sentimento de *não tê-lo visto passar*. Mas é exatamente a possibilidade de não vigiar a passagem do tempo que faz dele um tempo pleno. Já o tempo marcado pela autovigilância da consciência parece angustiosamente vazio, independentemente das atividades que o preenchem, em decorrência dessa mesma autopercepção que a consciência exerce durante seu curso.

É importante lembrar que entre o Icc e a consciência (o "sistema P-Cc") está a memória não recalcada, pertencente a um sistema intermediário que Freud também chama de pré-consciente. A memória não vigia a passagem atual do tempo, como a consciência, mas conserva a impressão dos acontecimentos passados. No "Projeto de uma psicologia para neurólogos" (1895), Freud propõe que o funcionamento desses dois sistemas psíquicos requer a existência de duas classes de neurônios: os que caracterizam o sistema P-Cc são *permeáveis*, nos quais a recepção e a transmissão de excitações não produzem modificações duradouras. Em um texto muito posterior[60], Freud compara a permeabilidade da consciência ao "bloco mágico", objeto usado, na época, como bloco de rascunhos em que se podia escrever e apagar indefinidamente as anotações. Feito com uma folha de celofane sobre uma placa de cera, o bloco mágico tinha a propriedade de reter por algum tempo os traços que o lápis sem ponta deixava não sobre o papel, mas sobre a cera embaixo dele. Segundo a metáfora do bloco mágico, a consciência seria o celofane que recebe as anotações, mas não as conserva, enquanto a placa de cera que retém as marcas feitas pelo lápis funcionaria de maneira análoga aos neurônios não permeáveis da memória. No texto de 1895, esse segundo grupo seria formado pelos neurônios *resistentes* ao livre trânsito de energia psíquica, capazes de reter as marcas dos estímulos recebidos, graças à existência do que Freud chamou de "barreiras de contato": "[...] de modo que só difícil ou parcialmente deixam passar quantidades através deles. Os neurônios dessa segunda classe podem ficar, depois de cada excitação, em um estado diferente do anterior, isto é, oferecem *possibilidade de representar a memória*"[61].

---

[60] Idem, "El *block* maravilloso" (1924), em *Obras completas*, cit., v. III, p. 2808-11. [Ed. bras.: "Uma nota sobre o bloco mágico", em *Obras psicológicas completas*, cit., v. XII.]

[61] Idem, "Proyecto de una psicologia para neurologos", em *Obras completas*, cit., v. I, p. 215 e p. 210-85. [Ed. bras.: "Projeto para uma psicologia científica", em *Obras psicológicas completas*, cit., v. I.]

Essa passagem nos auxilia a diferenciar a atemporalidade que caracteriza o inconsciente da temporalidade específica que resulta da evocação das marcas mnêmicas (não recalcadas) dos acontecimentos passados, estas cuja permanência Freud atribui às "barreiras de contato" características de uma classe de neurônios. Toda atribuição de significado ao que é vivido depende, em maior ou menor grau, da permanência de marcas mnêmicas, as mesmas de que dependem os processos secundários do pensamento. O tempo da memória não é nem o do inconsciente atemporal nem o do presente estrito da atenção consciente. Ele corresponde a uma permanência do passado na vivência atual do sujeito, que tanto confere significado às ações e percepções do presente quanto fornece, ao ser evocado, a medida do tempo percorrido. O passado só se revela como perdido ao ser evocado: o esquecimento (como no caso das amnésias) limita a percepção do tempo ao instante presente. A permanência do passado é fundamental para prover consistência imaginária e sentimento de continuidade entre o que se viveu e o tempo presente. Virginia Woolf, em uma passagem de seu diário, escreve que se o tempo presente flui à maneira de um rio, é o passado que confere profundidade às suas águas.

Mas é tão impossível definir quantas "camadas" de água formam a profundidade de um rio quanto estabelecer o número de camadas superpostas de memória que formam a presença do vivido no psiquismo. A memória não pertence a apenas um registro psíquico, mas a pelo menos dois: o inconsciente e o pré-consciente, dos quais também é passível de ganhar acesso (limitado) à consciência. Conforme Freud já havia sugerido na carta número 52, a memória "não existe em uma única versão, mas em várias, ou seja, [ela] se acha transcrita em diferentes classes de signos"[62]. A primeira transcrição dos acontecimentos se daria através dos signos "perceptivos, incapazes de chegar a ser conscientes e estruturados de acordo com as associações por simultaneidade"[63]. A segunda transcrição é de ordem inconsciente e a terceira, pré-consciente, ligada a imagens verbais, "corresponde a nosso *eu* oficial"[64]. O "eu oficial" seria o ego freudiano, cuja estabilidade ao longo do tempo depende justamente do trabalho da memória.

Vejamos o caso da memória inconsciente. Ao descrever o trabalho de elaboração onírica, paradigmática das formações do inconsciente, Freud toma emprestada de Goethe a imagem de uma trama em que "se entrecruzam mil e mil fios/ vão e vêm

---

[62] Idem, "Los orígenes del psicoanálisis", cit., p. 3551.
[63] Ibidem, p. 3552.
[64] Idem.

as lançadeiras/ [...]/e um único movimento estabelece mil enlaces"⁶⁵. Essa metáfora representa bem a simultaneidade de eventos mentais que caracteriza a temporalidade do inconsciente: uma trama horizontal em que as várias representações sincrônicas, associadas em cadeia a cada novo estímulo recebido, coexistem no tempo sem se excluir. A atemporalidade do inconsciente seria incompatível com a ordem social, pelo menos tal como a conhecemos até o momento⁶⁶. Desde "A interpretação dos sonhos", Freud já defendia a incompatibilidade entre as formações oníricas e as formações da linguagem utilizadas na vida social – daí a necessidade da elaboração secundária⁶⁷ do material onírico como forma de tornar tais "pensamentos imperfeitos" *sonháveis* para a consciência. Sem a elaboração secundária, seríamos incapazes de recordar e relatar o que sonhamos, pois tanto a recordação quanto os relatos se organizam de acordo com o tempo linear do sistema P-Cc.

A temporalidade linear, narrativa, que caracteriza nossa percepção consciente do tempo, é fruto do trabalho de adaptação ao princípio de realidade próprio dos mecanismos do eu (*moi*). A autopercepção da atenção consciente impede uma das modalidades gozosas de fruição do tempo: o abandono contemplativo⁶⁸. Para cumprir sua função protetora do psiquismo, de aparar os choques advindos do mundo externo, o sistema P-Cc tem de se manter desimpedido de ruminações, rememorações, devaneios. A consciência, em Freud, é uma camada do psiquismo que protege, com a própria morte de parte de seus receptores sensíveis, as outras

---

⁶⁵ Idem, "La interpretación de los sueños", cit., p. 519. A citação de Goethe é extraída do *Fausto* (trad. Jenny Klabin Segal, São Paulo, Editora 34, 2004).

⁶⁶ Alguns pensadores contemporâneos, como Pierre Lévy, sugerem que as novas "tecnologias da inteligência" vêm introduzindo na vida social uma temporalidade, que Lévy chama de *coexistência virtual*, cujas características se aproximam da atemporalidade do sistema Icc. Citado por Peter Pál Pelbart, "O tempo não reconciliado", em Chaim S. Katz (org.), *Temporalidade e psicanálise* (Petrópolis, Vozes, 1995), p. 41-66. Embora eu não pretenda seguir a trilha de reflexões sobre o tempo aberta por Gilles Deleuze, vale mencionar também Pelbart, *O tempo não reconciliado* (São Paulo, Fapesp/Perspectiva, 1998), tese de doutoramento.

⁶⁷ Sigmund Freud, "La interpretación de los sueños", cit., cap. 6, item 1: "La elaboración secundaria", p. 644-55.

⁶⁸ Remeto mais uma vez o leitor à obra de Norbert Elias, *O processo civilizador* (trad. Ruy Jungman, Rio de Janeiro, Jorge Zahar, 1978), vasta pesquisa em que o autor recupera os "manuais de civilização" destinados à educação das crianças, na passagem da Idade Média para o Renascimento. Entre as várias funções do corpo submetidas às novas pedagogias está a intensificação da autovigilância com a finalidade de impedir as "distrações", os devaneios e todas as outras formas de abandono do corpo/mente que não pode nem deve desconsiderar o decoro necessário em presença de estranhos.

camadas, ditas "mais profundas", dos impactos do mundo externo. Entende-se que a pobreza do trabalho do sistema P-Cc é *necessária*, em razão de sua função de proteger o psiquismo dos excessos de excitação tanto do mundo externo quanto do mundo interno, pulsional. Por isso mesmo, a uma existência em que a atenção consciente é permanentemente solicitada à custa do empobrecimento da memória, falta o sentido do que Freud chamou de "obras psíquica de sucessivas épocas da vida".

Mais adiante, abordarei a diferença estabelecida por Walter Benjamin entre experiência e vivência, de modo a analisar o sentimento bastante generalizado de empobrecimento da vida, nas condições superestimulantes e velozes da modernidade. Não há lugar para melancólicos e sonhadores entre os carros e os caminhões da via Dutra. Nem entre as solicitações simultâneas do celular, do controle remoto, do mouse e das câmeras digitais – pois já se entendeu que são essas maquinetas que nos solicitam, que exigem que nos mantenhamos sempre ligados nelas, e não o contrário.

Escrevo propositalmente: melancólicos *e* sonhadores, em vez de melancólicos *ou* sonhadores. Meu propósito, ao associar melancolia e devaneio, é estabelecer uma continuidade entre as antigas manifestações da melancolia e essa forma de mal-estar que hoje denominamos depressões. As ruminações autoagressivas que caracterizam a melancolia freudiana não têm nada a ver com a predisposição à meditação e ao devaneio dos melancólicos da Antiguidade. Penso que os herdeiros contemporâneos do lugar de sintoma social ocupado pelas melancolias até Freud (ou até Walter Benjamin) sejam os depressivos.

Desde que a melancolia freudiana passou a designar o ponto de vista psicanalítico sobre o que a psiquiatria entende por psicose maníaco-depressiva, o lugar da antiga melancolia passou a ser ocupado pelo que chamamos de depressão. Instalados em um tempo que lhes parece vazio, sob sua aparente imobilidade, os depressivos estão mais próximos de encontrar a temporalidade distendida da contemplação e do devaneio do que os neuróticos mais bem adaptados às condições que a vida social lhes impõe. O tempo vazio do depressivo recusa a urgência da vida contemporânea e remete a um outro modo de viver o tempo, que a modernidade recalcou ou, pelo menos, reprimiu.

VI
Bergson e a *duração*

> And it's time, time, time,
> Time, time, time,
> And it's time, time, time
> That you love,
> It's time, time, time.
>
> *Tom Waits*, "Time"

Busquemos, daqui em diante, algumas consequências da incompatibilidade que Freud estabeleceu entre a temporalidade organizada e presente do sistema P-Cc, a temporalidade estendida da memória e a atemporalidade do inconsciente, regida pelo princípio do prazer. Trata-se de entender a oposição entre a vivência do tempo presente, que mobiliza o aparato da percepção-consciência, e a experiência do tempo distendido a que chamaremos de *duração*, mais compatível com a ideia benjaminiana de experiência, e que não exige, como a primeira, a obstrução das atividades de rememoração permeáveis às manifestações do inconsciente. Esse tema foi tratado por Henri Bergson, em *Matéria e memória*[69].

Antes de prosseguirmos, o título escolhido pelo filósofo merece uma explicação. A partícula *e* que liga "matéria" a "memória" indica a disposição de Bergson de discutir a relação entre o corpo e o espírito, livre das propostas dualistas em voga no pensamento filosófico e científico da primeira metade do século XX. A matéria referida no título diz respeito ao corpo e a seu atributo fundamental, o espaço. Já a memória guarda a qualidade não corporal da vida, que é o tempo. Mas não qualquer tempo, pois o tempo presente confunde-se com a experiência

---
[69] Henri Bergson, *Matéria e memória* (1896) (trad. Paulo Neves, São Paulo, Martins Fontes, 2006).

do corpo. O presente, escreve Bergson, é "ideomotor", enquanto o passado não é nada, senão ideia[70]. Daí a importância capital que ele atribui ao papel da memória, pois, se "o espírito é uma realidade, é aqui, no fenômeno da memória, que devemos abordá-lo intelectualmente"[71].

No capítulo II, sobre "O reconhecimento das imagens", Bergson lança três proposições que sustentarão ao longo do resto do livro sua recusa teórica de contrapor matéria e espírito.

> Primeira: o passado sobrevive, na matéria, através de mecanismos motores – como as reações automatizadas a estímulos conhecidos – e também de lembranças independentes. Segunda: o reconhecimento de um objeto se dá através do movimento, quando procede do objeto, ou por representações, quando emana do sujeito. Reconhecer um estímulo, um percepto, equivale a reaver o passado no presente. Terceira: passa-se, por graus insensíveis, das lembranças dispostas ao longo do tempo aos movimentos que desenham sua ação (nascente ou possível) no espaço. As lesões no cérebro podem atingir tais movimentos, mas não tais lembranças.[72]

A partir dessas proposições, segundo as quais a diferença entre o corpo e o espírito não ocorre no espaço, mas em suas diferentes manifestações no tempo, passemos à ideia de *duração* no pensamento de Bergson. Não se pode afirmar que ela corresponda perfeitamente ao uso que Lacan faz dessa palavra, ao referir-se à "duração do tempo de meditação" como a segunda passagem do tempo lógico. Mas não há escolha de um significante que não remeta ao universo de significações de que ele vem carregado, e Lacan é o menos inocente dos escritores a esse respeito. Se ele utiliza o termo duração, vale pensar as ressonâncias, no texto de Lacan, do uso da mesma palavra no livro de Bergson.

Para Bergson, a duração implica a sensação subjetiva de indivisibilidade do movimento de nosso corpo, tanto no espaço quanto no tempo. A duração é uma espécie de ilusão necessária para manter o sentimento de (alguma) continuidade em nossa existência; ilusão, sim, porque se o movimento fosse realmente indivisível, o instante não existiria. Mas a duração, medida psicológica da vivência do tempo, não se define pela mera soma de todos os instantes. "Ali onde o ritmo do movimento é bastante lento para se ajustar aos hábitos de nossa consciência [...] não sentimos a

---

[70] Ibidem, p. 72.
[71] Ibidem, p. 78.
[72] Ibidem, p. 84-5.

qualidade percebida decompor-se espontaneamente em estímulos repetidos e sucessivos, ligados entre si por uma continuidade interior?⁷³"

Bergson distingue a duração, como sensação subjetiva ("interior") do tempo, em sentido geral. A duração não existe fora daquilo que dura. Não se confunde com o "pretenso tempo homogêneo", pois não há um único ritmo da duração: cada ritmo mede um grau diferente de tensão ou relaxamento da consciência, diferença esta que contraria o "hábito útil de substituir a duração verdadeira, vivida pela consciência, por um tempo homogêneo e independente"⁷⁴. Por que seria *útil* o hábito de substituir a duração pelo tempo homogêneo? Porque é sobre esse tempo, o dos relógios, contínuo e desprovido de qualidades subjetivas, que o sistema P-Cc é capaz de "traçar divisões na continuidade da extensão, cedendo simplesmente às sugestões da necessidade e aos imperativos da vida prática".

> O que é, para mim, o momento presente? É próprio do tempo decorrer; o tempo já decorrido é o passado, e chamamos presente o instante em que ele decorre. Mas *não* se trata aqui de um instante matemático. Certamente há um presente ideal, puramente concebido, limite indivisível que separaria o passado do futuro. Mas o presente real, concreto, vivido, aquele a que me refiro quando falo de minha percepção presente, este ocupa necessariamente uma duração. Onde, portanto, se situa essa duração? Estará aquém, estará além do ponto matemático que determino idealmente quando penso no instante presente? Evidentemente está além e aquém ao mesmo tempo, e o que chamo "meu presente" estende-se ao mesmo tempo sobre meu passado e sobre meu futuro. [...] É preciso, portanto, que o estado psicológico que chamo "meu presente" seja ao mesmo tempo uma percepção do passado imediato e uma determinação do futuro imediato.⁷⁵

Bergson não determina a extensão, para frente e para trás, das percepções do passado e as determinações de futuro que compõem a sensação subjetiva da duração. Em *Duração e simultaneidade*, ele já havia escrito que "o tempo que dura não é mensurável"⁷⁶. Se o sentimento de continuidade entre passado, presente e futuro é *interior*, não existe uma medida objetiva para a duração: esta depende

---

[73] Ibidem, p. 241.
[74] Ibidem, p. 244.
[75] Ibidem, p. 161.
[76] Idem, *Duração e simultaneidade* (trad. Claudia Berliner, São Paulo, Martins Fontes, 2006), p. 57.

de condições que afetam a subjetividade. Para exemplificar essas condições, Bergson recorre à experiência de escutar uma melodia: embora as notas se sucedam no tempo, uma após a outra, para o ouvinte a melodia parece indivisível.

> Ora, nossa duração interior, considerada do primeiro ao último momento de nossa vida consciente, é algo parecido com essa melodia. Nossa atenção pode desviar-se dela e consequentemente de sua indivisibilidade; mas, quando tentamos cortá-la, é como se passássemos bruscamente uma lâmina através de uma chama: dividimos apenas o espaço ocupado por ela.[77]

Na parábola referida por Lacan, o passado imediato que se torna presente na duração do tempo de meditação é composto pela percepção recente – que cada prisioneiro acabou de fazer – das cores dos discos nas costas de seus parceiros de cela e das rápidas hesitações nas ações deles; já o futuro é a projeção do momento iminente da liberdade. A situação de competição imposta pelo diretor do presídio aos três prisioneiros faz por abreviar ao máximo a duração do tempo de meditação de cada um: desde o início, sabe-se que o futuro desejado estará garantido àquele que se *antecipar* aos demais.

Se houvesse um depressivo entre os três homens submetidos ao problema dos discos, poderíamos prever que ele provavelmente desistiria da prova. Para ele, o desafio de superar os demais se apresentaria, de antemão, como missão impossível, uma vez que ele não desenvolveu, ou não é capaz de reconhecer, os recursos de que dispõe para entrar em competição com os outros. O depressivo é aquele que tenta se colocar sempre fora do tempo dos outros, ou do tempo imposto pelo Outro. Mas ele não opõe a esses tempos uma temporalidade própria, como esta que é necessária para que os competidores do jogo do tempo lógico possam fazer suas apostas. O depressivo se esconde do tempo do Outro, mas não encontra as condições que lhe permitam, como na exata expressão da língua inglesa, *take his time*. Em uma situação de rivalidade, como a proposta aos três prisioneiros, ele é o que antecipa não sua aposta, mas seu fracasso – para ele, o "tempo de compreender" não passa de uma torturante sequência de instantes que não levam a nada, e que ele tenta abreviar ao máximo retirando-se do jogo. A duração, para o depressivo, frequentemente adquire a forma insuportável de um tempo estagnado, sem apoio em nenhuma lembrança significativa do passado, sem nenhuma fantasia que torne o futuro desejável.

---

[77] Ibidem, p. 58.

Nos capítulos que compõem a Terceira Parte, desenvolverei o argumento de que a retirada do depressivo se deve não a uma ausência prolongada do Outro materno, vivida por ele como abandono ou desinteresse (como ocorre na melancolia), mas ao contrário: o tempo lento e vazio do depressivo corresponde a um excesso de presença do Outro. É como se, no momento precoce da constituição do psiquismo, o futuro depressivo fosse atendido por uma mãe exageradamente solícita, que se antecipasse às demandas do *infans*, não permitindo que ele criasse condições de responder, por meio do trabalho psíquico (desde logo criativo) de representação do objeto de satisfação, à angústia diante do vazio deixado pela ausência do Outro. Tal excesso de zelo materno não determina necessariamente a formação de uma estrutura psicótica, pois nem sempre a mãe hiperprotetora carece de outros objetos de interesse além de seu filho. Na origem da predisposição à depressão – que ocorre com frequência, a meu ver, nas estruturas neuróticas – não está uma mãe que não deseja nada além do que seu bebê representa para ela. Mas pode estar uma mãe ansiosa, insegura, hiperativa, amorosa demais – uma que *atropela*, com sua pressa e solicitude, ou seja, com sua própria demanda, a delicada constituição do tempo psíquico de seu bebê.

A sociedade contemporânea vem produzindo – e sofrendo com isso – uma invasão de formas imaginárias desse Outro apressado, que não admite nenhum tempo ocioso que não seja rapidamente preenchido por ações que visam satisfação imediata. Em função disso, o recuo do depressivo ocupa o lugar do sintoma social. Ao deprimir-se, ele tenta fugir do excesso de ofertas (entendidas como demandas pelo sujeito) do Outro para se refugiar debaixo das cobertas. Esse é o lugar do depressivo por excelência, mas um lugar paradoxal. Segundo alguns autores[78], o ninho que o depressivo faz para si mesmo debaixo das cobertas, onde o tempo não passa, funciona de maneira paradoxal. "Debaixo das cobertas" o depressivo encontra tanto um esconderijo quanto um lugar de gozo, de onde tenta, mas não consegue, distanciar-se da ameaça de ser engolido pelo Outro materno. Quanto mais o depressivo recua, mais se coloca à mercê da demanda do Outro.

A ideia bergsoniana de duração me parece ter um alcance maior do que sugere o uso do mesmo termo por Lacan. A *durée* bergsoniana, além da função de conservação do passado no presente necessária a cada tomada de decisões que a vida impõe aos homens, pode se expandir a ponto de alcançar grandes extensões da existência, desde

---

[78] Ver Dominique Fingermann e Mauro Mendes Dias, *Por causa do pior* (São Paulo, Iluminuras, 2005), e Pierre Fédida, *Depressão* (São Paulo, Escuta, 1999).

que o espírito possa desligar-se com certa frequência dos imperativos da ação presente e colocar-se na predisposição para o devaneio e o sonho. Nesse ponto, a *durée* guarda algum parentesco com o *sentimento de continuidade da existência* proposto por Donald Winnicott. Tal sentimento é tributário tanto da repetição prazerosa dos rituais de conforto e amparo fornecidos pelo meio familiar quanto das temporalidades distendidas que a própria criança descobre, ou inventa sozinha: longos períodos roubados ao tempo dos relógios, nos quais a criança se dedica às atividades criativas da brincadeira e do devaneio. Essas atividades infantis são experiências fundamentais para o exercício de uma potência criativa que há de valer, para o resto da vida, como recurso contra as disposições fatalistas, nas quais a realidade se apresenta inexorável a um sujeito que se vê incapaz de alterá-la em seu favor[79].

Talvez seja necessário recuperar a lembrança das tardes de tédio, daquelas que só acontecem na infância, para entender o que ocorre com o psiquismo em estado de abandono, na ausência de estímulos que solicitem o trabalho do sistema P-Cc. As fantasias mais fabulosas de algumas histórias infantis de Monteiro Lobato ocorrem a seus personagens em momentos de completa inatividade, quando Pedrinho e Narizinho não têm nada mais a fazer a não ser desenhar "XXX" com o dedo nas almofadas de veludo da sala do sítio – brincadeira que os dois primos chamam, apropriadamente, de "exercício de parar de pensar". Não há comparação entre a experiência do tempo ocioso, tão comum no cotidiano das crianças que podiam ficar entregues a si mesmas nos períodos não ocupados pelas obrigações escolares, e a vivência do tempo agendado de manhã à noite que caracteriza o cotidiano das crianças contemporâneas como um permanente treino para a futura competição pelo mercado de trabalho. Não é de espantar que tais crianças se angustiem nos fins de semana e suportem tão mal a falta de atividades *divertidas*, que se traduzem em formas de ocupação integral do tempo ocioso. Também não é de espantar que, nas circunstâncias em que os pais se veem impedidos de inventar programas para ocupar o tempo livre de seus filhos, estes se dediquem sem trégua a essa nova modalidade de treinamento da velocidade do arco reflexo, em curtos-circuitos de estímulo-resposta propostos pelos excitantes videogames. E que, na ausência desse tipo de estimulação, essas crianças de agenda cheia manifestem uma irritabilidade e uma inapetência para o mundo que faz lembrar os sintomas da depressão – mani-

---

[79] Ver Donald Winnicott, *O brincar e a realidade* (trad. José Octávio de Aguiar Abreu e Vaneide Nobre, Rio de Janeiro, Imago, 1975), p. 95: "É através da apercepção criativa, mais do que qualquer outra coisa, que o indivíduo sente que a vida é digna de ser vivida".

festações de inquietação e desconforto psíquicos que levam muitas famílias a medicar suas crianças, seja como deprimidas, seja como hiperativas.

Nos livros de Monteiro Lobato, o ócio dos personagens infantis convoca a avó a contar suas longas histórias na varanda do sítio, um pouquinho a cada fim de dia, fazendo do período de férias um delicioso encadeamento de noites mágicas e dias de aventuras. "Quanto mais o ouvinte se esquece de si mesmo, mais profundamente se grava nele o que é ouvido", escreve Walter Benjamin em seu conhecido ensaio sobre "O narrador". Benjamin refere-se, nessa passagem, à íntima relação entre a fruição distendida do tempo, a função das narrativas e a transmissão da experiência. O tempo lento e distendido, em que nada acontece nem está para acontecer, permite aos que escutam histórias uma receptividade descontraída, condição para que as narrativas se incorporem ao vivido na qualidade de experiência transmitida.

Vejamos como Bergson reúne os elementos necessários para sustentar uma relação entre a memória e a experiência da duração. A memória, para o autor, é a vida do espírito por excelência. "Para evocar o passado em forma de imagem, é preciso poder abstrair-se da ação presente, é preciso saber dar valor ao inútil, é preciso querer sonhar. Talvez apenas o homem seja capaz de um esforço desse tipo[80]."

Essa ideia não é estranha à proposição freudiana sobre a importância das formações imaginárias para a vida psíquica. Nos parágrafos finais de "O inconsciente", Freud dedica algumas considerações à relação entre o inconsciente e o pré-consciente, o inconsciente não recalcado cujas marcas mnêmicas participam continuamente das atividades psíquicas da consciência, tais como a seleção de percepções, o reconhecimento de impressões e imagens, a rememoração, o pensamento, a formação de escolhas e de julgamentos. Se o inconsciente é formado pelas representações de coisa dos objetos, ou seja, as "primeiras e verdadeiras cargas de objeto"[81], o sistema Prec é formado a partir da sobrecarga das representações de palavra sobre as representações de coisa – conexão esta que o recalque volta a desfazer, mas isso não vem ao caso, por enquanto. Já os processos do pensamento abstrato constituem "atos de carga mais distantes das percepções, [que] carecem em si de qualidade e de inconsciência, e só pela conexão com os restos das percepções *verbais* alcançam a capacidade de se tornar conscientes".

Freud, a seguir, compara tais processos abstratos de pensamento, que se distanciam das representações de coisa, com o mecanismo responsável pelos discur-

---

[80] Henri Bergson, *Matéria e memória*, cit., p. 90.
[81] Sigmund Freud, "Lo inconsciente", em *Obras completas*, cit., p. 2081.

sos delirantes característicos da esquizofrenia, em que as palavras *tomam o lugar de coisas*[82]. Toda atividade anímica do homem se passa em duas direções opostas: uma que parte das perturbações pulsionais e mobiliza as representações inconscientes até encontrar acolhida em alguma ideia consciente (ainda que deformada, como é frequente nas neuroses), e outra que parte das percepções da realidade externa, acolhidas pela consciência, e atravessa o campo de significações do pré-consciente até alcançar as cargas inconscientes do *eu*.

Faço um rodeio para observar que, a partir dessas considerações de Freud, é possível pensar que a pobreza do espírito que Bergson atribui às atividades mentais dissociadas da memória não se limita à pobreza das atividades de aparar estímulos do presente imediato, exercida pela atenção consciente. Tal pobreza também pode caracterizar as atividades do pensamento, quando este atinge níveis de abstração que o dissociam do acervo mnêmico que conserva, no psiquismo, as "primeiras e verdadeiras cargas de objeto". Voltarei a esse ponto no capítulo seguinte, ao tratar da pobreza da vida imaginária nos depressivos.

Mas o que ocorre quando a memória é inibida pelas necessidades da ação presente?

A necessidade de prestar atenção a estímulos, tanto os corporais quanto os do meio ambiente, impede que a carga pré-consciente das marcas mnêmicas ganhe acesso à consciência. Isso não significa que a percepção seja completamente independente da memória; se assim fosse, reagiríamos sempre aos estímulos do mundo como se fosse a primeira vez. Nosso conhecimento das coisas, que dirige a atenção consciente a alguns perceptos e ignora todos os outros – nisso consiste a tarefa seletiva da atenção –, depende da conexão entre a percepção e as marcas mnêmicas de impressões anteriores, sejam inconscientes ou pré-conscientes[83]. Bergson resume essa predisposição determinada pela memória dizendo que nossa vida psicológica passada, de forma conden-

---

[82] Ibidem, p. 2082.

[83] Vale lembrar a observação freudiana de que nossa percepção da "realidade" depende do maior ou menor acesso da consciência às marcas mnêmicas das impressões anteriores. Os mecanismos de defesa neuróticos, que procuram evitar a dor psíquica negando à consciência o acesso às marcas mnêmicas de experiências dolorosas, falseiam a relação do neurótico tanto com a realidade psíquica quanto com a realidade do mundo externo ao psiquismo. Ver Sigmund Freud, "Neurosis y psicosis" e "La pérdida de la realidad en la neurosis y en la psicosis" (1923--1924), em *Obras completas*, cit., v. III, p. 2742-47. [Ed. bras.: "Neurose e psicose" e "A perda da realidade na neurose e na psicose", em *Obras psicológicas completas*, cit., v. XIX.]

sada, tem mais presença em nós do que o mundo externo. O aparente desaparecimento de nossas vivências e impressões passadas, no instante presente, deve-se "simplesmente ao fato de a consciência atual aceitar a cada instante o útil e rejeitar momentaneamente o supérfluo"[84].

> Pois bem, ao mesmo tempo que nossa percepção atual, por assim dizer, instantânea, efetua essa divisão da matéria em objetos independentes, nossa memória solidifica em qualidades sensíveis o escoamento contínuo das coisas. Ela prolonga o passado no presente, porque nossa ação irá dispor do futuro na medida exata em que nossa percepção, aumentada pela memória, tiver condensado o passado. Responder a uma ação sofrida por uma reação imediata que se ajusta ao seu ritmo e se prolonga na mesma duração, estar no presente, e num presente que recomeça a todo instante, eis a lei fundamental da matéria: nisso consiste a *necessidade*.[85]

A matéria, portanto, não tem outro plano de existência a não ser o presente, e somente o presente. O que transcende a dimensão do corpo e de suas circunstâncias – o espaço, os objetos no espaço, a imagem dos objetos, a percepção dessas imagens – pode ser considerado, em Bergson, pertencente à dimensão do espírito. Este último é tributário da memória, pois o espírito, para esse filósofo, não é o que está fora da matéria – é o que está fora do tempo. Não há uma incompatibilidade ontológica entre o espírito e a matéria, em Bergson, mas apenas uma diferença entre as instâncias em que um e outro se manifestam. Em *Matéria e memória*, as ideias preconcebidas que estabelecem a tradicional oposição entre o corpo e a alma são discutidas com base na relação dialética entre matéria e memória. A matéria é o domínio daquilo que diz respeito ao corpo e ao espaço circundante, em que se encontram os objetos das ações que interessam ao corpo. Matéria, imagens e percepção das imagens pertencem à mesma categoria dos objetos afetados pelas ações do corpo (entre os quais se inclui o próprio corpo) na temporalidade presente. Fora da matéria, mas não em oposição a ela, estão o tempo passado e seu correspondente no psiquismo, a memória.

A percepção dos fatos de nossa existência como corpos contidos no espaço é muito mais palpável do que a percepção de nossa existência ao longo do tempo. O tempo é tão abstrato que praticamente só conseguimos representá-lo sob uma forma espacial.

---

[84] Henri Bergson, *Matéria e memória*, cit., p. 171.
[85] Ibidem, p. 247.

No capítulo III, ao discutir a relação entre o cérebro (matéria) e o tempo (memória), Bergson pergunta: "[...] mas o passado, uma vez realizado, se ele se conserva, onde se encontra?"[86]. Ele contesta a teoria de que a memória do passado se reduza a uma função cerebral:

> [já que, como parte do corpo] esse cérebro, enquanto imagem estendida no espaço, nunca ocupa mais do que o momento presente; ele constitui, com o restante do universo material, um corte incessantemente renovado do devir universal. Portanto, ou você terá que supor que esse universo perece e renasce, por um verdadeiro milagre, em todos os momentos da duração, ou terá de atribuir a ele a continuidade da existência que você recusa à consciência, e fazer do seu passado uma realidade que sobrevive e se prolonga em seu presente. [...] Tal sobrevivência *em si* do passado impõe-se assim de uma forma ou de outra, e a dificuldade que temos de concebê-la resulta simplesmente de atribuirmos à série das lembranças, no tempo, essa necessidade de *conter* e de *ser contido* que só é verdadeira para o conjunto dos corpos instantaneamente percebidos no espaço.[87]

Já o puro presente é praticamente uma virtualidade. Na prática, não existe um momento presente desvinculado dos momentos anteriores. Mesmo a percepção mais imediata está associada a uma parcela do passado, ao menos sob a forma de memória corporal, a qual possibilita tanto o reconhecimento dos perceptos úteis à ação quanto as reações adequadas a eles. Isso porque o presente, para Bergson, não se define pelo *ser*, mas pelo *fazer*. Ele responde então à pergunta sobre a "localização" do passado com outra pergunta: terá o passado deixado de existir, ou simplesmente deixado de ser útil?

> Nada *é* menos do que o momento presente, se você entender por isso esse limite indivisível que separa o passado do futuro. Quando pensamos este presente como devendo ser, ele ainda não é; e, quando o pensamos como existindo, ele já passou. Se, ao contrário, você considerar o presente concreto e realmente vivido pela consciência, pode-se afirmar que esse presente consiste em grande parte do passado imediato. [...] *Nós só percebemos, praticamente, o passado,* o presente puro sendo o inapreensível avanço do passado a roer o futuro.[88]

---

[86] Ibidem, p. 174.
[87] Ibidem, p. 174-5.
[88] Idem.

O império do corpo, que existe no presente e age em função de suas necessidades, possibilita apenas uma dimensão empobrecida à vida do espírito; a necessidade da ação presente inibe quase inteiramente a existência do passado longínquo, aquele que já não é útil à ação imediata. O presente, orientado pelas percepções que advêm do passado imediato, avança "a roer o futuro", que, embora seja um tempo morto – afinal, é um tempo em que *não vive ninguém* –, está ancorado nas fantasias que representam nossos desejos. O desejo de ser (desejante), ou de "continuar sendo", é que torna o futuro um tempo prenhe de perspectivas, de esperanças, cujo sentido é todo construído entre o passado e o presente; a esperança, por sua vez, é uma antecipação de realização de desejos que depende da capacidade de adiar gratificações.

Alguma continuidade entre as reminiscências do passado (material da associação livre), a fruição do agora e a esperança no futuro é imprescindível para alargar o tempo da duração. O presente, que é ao mesmo tempo retenção do passado imediato a orientar nossas percepções e antecipação do futuro, pode ser percebido como mais dilatado ou mais contraído a depender da relação que cada um mantenha com a memória (passado) e a fantasia (que sustenta o desejo e se volta para o futuro). Quanto mais a vida é dominada pela premência do *fazer,* mais restrita a percepção da duração. Dela, da duração, dependem não apenas o sentimento da continuidade da existência, como também a possibilidade de fruição de alguns intervalos de tempo não apressados, não precipitados, em direção ao futuro imediato. Associamos a fruição à atitude contemplativa, chamada por muitos filósofos de vida do espírito: mas não se deve esquecer que a matéria da fruição é o corpo, sobretudo o corpo em repouso.

Nesse ponto, é necessário outro rodeio para lembrar o óbvio: o futuro, tempo da incerteza por excelência (por isso mesmo, tempo da fantasia) nos reserva uma única certeza, a morte. A obsolescência de todas as coisas e de todas as experiências projeta os viventes precocemente em direção a essa certeza. O filósofo Peter Pál Pelbart interpreta nossa obsessão contemporânea pelo futuro como uma tentativa infantil de dominar a morte, apoderando-nos dela. A onipotência que a ciência promete ao sujeito contemporâneo produz tal horror à morte que faz de nós suicidas em potencial, que fugimos da incerteza precipitando-nos em direção ao único tempo seguro, o futuro no qual se inscrevem nossas mortes. Baseado em Benjamin, Pelbart desenvolve uma importante relação entre o tempo curto das coisas no capitalismo, a pressa que move a vida subjetiva e a paixão (inconsciente, a meu ver) pela morte.

É Walter Benjamin quem oferece uma chave para entender o que está em jogo aqui. Ele compreendeu o caráter profundamente histórico da caducidade, ou seja, sua relação com o capitalismo. [...] A produção desenfreada de mercadorias, de "novidades" sempre prestes a se transformarem em sucata, não só é uma corrida para a morte, mas também inscreve a morte e o vazio *nas* próprias coisas.[89]

O que parece, em nossa obsessão pelo futuro, um excesso de desejo (e de vida) não passa do *páthos* contemporâneo: é a impaciência, essa aflição que nos precipita em direção ao vazio por não tolerarmos a impossibilidade de parar o tempo. O medo da morte – tão mais temida quanto mais individual e solitária, como bem lembrou Benjamin – levou o homem do século XXI, com ajuda das biociências, a prolongar consideravelmente seu tempo de vida biológica, sem com isso tornar-se mais capaz de desfrutar da *duração*. Hoje é possível viver com saúde durante oito ou nove décadas sem perder a sensação de que o tempo continua curto, de que a vida é a soma de instantes velozes que passam sem deixar marcas significativas.

Todas essas questões nos conduzem diretamente à nossa especulação a respeito dos efeitos da velocidade que a sociedade contemporânea imprime à vida, ao inutilizar a cada instante o passado não imediato em função da necessidade urgente de responder a estímulos presentes, com a atenção voltada para o futuro próximo[90]. Nesse sentido, o tempo vazio de que sofrem os depressivos pode estar relacionado não tanto a uma vida inativa, mas, em primeiro lugar, a uma vida limitada ao fazer; em segundo lugar, à perda das modulações rítmicas entre o tempo do trabalho e o tempo do ócio, ou entre o tempo cotidiano e o tempo dos ritos sagrados, cujos ritmos contrastantes promovem experiências diversificadas e conferem valores diferentes a cada uma delas. O "tempo do Outro", que engloba quase toda a vida social no mundo capitalista no mesmo ritmo acelerado, empobrece

---

[89] Peter Pál Pelbart, "O tempo não reconciliado", cit., p. 52 e p. 41-66.

[90] No momento em que escrevo este texto, pesquisadores ingleses do King's College acabam de divulgar na imprensa internacional os resultados de uma investigação a respeito dos efeitos das profissões que sobrecarregam o sistema P-Cc (o uso da expressão freudiana é por minha conta) sobre a vida psíquica. Depois de entrevistar mil pessoas em uma amostra, os pesquisadores concluíram que algumas profissões que exigem atenção constante e respostas velozes durante muitas horas por dia – lideradas pela de corretores da bolsa de valores – provocam depressão (e "estresse") entre os que se dedicam a elas. O desânimo, a falta de prazer na vida, o sentimento de vazio e de inutilidade estão entre os sintomas depressivos mencionados pelos trabalhadores investigados.

a vida do espírito, que fica reduzida ao circuito curto da produção-consumo – domínios do presente absoluto.

Onde está o sujeito do desejo, no presente contraído que domina a temporalidade contemporânea? Se, por um lado, o neurótico é aquele que adia ao máximo o momento do encontro com o desejo, também podemos sugerir que a pressa interessa a ele, uma vez que ela suprime o intervalo por onde o *je* tende a se manifestar[91]. O ideal de um neurótico obsessivo, por exemplo, para que seu sintoma esteja em sintonia com os ideais do *eu*, seria reduzir a vida a um tempo de puro *fazer*. Nesse sentido, não há muita diferença entre a pressa e seu aparente antípoda, a inação: ambas conseguem evitar que algo de significativo, como a ação impulsionada pelo desejo, aconteça. Em todo caso, nem a pressa nem a inação podem poupar indefinidamente o neurótico de se defrontar, mais cedo ou mais tarde, com o vazio produzido por essa temporalidade reduzida, na medida do possível, à dimensão do puro presente. De maneira não idêntica à do trabalho mecânico ou burocrático, mas similar, pode-se deduzir que o império do corpo – tanto do corpo que trabalha quanto daquele que "malha" para produzir apenas sua própria forma perfeita, atividades que no estágio atual do capitalismo pouco se diferenciam – desfavorece tanto o compromisso com o desejo como o sentimento de continuidade da existência.

O tempo morto, sucessão de dias iguais preenchidos por tarefas repetitivas que exigem contato com uma fatia cada vez mais insignificante do passado, é representado pela rotina do funcionário Bartleby, da novela de mesmo nome de Herman Melville[92]. O leitor acompanha o cotidiano insípido desse sujeito *apagado*, um copista que cumpre escrupulosamente suas tarefas, que não deixa o escritório nem para almoçar, que não conversa com ninguém – até o dia em que passa a responder às demandas de seu chefe de repartição com uma recusa igualmente repetitiva, em que cintila talvez uma expressão de seu desejo: "Acho melhor não". Desejo de nada, desejo de morte, desejo de *não*. Um esboço de sujeito emerge através da recusa do funcionário Bartleby. Seu desejo de nada é menos resignado do que a disposição obediente de preencher os dias com seu trabalho insignificante de copista.

---

[91] Para entender o valor desse intervalo entre percepção e consciência, remeto o leitor mais uma vez a Sigmund Freud, "El chiste y su relación con lo inconsciente" e "Los orígenes del psicanálisis", cit., carta 52.
[92] Herman Melville, *Bartleby, o escrivão: uma história de Wall Street* (trad. Irene Hirsch, São Paulo, Cosac Naify, 2007).

Não nos *precipitemos*. Ainda que, de acordo com Freud, a aniquilação seja o objeto definitivo do gozo da pulsão de morte, não devemos nos deixar fascinar, na clínica, pela negatividade dos depressivos. Se com sua recusa eles se aproximam da verdade sobre o vazio que funda o psiquismo, o apego à negação dos depressivos deve ser entendido principalmente como o avesso de uma urgência. Sua lentidão encobre a impaciência característica dos que tiveram sua demanda antecipada pelo Outro e se veem incapacitados para preencher esse inquietante rodeio entre o nascimento e a morte, ao qual chamamos vida. Pois o que é o desejo senão um movimento que rodeia o vazio deixado por seu objeto?

Bergson argumenta que a vida psicológica sobrevive, embora constantemente inibida pela consciência prática e útil do presente. Nossa memória "aguarda simplesmente que uma fissura se manifeste entre a impressão atual e o movimento concomitante, para fazer passar aí suas imagens"[93]. Walter Benjamin chama a atenção para a diferença qualitativa que existe entre a reminiscência e a rememoração; a primeira, "invasão do presente pelo passado" no dizer de Bergson, é a prova contundente de que o vivido se conserva quase intacto em uma outra dimensão, não controlada pelo sistema da atenção consciente. Os sete volumes de *Em busca do tempo perdido*, de Marcel Proust, obra monumental de rememoração (literária) deflagrada a partir da invasão do presente por uma minúscula lasca *viva* do passado, atestam a potência da vida psíquica que se passa fora do alcance da consciência.

Essa espécie de invasão involuntária da memória, diferente do esforço consciente de rememoração, aproxima-se das experiências angustiantes que Freud denominou *Unheimliche,* encontros com um pedaço do Real que provocam a sensação de estar diante de algo "estranhamente familiar". Não que o conceito freudiano do "sinistro" recubra todo o campo das reminiscências. Apesar do parentesco entre ambos, o *Unheimliche* é evocado apenas diante do encontro com algo que "devendo permanecer secreto, oculto... não obstante, manifestou-se"[94] – daí a angústia característica das experiências de retorno do recalcado. Como nem todas as reminiscências são angustiantes, deduzimos que nem todas as experiências de invasão do presente pelo passado compartilham do "caráter demoníaco" que Freud atribui a esse aspecto da vida psíquica

---

[93] Henri Bergson, *Matéria e memória*, cit., p. 107.
[94] Sigmund Freud, "Lo siniestro" (*Das Unheimliche*) (1919), *Obras completas*, cit., v. III, p. 2487; referência à definição de Schelling. [Ed. bras.: "O sinistro", em *Obras completas*, cit., v. XV.]

que ocorre quando nos deparamos com "o familiar que se tornou estranho"[95]. Para Bergson, tal dimensão do espírito, aliada incondicional da memória, há de recuperar sua força "sempre que nos desinteressamos da ação eficaz para nos recolocarmos, de algum modo, na vida do sonho"[96].

Em que consiste esse desligamento momentâneo da ação eficaz que permite ao sujeito passar do registro da vida prática para o registro do sonho? Bergson não está se referindo ao repouso da atenção consciente promovido pelo sono, mas à possibilidade de se experimentar alguns intervalos de tempo relativamente independentes das exigências do presente imediato. A *conservação do passado no presente* (ou de aspectos relevantes dele), que integra o sentimento bergsoniano da *duração*, pode ser pensada como uma das condições da *experiência*, no sentido que lhe atribui Walter Benjamin.

---

[95] Ibidem, p. 2498.
[96] Henri Bergson, *Matéria e memória*, cit., p. 180.

VII
Temporalidade e experiência

> Aproveitar o tempo!
> Mas o que é o tempo, para que eu o aproveite?
> [...]
> Aproveitar o tempo!
> Desde que comecei a escrever passaram cinco minutos.
> Aproveitei-os ou não?
> Se não sei se os aproveitei, que saberei de outros minutos?
>
> *Álvaro de Campos*

O célebre ensaio "O narrador"[97], de Walter Benjamin, é uma reflexão sobre a desmoralização da experiência na modernidade cujo pano de fundo não declarado são as drásticas mudanças na temporalidade causadas pela predominância da técnica não apenas sobre outras formas de relação com a natureza, mas acima de tudo das relações entre os homens. A velocidade com que as inovações tecnológicas afetam a relação dos homens com o tempo é analisada por Benjamin tomando como paradigma o impacto das novas tecnologias da morte introduzidas no mundo industrializado a partir da Primeira Guerra Mundial.

É bem conhecido esse texto escrito em 1936 no qual Benjamin afirma que a Primeira Guerra Mundial teria selado o fim da capacidade humana de intercambiar experiências. "No final da guerra, observou-se que os combatentes voltavam mudos do campo de batalha, não mais ricos e sim mais pobres em experiência comunicável[98]." Apesar da intensidade do que haviam vivido nas trincheiras, os soldados que combateram na Primeira Guerra voltavam dos campos de batalha

---

[97] Walter Benjamin, "O narrador: considerações sobre a obra de Nikolai Leskov", cit.
[98] Ibidem, p. 198.

incapazes de transmitir, na forma tradicional das narrativas orais, o horror das situações limite por que haviam passado.

> Porque nunca houve experiências mais radicalmente desmoralizadas que a experiência estratégica pela guerra de trincheiras, a experiência econômica pela inflação, a experiência do corpo pela fome, a experiência ética pelos governantes. Uma geração que ainda fora à escola num bonde puxado por cavalos se encontrou ao ar livre numa paisagem em que nada permanecera inalterado, exceto as nuvens, e debaixo delas, num campo de forças de torrentes e explosões, o frágil e minúsculo corpo humano.[99]

Não se pode desconsiderar que esse parágrafo parece ter sido extraído, sem tirar nem pôr, de um texto anterior: "Experiência e pobreza", de 1933, que também trata da perda da possibilidade de se transmitir experiências. Em "O narrador", a consideração sobre o "frágil e minúsculo corpo humano" exposto ao campo de forças de torrentes e explosões encerra o capítulo 1, enquanto em "Experiência e pobreza", depois de um trecho idêntico ao citado acima, o parágrafo seguinte começa com uma ácida consideração sobre a técnica: "Uma nova forma de miséria surgiu com esse monstruoso desenvolvimento da técnica, sobrepondo-se ao homem"[100].

Não que as guerras anteriores ao "monstruoso desenvolvimento da técnica" fossem menos cruentas. O diferencial introduzido pela tecnologia, na guerra de 1914, além do óbvio incremento da capacidade de destruição da vida, foi o da velocidade e a imprevisibilidade dos ataques aéreos[101], que tornaram supérfluas as qualidades físicas e a experiência estratégica dos soldados. Nisso consiste a "desmoralização [...] da experiência estratégica pela guerra de trincheiras". O frágil e desamparado corpo humano submetido, pela primeira vez na história, aos inesperados bombardeios aéreos, esteve entregue à própria sorte, desligado da rede de proteção que até então havia sido fornecida tanto pelo Outro (por exemplo, pela transmissão da experiência estratégica) quanto pelos outros, os semelhantes submetidos às mesmas condições. Sob os bombardeios a distância, já não se podia contar nem ao menos com as capacidades que o treinamento militar desenvolve: destreza, força, bravura. Um

---

[99] Idem.
[100] Idem, "Experiência e pobreza", em *Obras escolhidas*, cit., v. 1, p. 115.
[101] A mudança política representada pelo primado da velocidade a partir das inovações técnicas da modernidade foi discutida por Paul Virilio, *Velocidade e política* (trad. Celso Mauro Paciornik, São Paulo, Estação Liberdade, 1996).

homem ante a iminência de um bombardeio passava a depender de sua capacidade, cada vez mais urgente, de prestar atenção a todos os ruídos, aos mínimos sinais de alteração da paisagem à sua volta e acima dele. O combatente ficava reduzido à capacidade da consciência de aparar e dar sentido *imediato* ao choque.

> Quem quer que tenha estado nestas trincheiras tanto tempo quanto a nossa infantaria, e quem quer que não tenha perdido o juízo nesses ataques infernais, deve ter pelo menos ficado insensível a muitas coisas. Quantidade demasiada de horror, *quantidade excessiva do incrível arremessada contra nossos pobres camaradas*. Para mim é inacreditável que isso possa ser tolerado. Nosso pobre cérebro simplesmente não é capaz de absorver tudo isso.[102]

Tomemos em nosso auxílio as considerações de Bergson a respeito da pobreza do trabalho do sistema da percepção-consciência em resposta aos estímulos do presente, um presente tornado tanto mais contraído quanto mais intensamente a necessidade de responder a tais estímulos exclui a dimensão da memória. Nesse sentido, é possível entender em que consiste o efeito de desmoralização da experiência pela guerra moderna, assim como por outras formas de comando que a técnica impõe ao "frágil corpo humano". Se a vida psíquica, premida pela necessidade de reagir a estímulos externos velozes e violentos, fica restrita ao trabalho (protetor) da atenção consciente, que experiência se produziria a partir de uma vivência dessas?

Avancemos ainda uma segunda hipótese de Walter Benjamin sobre a "nova forma de miséria" que teria surgido a partir do "monstruoso desenvolvimento da técnica". De que forma de miséria se trata? Do empobrecimento de uma dimensão fundamental do saber e da memória, que escapa a todas as competências técnicas e científicas: trata-se da transmissão da experiência. A experiência que passa de geração em geração não é idêntica à perpetuação da tradição, cuja principal função é indicar o lugar que cada um deve ocupar na ordem social, assim como o tipo de comportamento adequado a tal lugar. A tradição participa dos mecanismos de estabilização e perpetuação do poder; a experiência, por sua vez, não tem relação com a autoridade e sim com o sentido que uma coletividade é capaz

---

[102] Carta do estudante alemão Hugo Steinthal enviada do *front* a seus familiares, citada por Modris Eksteins, *A sagração da primavera* (trad. Rosaura Eichenberg, Rio de Janeiro, Rocco, 1991), p. 223. A relação entre a eclosão da Primeira Guerra Mundial e a paixão "modernista" pelo poder da tecnologia é o objeto do estudo de Eksteins. (Grifo meu.)

de extrair a partir do que seus antepassados viveram, ou das narrativas que seus contemporâneos trouxeram de regiões e de países distantes. A desmoralização da experiência, para Walter Benjamin, torna os indivíduos disponíveis para aceitar qualquer coisa que lhes seja apresentada sob a forma de novidade.

Em "O narrador", a Segunda Parte começa assim: "A experiência que passa de pessoa a pessoa é a fonte a que recorrem todos os narradores"[103]. Em "Experiência e pobreza", depois de algumas considerações sobre os simulacros de experiência em voga entre a pequena burguesia europeia nos anos 1930, Benjamin conclui: "Pois qual é o valor de todo o nosso patrimônio cultural, se a experiência não mais o vincula a nós?"[104].

"Apaguem os rastros!" Esse verso de Brecht, que abre o poema "Cartilha para os citadinos", é mencionado por Benjamin como representativo da atitude moderna que consiste em desvincular-se da experiência acumulada pelas gerações passadas. Se a experiência não nos vincula ao patrimônio que herdamos, ele se torna um peso ou um adorno vazio. Nas primeiras décadas do século XX, o homem moderno já se sentia pressionado a estar sempre disponível para acolher o novo, fosse ele qual fosse[105]. A velocidade das mudanças que se generalizaram a partir da guerra de 1914 exigiu que as pessoas se despojassem tanto de sua própria história quanto da memória de seus antepassados. Na vivência cotidiana dos sobreviventes, habitantes das cidades devastadas e reconstruídas, era necessário impedir as invasões do psiquismo pelas reminiscências espontâneas (fragmentos *vivos* do passado no presente), por pelo menos duas razões: em primeiro lugar, porque a memória de tantas referências destruídas tornaria a vida insuportável; em segundo, para manter a atenção consciente trabalhando a todo o vapor a fim de promover as reações adequadas e imediatas aos estímulos e solicitações do novo mundo.

> [...] e aos olhos das pessoas, fatigadas com as complicações infinitas da vida diária e que veem o objetivo da vida apenas como o mais remoto ponto de fuga numa inter-

---

[103] Walter Benjamin, "O narrador", cit., p. 198.

[104] Idem, "Experiência e pobreza", cit., p. 115.

[105] A atualidade de Walter Benjamin continua a nos surpreender. Em seu discurso de despedida do cargo de diretor do canal de televisão francês TF1, em 8 de maio de 2008, Patrick Le Lay afirmou que a missão da TF1 é "ajudar a Coca-Cola a vender seu produto". Para isso, a programação televisiva deve distrair e divertir o espectador de modo a tornar seu cérebro disponível para receber a mensagem publicitária e desejar o que ela oferece. "O que a TF1 vende à Coca-Cola é uma fatia disponível do cérebro do telespectador", concluiu Le Lay (*Agence France-Presse* online, 9/5/2008).

minável perspectiva de meios, surge uma existência que se basta a si mesma, em cada episódio, do modo mais simples e mais cômodo, e na qual um automóvel não pesa mais que um chapéu de palha, e uma fruta na árvore se arredonda como a gôndola de um balão.

Nessa passagem, Benjamin descreve de maneira admirável duas disposições subjetivas que participam dos quadros depressivos. De um lado, o fatalismo, expresso pela "fadiga com as complicações infinitas da vida diária", que se torna, por isso mesmo, vazia de sentido. A equivalência entre todas as coisas e todas as referências, produzida pela perda da experiência resulta na disponibilidade permanente das pessoas para as inovações técnicas e para as modificações que a técnica introduz na vida social. Tal disponibilidade sem juízo crítico favorece a fascinação dos derrotados, desligados de suas referências históricas, pelo cortejo triunfal dos vencedores, fascínio que em 1940 Benjamin haveria de relacionar com as causas da melancolia.

Abatido pela fatalidade de uma existência sem finalidade, que tem como "o mais remoto ponto de fuga [uma] *interminável perspectiva de meios*", o depressivo pode seguir como um autônomo, sem chamar a atenção para o seu sofrimento a não ser em função da falta de capacidade de sonhar ou de se alegrar. Sabemos que nem todos os depressivos retiram-se, fisicamente, do convívio com os outros e das tarefas que lhes cabe cumprir. Muitos se retiram apenas emocionalmente, funcionando num simulacro de normalidade, numa vida morta da qual não esperam nada que torne o futuro desejável.

A segunda disposição refere-se aos efeitos dessa mesma qualidade de uma vida limitada ao arranjo dos meios desprovidos de finalidade, sobre o sentido do tempo. Sem nomeá-lo diretamente, pois esse não é seu objeto, Benjamin nos ajuda a entender que essa temporalidade de um presente comprimido pelas necessidades da vida prática e desprovido de quaisquer fantasias a respeito do devir não é muito diferente do sufocante tempo estagnado que caracteriza os episódios de depressão. Do ponto de vista do funcionamento psíquico, talvez não haja diferença entre o tempo estagnado e o tempo comprimido: em ambos os casos, o empobrecimento do trabalho psíquico faz com que os estímulos recebidos pelo sistema percepção-consciência se pareçam com pequenos traumas, soltos da rede de representações que confere valor e sentido (imaginário) à vida.

"Experiência e pobreza" e "O narrador" estão entre os textos proféticos de Walter Benjamin, que culminam em suas teses *Sobre o conceito de história*, de 1940. O filósofo entendeu que a violenta mudança de paradigmas na vida social provocada pela guerra de 1914 preparou as gerações seguintes para aderirem à barbárie ainda mais espantosa que caracterizou a guerra seguinte. As "pessoas fatigadas com as complicações infinitas da vida diária", desgarradas da corrente geracional de transmissão da experiência, teriam se tornado incapazes de entender o valor das coisas e o valor de si mesmas.

Alguns filósofos contemporâneos que se dedicaram ao tema da pós-modernidade, como Jean-François Lyotard, também estabelecem uma relação entre o fim das grandes narrativas e a hegemonia dos saberes ligados às atuais exigências de eficácia da técnica. Para Lyotard, a desvalorização das narrativas, como meio de legitimação do saber, é uma das características marcantes da pós-modernidade. Embora eu me alinhe neste ponto a Susan Sontag, para quem não faz sentido se estabelecer a ideia de uma pós-modernidade sem que nenhuma das contradições características da modernidade tenha sido superada e poucas de suas promessas tenham sido cumpridas, considero importantes as condições de Lyotard sobre a presente crise de confiabilidade nas formas de transmissão[106]. Uma das evidências dessa crise, escreve o autor, é que, no mínimo desde as décadas de 1930 e 1940, "as ciências e as técnicas ditas de vanguarda versam sobre a linguagem"[107]. Se a modernidade se caracteriza pela perda definitiva da suposta harmonia entre as palavras e as coisas, como pensou Michel Foucault[108], a pós-modernidade de Lyotard e de outros pensadores em voga nos anos 1980 estaria marcada pela absoluta desconfiança em relação a todos os procedimentos de transmissão de saber. A pretensão da ciência de recobrir todo o campo do saber revela-se vã; a ciência não é o Conhecimento, é apenas um subconjunto dele que exclui, por exemplo, "o saber-viver, o saber-fazer, o saber-escutar etc."[109]. Esses saberes remetem ao que Walter Benjamin chama de experiência, cuja transmissão depende das formas narrativas.

---

[106] Ver, Susan Sontag, "Uma cultura e a nova sensibilidade", em *Contra a interpretação* (São Paulo, Companhia das Letras, 1987).

[107] Jean-François Lyotard, *Pós-moderno* (trad. Ricardo Correia Barbosa, Rio de Janeiro, José Olympio, 1986), cap. 1, p. 3: "Ora, pode-se dizer que há quarenta anos as ciências e as técnicas ditas de vanguarda versam sobre a linguagem: a fonologia e as teorias linguísticas, os problemas da comunicação e a cibernética, as matemáticas modernas e a informática, os computadores e suas linguagens etc. etc."

[108] Ver Michel Foucault, *As palavras e as coisas* (São Paulo, Martins Fontes, 2007).

[109] Jean-François Lyotard, *Pós-moderno*, cit., p. 36.

Entre as características do saber narrativo, Lyotard destaca sua *incidência sobre o tempo*: "A forma narrativa obedece a um ritmo, é a síntese de um metro que marca o tempo em períodos regulares e com um acento que modifica o comprimento ou a amplitude de algumas dentre elas"[110]. A partir dos relatos de Lévi-Strauss sobre a transmissão dos mitos, Lyotard pensa que as narrativas também transmitem formas rítmicas de marcação do tempo. Independentemente do sentido das palavras que contam a história, uma narrativa é uma forma linear e ritmada que se desenrola ao longo de um determinado tempo. Este é muito diferente das temporalidades simultâneas que caracterizam os procedimentos técnicos para os quais a vida contemporânea exige competência, e cujo paradigma são as diversas ações comunicativas simultâneas permitidas pela estrutura de rede da internet, por exemplo.

Mas é importante lembrar que as narrativas não são uma forma de memorização do passado: são a própria *atualização do passado no presente*. Ao narrar, "é o ato presente que desdobra, a cada vez, a temporalidade efêmera que se estende entre o *Eu ouvi* e o *Vocês vão ouvir*"[111]. Também em Lyotard, a narrativa insere aquele que sabe contá-la, juntamente com os que a escutam, como elos de uma grande corrente que liga as gerações passadas às presentes e transmite a experiência de umas às outras. Tal saber não tem nenhuma relação com a competência ou a autoridade individuais, pois o único mérito do narrador é o fato de também ter sido, algum dia, ouvinte de outras narrativas – isso eleva automaticamente todos aqueles que agora a escutam à mesma condição cultural de todos os narradores passados.

Em Benjamin, a experiência, que provê sentido à vida e preserva alguma sabedoria acumulada que nos permita enfrentá-la, já não serve para nada quando as novas gerações têm de enfrentar um mundo irreconhecível para seus pais e avós. Nesses casos, fica dificultada também a avaliação do valor das coisas, das práticas sociais, dos hábitos, da moral. Tudo parece possível, não porque o horizonte das possibilidades e da liberdade tenha se alargado, mas porque os critérios e os limites que davam sentido à vida foram destruídos. A decadência das grandes narrativas corresponde à perda de referências que caracteriza a forma subjetiva do indivíduo, que se vê na condição desamparada de ter de se tornar autor de sua própria vida. No capítulo IX, essa perda de referências será articulada ao aumento das depressões a partir da sugestão de Alain Ehrenberg, que entende a depressão

---

[110] Ibidem, p. 40.
[111] Idem.

como uma "doença identitária", uma verdadeira fadiga decorrente da árdua tarefa de *être soi-même* exigida do indivíduo contemporâneo.

A invasão do Real sobre o psiquismo que não dispõe de recursos de linguagem para simbolizá-lo é chamada pela psicanálise de trauma. Ao destruir as redes de representação psíquica que acolhem novos eventos e lhes conferem sentido, o trauma destrói, pelo menos em parte, o valor da experiência. Em termos freudianos, o excesso de energia não ligada que invade o psiquismo exige repetidamente um movimento de retorno à cena traumática que toma duas vias psíquicas opostas. Ao mesmo tempo que atende à tentativa de simbolização – ao ligar a energia livre a uma cadeia de representações –, a repetição do trauma torna-se presa do movimento repetitivo característico do gozo da pulsão de morte: daí a conexão, não tão óbvia quanto parece, entre vivência traumática e episódios depressivos.

No entanto, nem tudo o que se opõe à experiência é da ordem do trauma, assim como nem todo choque que atinge o aparelho psíquico pode ser considerado traumático. O oposto da experiência (*Erfahrung*) é chamado por Benjamin de vivência, compatível com a temporalidade que Gourevitch denominou "presente comprimido". O que Benjamin designa por vivência (*Erlebnis*) corresponde ao que, do vivido, produz sensações e reações imediatas *mas não modifica necessariamente o psiquismo*. Podemos comparar a atividade psíquica que caracteriza as vivências, as quais ocupam grande parte do tempo de nossas vidas, ao esquema reativo do arco reflexo que Bergson chama de *memória motora*. Quem dirige o carro em uma autoestrada ou atravessa a pé uma avenida movimentada, sabe que o corpo prescinde do pensamento e afasta a memória e o devaneio a fim de tomar apenas as decisões adequadas à pressão do momento. Orientado pela atenção consciente, o corpo repete automaticamente reações aprendidas, desde que o sistema P-Cc esteja desimpedido, apto a responder apenas aos estímulos atuais. A impressão de tempo vazio que se sucede às séries de vivências automáticas corresponde justamente ao fato de que estas não produzem modificações duradouras no psiquismo – o que equivale a dizer, com Bergson, que tais vivências representam uma dimensão empobrecida da vida do espírito.

O sucesso de grande parte de nossas ações cotidianas, que exigem respostas rápidas a estímulos contínuos, depende de que não nos deixemos tomar pelos devaneios, pela fantasias, por reminiscências espontâneas. Essas formas "dilatadas" da atividade psíquica distraem os sujeitos das exigências impostas pelo presente absoluto. Para Bergson, a disponibilidade da atenção consciente depende da inibição de tais atividades psíquicas inúteis à vida prática. Não é do recalque freudiano que se trata aqui, mas do que o senso comum costuma designar como *repressão*: o ato, que tanto pode ser voluntário quanto automático, de afastar da consciência imagens, lembranças, fantasias e pensamentos que possam nos distrair das tarefas mais urgentes do presente. Faz sentido pensar que uma parte da memória não recalcada, sob a pressão do instante, mantenha-se tão afastada da possibilidade de rememoração que sua manifestação espontânea – talvez atraída por associação a alguma percepção fugaz do presente – tome a forma do *déjà-vu*, da invasão da consciência por uma fatia do passado na forma do estranhamente familiar. Bergson e Benjamin estariam certos, cada qual à sua maneira, em associar uma parte valiosa da vida psíquica às ocorrências da memória involuntária não recalcada, as quais não teriam necessariamente a qualidade angustiante do retorno do recalcado que caracteriza o *Unheimlichkeit* freudiano.

A *vivência* corresponde ao uso que fazemos de grande parte do nosso tempo, sob domínio da vida produtiva nas condições contemporâneas. A que se deve a pressa do sujeito contemporâneo? Não ao valor que ele atribui ao seu tempo, como costumamos pensar, e sim, ao contrário, à sua desvalorização. Pouco se questiona a ideia de que o valor do tempo se mede pelo dinheiro. O homem contemporâneo tem horror a tudo o que possa ser considerado "perda de tempo", que para ele é sinônimo de perda de dinheiro. Benjamin cita Paul Valéry: "O homem de hoje não cultiva o que não possa ser abreviado"[112]. Até mesmo o pouco tempo ocioso deve ser preenchido com alguma atividade interessante – o que torna, do ponto de vista do funcionamento psíquico, o uso do tempo livre idêntico ao do trabalho. É evidente o sentimento de mundo vazio, ou de vida vazia, que decorre da supremacia da vivência sobre a experiência. A suposta falta de tempo para o devaneio e outras atividades psíquicas "improdutivas" exclui exatamente aquelas que proveem um sentido (imaginário) à vida, assim como as atividades da imaginação, filhas do ócio e do abandono. Pela mesma razão também se desvaloriza, por ser "inútil" ou "contraproducente", a experiência do inconsciente.

Já a palavra *Erfahrung*, experiência, que inclui a partícula *fahr* de *fahren*, conduzir, guiar, deslocar-se[113], tem o sentido daquilo que, ao ser vivido, produz um

---

[112] Walter Benjamin, "O narrador", cit., p. 206.
[113] *Langenscheidts Taschenwörtebucher* (Berlim, Langenscheidt, 1990), p. 795 e 797.

saber passível de transmissão[114]. Um saber que pode ser passado adiante e que enriquece o vivido não apenas para aquele a quem a experiência é transmitida, mas também para aquele que a transmite. *É no ato da transmissão que a vivência ganha o estatuto de experiência*, de modo que não faz sentido, em Benjamin, a ideia de experiência individual. Assim como um significante representa o sujeito para outro significante, assim como nenhum ato de linguagem se completa fora da relação com o outro, o sentido e o saber extraídos de uma vivência só adquirem o estatuto de experiência no momento em que aquele que os viveu consegue compartilhá-los com alguém.

O trabalho de ligação entre o passado e o presente, nas culturas pré-capitalistas a que Benjamin se refere, ainda não era vivido, como na contemporaneidade, na forma de encargo do indivíduo isolado a tentar dotar sua vida solitária de algum sentido – sentido este que buscamos pela leitura igualmente solitária dos romances. O narrador pré-moderno não é exatamente um autor; é o portador de um saber que circula na coletividade a que pertence. Através das narrativas, as gerações presentes legam saber às gerações seguintes; tal saber, acrescido das representações imaginárias do passado – aparentemente inúteis, do ponto de vista prático –, tem o poder de adicionar valor e encanto à vida. Essa é uma das funções das narrativas: através delas, a experiência de uma comunidade de convivência forma uma cadeia ou uma rede de histórias, passadas de geração a geração. É importante lembrar que as narrativas não cumprem apenas uma função, digamos, ética. A dimensão formal, estética, das narrativas acrescenta encantamento ao saber transmitido; elas dotam o passado de qualidades mágicas e preservam na vida consciente da comunidade uma série de representações e de afetos caros ao imaginário infantil.

Em Benjamin, a experiência é incompatível tanto com a temporalidade veloz quanto com a sobrecarga de solicitações que recaem sobre a consciência. A condição da experiência benjaminiana é antes o ócio do que a atividade. "O tédio é o pássaro de sonho que choca os ovos da experiência"[115], escreve ele, antecipando a proposição de Bergson que diz que, quando as necessidades contínuas da ação presente inibem o acesso do psiquismo ao passado, "ele irá recuperar a força de

---

[114] No dicionário filosófico de Lalande, "experiência", no sentido B: "Conjunto das modificações vantajosas que o exercício traz às nossas faculdades, das aquisições que o espírito faz através deste exercício e, de maneira geral, de todos os progressos mentais resultantes da vida". Cf. André Lalande, *Vocabulário técnico e crítico de filosofia* (trad. Fátima Sá Correia, São Paulo, Martins Fontes, 1999), p. 366.

[115] Walter Benjamin, "O narrador", cit., p. 204.

transpor o limiar da consciência sempre que nos desinteressarmos da ação eficaz e nos colocarmos [...] na vida do sonho"[116]. As atividades que favorecem a transmissão das experiências através das narrativas são executadas em um tempo distendido, diferente do tempo da produção mecanizada que caracteriza o nascimento do capitalismo.

"O narrador" não é, como o título poderia sugerir, um texto de crítica literária. Embora Benjamin analise algumas passagens de narrativas tradicionais – cujo paradigma se conserva ainda nos contos de fadas e cujo último herdeiro seria, na opinião do filósofo, o escritor russo Nikolai Leskov – o tema profundo desse ensaio é a questão da perda da experiência na modernidade, seguido de uma reflexão sobre as condições que a tornaram possível outrora. Mais particularmente, o texto reflete sobre uma das dimensões fundamentais da experiência: a relação dos sujeitos com o tempo, que em comunidades pré-modernas podia ser muito diferente daquela que conhecemos. A começar pelo fato de que a passagem do tempo era percebida e marcada coletivamente, e mesmo o tempo mais singular e íntimo de cada um – a duração única do tempo de vida – não dizia respeito ao sujeito, tomado individualmente, pois o legado dos membros de cada geração haveria de sobreviver através das experiências transmitidas às gerações seguintes. Viver a vida sem ter de tomar para si o duro encargo de ser o guardião solitário de todo o vivido: tal possibilidade de deixar-se estar no fluxo temporal parece inatingível para os indivíduos desgarrados da temporalidade coletiva, no mundo contemporâneo.

A relação entre o tempo e as narrativas tem um determinante comum: as formas históricas do trabalho. A transmissão da experiência, no sentido benjaminiano, é tributária das formas pré-capitalistas de produção; o grupo que se reunia em torno do narrador tanto poderia estar ocioso em torno de uma fogueira quanto ocupado, sem pressa, pelo trabalho coletivo, artesanal. Essas teriam sido formas de se viver a temporalidade quando o tempo não era rigorosamente contado pela medida do dinheiro. Retomemos por um instante a outra realidade social, radicalmente diversa da nossa, a que Benjamin se refere nesse ensaio: as comunidades de artesãos, ou de pequenos agricultores, nas aldeias da Europa medieval, onde as narrativas se transmitiam, de geração a geração, com pequenas modificações introduzidas pelos narradores, cada um participando como um elo na corrente de transmissão da experiência para as gerações seguintes. Através das narrativas

---

[116] Henri Bergson, *Matéria e memória*, cit., p. 180.

remanescentes desse período o leitor contemporâneo ainda pode ter algum acesso àquela temporalidade perdida: a temporalidade da agricultura e do artesanato, das atividades domésticas, das tarefas repetitivas e sem pressa que exigem pouco trabalho do sistema percepção-consciência e por isso mantêm o psiquismo disponível para o devaneio, as rememorações e mesmo as magníficas e inquietantes invasões da consciência pelas reminiscências.

A experiência, perdida para nós, de viver e trabalhar em um ritmo não ordenado pela produtividade[117] permitia que o abandono dos sujeitos à temporalidade guardasse uma proximidade grande com o tempo do sonho, embalado por outra experiência que também se perdeu: a experiência do ócio, ou do tédio vivido sem angústia, como puro tempo vazio a ser preenchido pela fantasia. De todas as experiências subjetivas que a história deixou para trás, talvez a mais perdida, para o sujeito contemporâneo, seja a do abandono da mente à lenta passagem das horas: tempo do devaneio, do ócio prazeroso, dedicado a contar e a rememorar histórias. Uma experiência que os jovens buscam recuperar através do uso de certas drogas não excitantes como a maconha, que fumam sozinhos ou em grupos – nesse caso, a troca de experiência ajuda a atenuar a angústia ante o retorno da temporalidade recalcada.

As narrativas abrigam os membros das comunidades em que elas circulam da destruição do tempo, em culturas em que (justamente por isso) a forma subjetiva do indivíduo ainda não havia se completado, como na contemporaneidade. Pois as leis que regem essa "forma artesanal de comunicação" permitem que cada novo narrador deixe nela a marca de sua própria experiência da vida, "como a mão do oleiro na argila do vaso"[118].

A narrativa transmite uma "experiência coletiva para a qual mesmo o mais profundo choque da experiência individual, a morte, não representa nem um es-

---

[117] Não tão completamente perdida. Cito o caso da Escola Nacional Florestan Fernandes, voltada para a formação prática e teórica dos militantes do Movimento dos Trabalhadores Rurais Sem Terra (MST). Os prédios das salas de aula, os alojamentos, as salas de convivência e o refeitório da escola foram construídos, no interior de São Paulo, segundo uma técnica não agressiva à natureza, com tijolos de terra compactados com cimento (que não exigem a queima de carvão como as olarias tradicionais). Ao explicar o método de trabalho que permitiu a confecção dos milhares de tijolos utilizados na construção dos prédios da escola, um dos dirigentes disse que foi tudo muito simples: os militantes se revezavam, voluntariamente, nas tarefas de misturar o barro ao cimento e prensar, um a um, os tijolos. Como não tinham pressa, pois trabalhavam de graça para si mesmos, passavam as horas produtivas em grupo a contar casos e aventuras vividos em suas regiões de origem, o que tornara o trabalho mais leve e a vida em comum mais amistosa.

[118] Walter Benjamin, "O narrador", cit., p. 205.

cândalo nem um impedimento"[119]. Isso porque tal experiência da temporalidade inclui a morte como acontecimento decisivo, necessário: o instante de morrer não representa o encerramento definitivo da experiência de vida, mas a possibilidade solene de sua transmissão, versão secular da imortalidade. "Ninguém morre tão pobre que não deixe alguma coisa atrás de si"[120], escreve Benjamin, parafraseando Pascal. Mas até o espetáculo público da morte mudou de figura na modernidade: tornou-se privado e perdeu sua antiga significação.

> Durante o século XIX, a sociedade burguesa produziu, com as instituições higiênicas e sociais, privadas e públicas, um efeito colateral que inconscientemente talvez tivesse sido seu objetivo principal: permitir aos homens evitar o espetáculo da morte. Morrer era antes um episódio público na vida do indivíduo, e seu caráter era altamente exemplar. Recordem-se as imagens da Idade Média, nas quais o leito de morte se transforma num trono em direção ao qual se precipita o povo, através das portas escancaradas. Hoje, a morte é cada vez mais expulsa do universo dos vivos. [...] Ora, é no momento da morte que o saber e a sabedoria do homem, e sobretudo sua existência vivida – e é dessa substância que são feitas as histórias –, assumem pela primeira vez uma forma transmissível.[121]

Quais são os efeitos dessa experiência da temporalidade sobre a sensação subjetiva da duração? É possível que a dimensão simbólica da marcação do tempo, quando compartilhada pela coletividade a que o sujeito pertence, ultrapasse tanto o sentimento da *durée* bergsoniana quanto o sentido do tempo da duração de cada vida, tomada individualmente; daí o relativo desprendimento dos antigos em relação ao que hoje é vivido como um ponto final definitivo, a morte. Se para Bergson a duração não se mede pela soma dos instantes mas pela sensação de continuidade entre o instante presente, o passado imediato e o futuro próximo, nada indica que o registro psíquico dessas duas formas do tempo que alongam o presente – passado e futuro – deva limitar-se a curtos períodos imediatamente antes e depois do brevíssimo instante. Talvez a experiência do tempo como um fluxo contínuo e coletivo possibilite que cada membro de uma comunidade se sinta ligado a todos os outros, vivos e mortos, como um elo em uma grande corrente, de modo a

---

[119] Ibidem, p. 201.
[120] Ibidem, p. 212.
[121] Ibidem, p. 207.

prolongar o sentido da duração. Talvez a medida do transcorrer do tempo não individual não seja semelhante ao desenrolar de um fio, mas ao tecer de uma rede que abriga e embala um grande número de pessoas ligadas entre si pela experiência comum.

A segunda condição da experiência, portanto, seria a inexistência da forma subjetiva moderna do *indivíduo*. Embora Benjamin não se refira explicitamente à hegemonia moderna do individualismo entre as causas da destruição da experiência, ele insiste na importância das formas pré-modernas de convívio comunitário e de trabalho coletivo como condição para a continuidade da transmissão da experiência através das narrativas.

> Contar histórias sempre foi a arte de contá-las de novo, e ela se perde quando as histórias não são mais conservadas. Ela se perde porque ninguém mais fia ou tece enquanto ouve uma história. Quanto mais o ouvinte se esquece de si mesmo, mais profundamente se grava nele o que é ouvido. Quando o ritmo do trabalho se apodera dele, ele escuta as histórias de tal maneira que adquire espontaneamente o dom de narrá-las. Assim se teceu a rede em que está guardado o dom narrativo. E assim essa rede se desfaz hoje por todos os lados, depois de ter sido tecida, há milênios, em torno das mais antigas formas de trabalho manual.[122]

No trecho citado no início deste capítulo, Benjamin se refere à *desmoralização* da experiência. O que seria uma experiência desmoralizada? Uma vivência que não pode ser compartilhada, da qual não se tira lição alguma, excluída do campo humano de produção de sentido. Em Benjamin, a ideia de experiência se refere às vivências *comunicáveis*. Sua tese é que a modernidade, ao transformar as condições do convívio humano que tornavam possível a transmissão do vivido na forma das narrativas, destruiu a qualidade da experiência. Não devemos perder de vista a hipótese de que tais transformações das condições do convívio estão na origem do sujeito da psicanálise, o neurótico moderno por excelência. Se o liberalismo moderno representou uma enorme expansão no campo da liberdade individual de escolhas de destino, tal alargamento no horizonte dos possíveis cobrou seu preço em termos de desamparo e de alienação. O neurótico moderno suporta mal as condições de seu ganho de liberdade, sobretudo porque uma parte desse ganho lhe é expropriada pelo aumento da *velocidade*. Ao desconhecer os

---

[122] Ibidem, p. 205.

termos do testamento que determina a herança simbólica de seus antepassados[123], ao representar-se como autor solitário de sua história de vida e de sua escolha de destino em um mundo que torna obsoletos os ensinamentos e as experiências transmitidas pelas gerações anteriores à sua, o sujeito moderno negocia seu desejo na moeda da culpa neurótica.

O paradigma utilizado por Benjamin para articular o avanço irracional da técnica com a desmoralização da experiência foi o dos bombardeios a distância durante a Primeira Guerra Mundial. Mas mesmo em épocas de paz, o tempo contemporâneo é vivido com um sentimento permanente de urgência – não por acaso, as pessoas se dizem "bombardeadas" pelo excesso de trabalho ou por uma multiplicidade de solicitações simultâneas. O presente, que para o corpo é o único tempo existente, vem sendo cada vez mais *comprimido* entre um passado descartado a cada instante e um futuro em direção ao qual o homem se precipita sem saber por que, movido pela ameaça angustiante – como no caso dos personagens da charada contada por Lacan – de *ser deixado para trás*. A ideia do presente como tempo comprimido é de Gourevitch[124], para quem "jamais em sua história a humanidade teve um sentimento do tempo como o que domina hoje nos países desenvolvidos". A distância que nos separa do ensaio de Gourevitch – pouco mais de trinta anos – não tornou suas conclusões obsoletas. Elas continuam vigentes e se tornam, a cada ano, mais dramáticas. O homem contemporâneo é subjugado pela consciência premente e permanente da passagem do tempo.

> Efetivamente a ideia do tempo, de sua fuga e irreversibilidade, está continuamente presente na consciência do homem "apressado" de nossos dias. A civilização contemporânea viu crescer incomensuravelmente o valor e a importância da velocidade, viu se transformar de maneira radical o ritmo da própria vida. Esse ritmo parece aos habitantes dos países industrializados, habitual e inevitável.[125]

Excluído o elemento trágico que determinou o mutismo dos soldados egressos do *front* em 1919 e mantido apenas o da rapidez da resposta consciente aos estímulos, observamos que a velocidade domina a quase totalidade de nossa re-

---

[123] Referência ao verso de René Char citado por Hannah Arendt em *Entre o passado e o futuro* (5. ed., São Paulo, Perspectiva, 2005): "Nossa herança nos foi deixada sem nenhum testamento". Discuti essa questão do testamento recalcado em meu livro *Sobre ética e psicanálise* (São Paulo, Companhia das Letras, 2002, capítulo II).

[124] A. Y. Gourevitch, "O tempo como problema de história cultural", cit., p. 264.

[125] Ibidem, p. 264-5.

lação com o tempo. Paradoxalmente, as mesmas inovações tecnológicas destinadas a nos poupar o tempo de certas tarefas manuais e aumentar o tempo ocioso vêm produzindo um sentimento crescente de encurtamento da temporalidade. Tal sentimento talvez tenha a ver com o encolhimento da duração. A vivência contemporânea da temporalidade é dominada por um subproduto das ideologias da produtividade, as quais rezam que cada momento da vida deve ser aproveitado ao máximo. O mandato "aproveite bem sua vida", que poderia produzir alguns efeitos subjetivos interessantes e criativos, torna-se estéril quando a ideia de "aproveitamento" alia-se à lógica da produção, da acumulação e do consumo. A obsolescência programada do passado e da memória produz um sujeito permanentemente disponível, pronto a se desfazer de suas referências em troca das novidades em oferta. Desligado do frágil fio que ata o presente à experiência passada, voltado sofregamente para o futuro com medo de ser deixado para trás, o dito "consumidor" sofre com o encurtamento da duração. Assim se desvalorizam o tempo vivido e o saber que sustenta os atos significativos da existência.

O que tem um adolescente a transmitir depois de passar uma tarde inteira treinando sua capacidade de reagir rapidamente a estímulos, com o único objetivo de bombardear inimigos virtuais nos jogos de videogame? Qual a experiência transmissível ao final da jornada de um apostador do mercado financeiro que passou o dia *à bout de souffle*, tentando se antecipar ao sobe-e-desce do capital numa bolsa de valores em qualquer país do mundo?

VIII
A melancolia de Baudelaire e a lírica do choque

> J'ai plus de souvenirs que si j'avais mille ans.
>
> *Charles Baudelaire*, "Spleen"[126]

As percepções e os choques acolhidos pela consciência não pertencem ao registro da experiência. Essa é, de fato, incompatível com a velocidade traumática com que os acontecimentos da vida atual afetam os sujeitos, sem produzir nada significativo do ponto de vista da riqueza do trabalho psíquico. As marcas psíquicas da experiência também não são as mesmas que possibilitam a memória rememorativa, essa que, segundo Bergson, a consciência recupera ao voltar voluntariamente a atenção para o "interior" do mundo psíquico. Pertencem antes ao sistema inconsciente – e coletivo – do vivido. Inconsciente porque coletivo. Reproduzo uma passagem de outro texto de Walter Benjamin, sobre a modernidade em Baudelaire, que há de acrescentar novos elementos à nossa reflexão.

> Onde há experiência, no sentido estrito do termo, entram em conjunção, na memória, certos conteúdos do passado individual com outros do passado coletivo. Os cultos, com seus cerimoniais, suas festas, [...] produziam reiteradamente a fusão desses dois elementos na memória. [...] As recordações voluntárias e involuntárias perdem, assim, sua exclusividade recíproca.[127]

Dessa passagem do texto de Benjamin e da leitura de "O narrador", não se deduz que o registro da transmissão da experiência seja o do inconsciente recal-

---

[126] "Tenho mais recordações do que se tivesse mil anos"; tradução minha.
[127] Walter Benjamin, "Sobre alguns temas em Baudelaire", cit., p. 107.

cado, e sim o de um estado de inconsciência tributário do repouso do sistema P-Cc (percepção-consciência), isto é, possibilitado pelo abandono da atenção consciente, pela distração contemplativa, pelo ócio, de modo que as recordações voluntárias e involuntárias possam conviver sem se excluir. Tais formas de inatividade constituem modos de relação com o tempo que também se perderam, junto com a desmoralização da experiência, na medida que as condições da vida social tornaram-se cada vez mais competitivas. Consequentemente, cada indivíduo passou a representar-se como cada vez mais independente e separado dos demais, na proporção direta das solicitações que recaem sobre a consciência autovigilante.

A impossibilidade de transmitir experiências por parte dos soldados egressos do *front* na Primeira Guerra pode ser entendida, no texto de Benjamin, como uma metáfora para o caráter traumático das condições da vida social na modernidade. Por essa via é possível encontrar uma articulação entre a temporalidade e as formações subjetivas – mais particularmente, entre a velocidade da experiência temporal e as formas contemporâneas do mal-estar que, em Benjamin, ainda se chamava melancolia, e que atualmente chamamos de depressões[128].

Que dizer do estatuto da experiência em nossa modernidade tardia? Seremos todos "traumatófilos" sem escolha, condenados a reduzir nosso modo de estar no tempo à atividade continua de aparar o choque dos estímulos cada vez mais velozes, de modo a impedir que desorganizem a vida psíquica? Não se trata de sugerir que já não se produza o sujeito do inconsciente, na subjetividade contemporânea; mas que as formas de atividade psíquica intermediárias entre o inconsciente recalcado e o trabalho do sistema da percepção-consciência possam ter se empobrecido em função do excesso de demandas que pesam sobre esse último, tornando nossa percepção do tempo vivido tão urgente quanto vazia.

Nos ensaios sobre a relação entre a poesia de Baudelaire e a desmoralização da experiência, Walter Benjamin tece uma articulação entre a melancolia e a vivência do *choque*. O choque, para o filósofo, não é idêntico ao conceito freudiano de trauma. Ele utiliza o termo para caracterizar os impactos do real sobre o aparato psíquico em um ritmo tal que torna sua recepção incompatível

---

[128] Embora contemporâneo de Freud, Walter Benjamin teria sido o último dos pensadores modernos a utilizar o termo melancolia no sentido herdado da Antiguidade. No capítulo II, Primeira Parte, sugeri que a teoria freudiana da melancolia teria rompido com as acepções tradicionais da melancolia. Estas, em seu sentido de sintoma social, aproximam-se do que hoje conhecemos como as depressões.

com a experiência. Para construir seu argumento, Benjamin retoma Freud, em "Além do principio do prazer", no trecho que trata da incompatibilidade entre a consciência e a memória. A questão que Freud investigou, nas partes II a IV do texto de 1920, estava ligada ao que ele chamou de "neuroses traumáticas": casos em que a brusca invasão do psiquismo por um estímulo inesperado produz um trauma que não tem como ser integrado às cadeias de representações psíquicas. A repetição do evento traumático, na forma de recordações e sonhos recorrentes, teria a função de "fixar o trauma", ou seja, integrar os elementos dos estímulos traumáticos entre outras marcas psíquicas (trabalho que Freud entende como transformação da energia livre em energia "ligada"). Esse trabalho repetitivo, do ponto de vista da metapsicologia freudiana, é necessário para produzir uma rede significante capaz de ligar o excesso de energia invasora do psiquismo, quando da ocorrência do evento traumático.

Mais adiante, no mesmo texto, Freud acrescenta uma segunda hipótese a respeito da tendência psíquica de eterno retorno às marcas mnêmicas do evento traumático, que viria a ser decisiva para sua segunda teoria das pulsões. A interpretação inovadora que Freud propõe para a compulsão à repetição é aquela que sustenta a descoberta da pulsão de morte na teoria psicanalítica. Além de revelar uma tentativa de integrar o trauma, a compulsão de repetição indica que a energia livre que invadiu o psiquismo, enquanto não for ligada pelo trabalho de representação, há de trabalhar a favor do gozo da pulsão de morte. As consequências, para a clínica das depressões, dessa relação entre o trauma e a pulsão de morte já não dizem respeito às teorias da melancolia em Walter Benjamin.

Uma das marcas importantes da virada freudiana foi ter deslocado a consciência do lugar prestigioso que ocupava nas psicologias, até sua época. Em Freud, o conceito de psiquismo não só não se confunde com o de consciência, como praticamente o exclui: "A consciência não pode ser um caráter geral dos processos anímicos, senão apenas uma função específica dos mesmos"[129]. Tanto em Freud como em Bergson, o trabalho da consciência de aparar os choques do mundo externo e interno é o mais pobre dos trabalhos psíquicos. As funções do sistema que Freud chama de P-Cc (percepção-consciência) são decisivas para a proteção do psiquismo, mas pobres se comparadas ao trabalho dos outros sistemas do aparelho psíquico: o inconsciente e o pré-consciente. Situada na "borda" do aparelho

---

[129] Sigmund Freud, "Más allá del principio del placer" (1920), em *Obras completas*, cit., v. III, p. 2517.

psíquico, a consciência teria a função de anteparo contra os estímulos provindos do mundo externo, assim como de regular as sensações de prazer e desprazer provenientes do interior do aparelho. As excitações não produzem modificações importantes no sistema P-Cc, cuja origem – o processo de diferenciação desse "órgão de borda" por ação das repetidas estimulações vindas do exterior – já se deve ao fato de ele ter sido modificado por elas, até o limite. "A camada exterior protegeu com sua própria morte às demais [camadas], mais profundas, de um destino análogo, [uma vez que] para o organismo vivo, a proteção contra as excitações é mais importante que a recepção das mesmas[130]."

É importante observar que a consciência "não guarda as marcas duradouras das excitações que recebe"; se assim fosse, a prontidão do sistema P-Cc para acolher novas excitações ficaria limitada. Isto significa que o sistema trabalha para ligar a energia livre, e por isso só é capaz de elaborar "escassas parcelas" do mundo externo.

> A consciência se caracterizaria, portanto, por uma particularidade: o processo estimulador não deixa nele qualquer modificação duradoura de seus elementos, como acontece em outros sistemas psíquicos, porém como que se esfumaça no fenômeno de conscientização. [...]. A conscientização e a permanência do traço mnemônico são incompatíveis em um mesmo sistema.[131]

Estamos próximos da teoria de Henri Bergson sobre a memória, o presente e a duração. Em Freud, a incompatibilidade entre o processo de conscientização e a permanência do traço mnemônico nos leva a pensar que, nas situações de excessiva e contínua estimulação em que o sistema P-Cc é permanentemente solicitado a trabalhar, a temporalidade psíquica é percebida como uma *sucessão de momentos presentes*. Só o que acontece aqui e agora existe e importa para a consciência, em sua tarefa restrita de aparar os choques advindos do mundo externo. Quando, depois de uma semana ou um mês de intensa atividade, alguém reclama que o tempo tenha passado depressa demais, é disso que se trata: o sujeito se dá conta de que o tempo não foi vivido como um decorrer, um fluxo dotado de duração, mas como uma sucessão de instantes presentes que não deixaram no psiquismo marca alguma além da pequena e imediata modificação da consciência exigida pela velocidade dos estímulos recebidos.

---

[130] Ibidem, p. 2519.
[131] Ibidem, p. 2520.

De acordo com a metapsicologia freudiana, quanto mais inconscientes mais intensos e duradouros são os traços mnemônicos. Daí decorre a atemporalidade do sistema Icc, ao passo que a consciência só existe e atua no tempo presente. Para Freud, o tempo kantiano, como categoria abstrata do pensamento, parece "mais baseada no funcionamento do sistema P-Cc, e corresponde à autopercepção do mesmo". Nesse caso, Freud estaria considerando uma forma de percepção do tempo diferente da "matéria" bergsoniana da memória. O tempo abstrato, como pura categoria do pensamento, corresponderia à percepção que a consciência tem de seu próprio ritmo de trabalho. Daí decorre o fato de que o tempo nos parece passar mais depressa quando muitas coisas acontecem (e o sistema P-Cc trabalha ativamente), e bem mais devagar quando, em estado de repouso ou ócio, o sujeito abandona provisoriamente a função da atenção consciente e se entrega ao devaneio ou a alguma outra espécie de relaxamento da consciência.

Por isso é importante não confundir a impressão de tempo veloz registrado pela consciência, quando assolada por uma variedade muito grande de estímulos, com a possível riqueza de temporalidades superpostas produzida por outras formas de trabalho psíquico. Em Freud, tal riqueza do trabalho psíquico – que se traduz basicamente no trabalho de produzir e associar representações – ocorre nos sistemas pré-consciente e inconsciente. Esse último, para a psicanálise, coincide com a própria ideia de psiquismo. A consciência seria um sistema fundamental para a defesa do aparelho psíquico, mas um sistema pobre do ponto de vista da produção, fixação e associação de representações. A consciência é um aparato defensivo que, em última instância, permite que o sujeito viva no mundo, sob as mais diferentes condições. Possibilita que ele suporte os choques das percepções que lhe chegam sem que ele as tenha escolhido, ou se preparado para elas. A relação da consciência com a memória é pontual: limita-se à função de reconhecimento dos estímulos percebidos. Nisto consiste o valor do trabalho psíquico de organizar percepções inesperadas, surpreendentes – por isso mesmo, potencialmente traumáticas – ligá-las a uma rede de representações que lhe conferem sentido e transformar a marca dessas percepções em lembranças, de modo que sua repetição possa ser acolhida pelo psiquismo na forma de uma significação conhecida. Mas se a consciência nasce no lugar das primeiras marcas mnêmicas, por sua vez os atos de rememoração, de evocação da lembrança, exigem a desativação provisória da atenção consciente. O instante da rememoração depende do abandono da atenção consciente.

Tal estado de repouso da atenção consciente é também condição da reminiscência, irrupção da memória involuntária de origem inconsciente consagrada na literatura moderna desde o relato proustiano do reencontro com o tempo perdido, a partir de um pequeno fragmento de experiência: o reencontro do narrador com o sabor da *madeleine* mergulhada no chá de tília. A reminiscência, que pode nos atirar sem aviso prévio de encontro ao *Unheimliche* ou à doce impressão do *déjà vu* – mas não se confunde estritamente com nenhum dos dois –, é a invasão da consciência pela memória involuntária, que conserva a forma de *retorno do vivido*, enquanto a rememoração é um ato mental, voluntário, de busca intencional da marca psíquica a que chamamos lembrança.

Voltemos ainda uma vez à diferenciação entre o que Benjamin chama de choque e do conceito freudiano de trauma. Em Freud, o choque corresponde simplesmente à noção de estímulo. Nem todo choque é traumático; o trauma seria provocado por um estímulo violento ou inesperado capaz de romper a camada protetora da consciência e impedir com sua irrupção o trabalho do sistema P-Cc. Daí o sentido lacaniano do trauma como efeito da falta de angústia que prepararia o sujeito para o encontro com o Real[132]. Quanto mais a consciência se habitua ao choque, menor seu efeito traumático e maior a capacidade do psiquismo de acolher novos estímulos entre suas representações, pois a função do sistema P-Cc é favorecer a adaptação ao meio, qualquer que seja ele.

O trauma, em Freud, caracteriza-se pela invasão do psiquismo por um fragmento do Real de tal intensidade que inutiliza temporariamente as funções protetoras do sistema P-Cc. Dessa forma, tal montante de excitação torna o acontecimento *irrepresentável* para o psiquismo. Em situações normais de percepção de estímulos não traumáticos, a função de aparar os choques do mundo externo sobre o psiquismo seria um atributo corriqueiro da consciência.

---

[132] O Real, na teoria lacaniana, corresponde ao irrepresentável. O trauma, na qualidade de encontro com o Real, inclui os encontros mortíferos com o gozo do Outro, do qual o sujeito em princípio estaria definitivamente separado por efeito da Lei. Há, portanto, uma conexão teórica entre o trauma, o gozo e as representações inconscientes recalcadas. No entanto, alguns encontros com eventos do mundo "externo" ao psiquismo – atos de violência extrema, algumas formas de drogadição e alcoolismo etc. – também podem ter efeitos traumatizantes. Ver Jacques Lacan, *O Seminário, livro 10: A angústia* (trad. Vera Ribeiro, Rio de Janeiro, Jorge Zahar, 2005), cap. XII, "A angústia, sinal do real", p. 175. Ver também *O Seminário, livro 17: O avesso da psicanálise* (Rio de Janeiro, Jorge Zahar, 1992, versão de Ary Roitman sobre texto estabelecido por Jacques-Alain Miller), parte 3, cap. II, p. 43: "A repetição, o que é? [...] É o gozo [...]. É no nível da repetição que Freud se vê de algum modo obrigado [...] a articular o instinto de morte".

A diferença entre trauma e choque é que o segundo corresponde a um estímulo que pode ser acolhido pelo trabalho do sistema P-Cc e torna-se imediatamente representável (ainda quando não se integra às camadas mais profundas do aparelho psíquico), enquanto o trauma, na qualidade de estímulo irrepresentável, atravessa a camada protetora da consciência e desorganiza o psiquismo.

O que interessa ao argumento de Walter Benjamin não é o evento excepcional que caracteriza o trauma, mas a velocidade com que a consciência é assolada pelo prosaico e corriqueiro choque. Walter Benjamin inclui a sobrecarga dos choques que a vida urbana impõe ao sistema P-Cc entre as condições modernas da melancolia, termo que para esse autor, insisto ainda uma vez, não deve ser confundido com o conceito de melancolia em Freud. Além da articulação entre melancolia e fatalismo (mas não incompatível com ela), encontramos em Benjamin uma segunda reflexão sobre as manifestações da melancolia como forma moderna do sintoma social: ela seria tributária da prevalência das funções da atenção consciente sobre as da memória.

Para o filósofo, o predomínio das solicitações que recaem sobre o sistema P-Cc e inibem o trabalho pré-consciente da memória limita o sentimento do tempo como duração. O excesso de estímulos que exigem o trabalho da atenção consciente seria responsável pela desqualificação da experiência, na modernidade. O melancólico seria aquele não vê sentido em sua vida, limitada a uma sucessão de vivências mecânicas e vazias que não resultam em experiência. Apoiado no texto de Freud sobre a pulsão de morte, Walter Benjamin articula uma hipótese sobre o efeito subjetivo da sobrecarga do sistema percepção-consciência.

Na série de ensaios sobre Baudelaire, de cujo projeto poético Benjamin extrai parte de sua teoria da melancolia, encontramos importantes considerações sobre a relação dos melancólicos com o tempo. Benjamin considerou que Baudelaire, poeta-herói da modernidade – o último dos românticos, o primeiro dos modernos – teria assumido com sua poesia a tarefa de amparar os choques da vida moderna e dar forma ao caráter errático dos acontecimentos que marcavam a vida na grande cidade de Paris, ao final do século XIX. Os três ensaios que compõem "Paris do Segundo Império"[133] são essenciais para introduzir as ideias que Benjamin desenvolve a seguir, em "Sobre alguns temas em Baudelaire"[134], pois fazem da grande cidade, "capital do século XIX", elemento chave tanto para entender o

---

[133] Walter Benjamin, "Paris do Segundo Império: a boêmia; o flâneur; a modernidade", cit., p. 9-101.
[134] Idem, "Sobre alguns temas em Baudelaire", cit., p. 103-49.

processo criativo do poeta quanto para explicar sua melancolia. "Para viver a modernidade, é preciso uma constituição heroica"[135], escreve Benjamin contrariando a expectativa do senso comum ao contrapor o heroísmo moderno ao Romantismo: onde o segundo glorifica a entrega e a renúncia, os heróis modernos, como Baudelaire (e, em menor grau, Balzac), "transfiguram a paixão e o poder decisório"[136].

As megalópoles do século XXI já ultrapassaram em todos os sentidos a ideia de cidade grande representada pela majestosa "capital do século XIX". Em um debate sobre o tema "Cidade e subjetividade"[137], com José Miguel Wisnik e Guilherme Wisnik, os palestrantes chamaram a atenção para o fato de que há pelo menos cinco décadas as cidades contemporâneas já não se organizam em torno "das linhas de trem, das fábricas e do carvão", como Londres e Paris no início do capitalismo. Da mesma forma as grandes avenidas de São Paulo, Tóquio ou Los Angeles não são mais lugares onde as pessoas precisam desviar para não esbarrar nas outras, como nos bulevares parisienses do XIX, mas vias onde só os carros circulam em alta velocidade. As grandes cidades já não são construídas para a circulação e a exposição dos passantes ao contato com outros pedestres. Hoje circulam os carros, exibem-se as marcas. Se no poema em prosa de Baudelaire o poeta "perde a aura", caída entre as patas de um cavalo ao atravessar um grande bulevar parisiense, na Linha Vermelha (Rio de Janeiro), em pleno século XXI, uma mulher foi atropelada no horário do rush por tantos carros, cujos motoristas sequer pararam para verificar o que tinha atravessado seu caminho, que de seu corpo apenas uma das mãos pôde ser reconhecida pelos familiares.

Mas apesar das enormes diferenças no que diz respeito à velocidade da vida urbana e à intensidade dos choques que atingem sem descanso os habitantes das megalópoles contemporâneas em comparação com a Paris de Baudelaire, a relação que Benjamin estabeleceu – entre a predominância do trabalho do sistema percepção--consciência sobre outras formas de trabalho psíquico, e a desqualificação da experiência – ainda me parece útil à nossa reflexão sobre as depressões contemporâneas. Tais reflexões nos interessam em função da associação que Benjamin estabelece entre melancolia e *vivência*, na modernidade do final do século XIX.

---

[135] Idem, "Paris do Segundo Império", cit., p. 73.

[136] Idem.

[137] Na abertura do ciclo "Cidade e subjetividade", organizado pela Sociedade Brasileira de Psicanálise em São Paulo, 25 abr. 2007.

Diante desse empobrecimento da vida, de que qualidade seria o heroísmo de Baudelaire, esse *dandy* que vagava sem propósito aparente pelas ruas de Paris, inapetente para o trabalho, incapaz de ganhar dinheiro, dependente da ajuda da mãe[138]? Que "poder decisório" a modernidade, no "auge do capitalismo", exigiria do poeta? Para Benjamin, esse teria sido o poder de transformar os choques da vida moderna em matéria simbólica e, com isso, "dar forma" ao monstro disforme da modernidade.

A consciência daquela tarefa o fazia esquivo a ocasiões e aparências. Na época em que lhe coube viver, nada lhe está mais próximo da "tarefa" do herói antigo, dos "trabalhos" de um Hércules, do que a que se impôs a si mesmo como sua: dar forma à modernidade.[139]

A modernidade se apresenta a Baudelaire como um tempo disforme, em função da velocidade com que supera a si mesma e a tudo que a antecedeu a fim de se perpetuar. Por isso, o poeta desejava o privilégio de ser lido algum dia como autor antigo ("que toda a modernidade mereça um dia se tornar antiguidade"[140]). A obsolescência programada com que a indústria, até os dias de hoje, calcula o tempo de duração das mercadorias, para que possam e devam rapidamente ser substituídas por outras igualmente sem valor, produz naqueles que vivem neste tempo disforme uma antecipação permanente do futuro e uma desvalorização contínua do passado e do presente. Dessa forma "a antiguidade – que *deveria estar nela inserida* – apresenta, em realidade, a imagem do antiquado"[141].

A singularidade da posição que o poeta ocupou, empenhado na tarefa de delimitar os contornos dos tempos modernos, nos faz ver que em Baudelaire já estaria consumada a forma subjetiva do indivíduo, que representa a si mesmo como um ser autônomo e isolado em meio à multidão. Uma forma subjetiva muito diferente da que caracteriza os trabalhadores parisienses dos séculos XVIII e XIX vindos das aldeias para trabalhar nas fábricas, desgarrados da antiga vida em pequenas comunidades, e cuja tradição narrativa inspirou Benjamin a formular o conceito

---

[138] "Estou a tal ponto habituado a sofrimentos físicos, sei tão bem contentar-me com umas calças rotas, com uma jaqueta que deixa passar o vento e com duas camisas apenas, tenho tanta prática em encher os sapatos furados com palha ou mesmo com papel, que quase só sinto os padecimentos morais", escreveu Baudelaire em carta à mãe, a 26/12/1835. Citado em Walter Benjamin, "Paris do Segundo Império", cit., p. 71.

[139] Ibidem, p. 80.

[140] Idem.

[141] Idem. (Grifo meu.)

de experiência. Chamo a atenção do leitor para o fato de que o achado benjaminiano, de tomar Baudelaire como paradigma da relação entre modernidade e melancolia, não tem nada a ver com um diagnóstico clínico. Nos parágrafos que se seguem, é escusado dizer que minha posição é a mesma. Quando me refiro à melancolia em Baudelaire não pretendo propor um diagnóstico do poeta, o que seria no mínimo extemporâneo, e sim sublinhar a relação entre a melancolia baudelaireana e seu projeto estético, onde o Belo tem o estatuto de um objeto perdido: "a melancolia, sempre inseparável do sentimento do belo"[142]. Em "Obsession", por exemplo, encontramos essa estrofe, na qual o poeta recusa toda expressão do belo que fale "em linguagem conhecida" e, em troca, deseja apenas o vazio:

> Como me agradarias, oh noite sem essas estrelas
> Cuja luz fala uma língua conhecida!
> Porque eu busco o vazio, e o negror, e o nu! [143]

Em suas anotações da maturidade, perto dos trinta anos, encontramos uma surpreendente aliança entre a beleza e a velhice[144]:

> À medida que o homem avança em sua vida, e vê as coisas desde o alto, aquilo que o mundo convencionou chamar de beleza perde muito de sua importância, assim como a voluptuosidade e várias outras bobagens. Aos olhos desabusados e, daqui em diante, clarividentes, todas as estações têm seu valor, e o inverno já não é mais a pior nem a menos feérica. Desde então, a beleza não será mais que a *promessa de felicidade*, foi Stendhal, creio, que o disse. A beleza será a forma que garantir o máximo de bondade, de fidelidade ao juramento, de lealdade no cumprimento dos acordos, de fineza no entendimento das relações. A feiura será crueldade, avareza, burrice, mentira [...]. Que meios poderei eu empregar para persuadir com eficácia a um jovem aturdido que a irresistível simpatia que eu sinto pelas mulheres velhas, esses seres que sofreram muito por seus amantes, seus maridos, seus filhos, e também por seus próprios erros, não se mistura com nenhum apetite sexual?[145]

---

[142] Carta a Jules Janin, citada em Walter Benjamin, *Passagens* (Belo Horizonte, UFMG, 2006), p. 331.

[143] "Comme tu me plairais, ô nuit! sans ces étoiles / Dont la lumière parle un langage connu! / Car je cherche le vide, et le noir, et le nu!" (Tradução minha.)

[144] Dedicatória de um livro oferecido à mme. Francine Ledoux em 1851, citada em Paul Fuchs, *Supplément Littéraire, Le Figaro*, Paris, 1925. Ver também Charles Baudelaire, "Revolution et spiritualité", *Oeuvres complètes* (Paris, Seuil, 1968), p. 291, nota 1.

[145] "À mesure que l'homme avance dans la vie, et qu'il voit les choses de plus haut, ce que le monde est convenu d'appeler la beauté perd bien de son importance, et aussi la volupté, et bien d'autres balivernes. Aux yeux desabusés et désormais clairvoyants toutes les saisons ont leur valeur, et

A beleza das velhas mulheres, das velhas coisas, das coisas perdidas, associa-se nessa passagem não apenas aos valores morais que elas preservam, mas à dor que elas evocam. Baudelaire aproxima seu conceito de beleza daquele que caracteriza o objeto da *douce mélancolie* dos românticos, transportado, no caso, para o reino desse mundo. O que torna as mulheres velhas sexualmente atraentes é o sofrimento que seus corpos alquebrados abrigam, mas a causa desse sofrimento não é inefável nem espiritual: são seus antigos amores, seus filhos, os erros cometidos no passado. O objeto perdido pesa na alma, mas também transfigura a carne.

Por meio do recurso poético à alegoria, que evoca os fragmentos do objeto perdido não pelo uso da metáfora, mas da metonímia, o poeta aborda a dor provocada pela passagem do tempo. A passagem voraz do tempo é presença constante na poesia de Baudelaire. Em "L'Horloge", o marcador do tempo é comparado a um deus sinistro que, enquanto destrói tudo o que toca e empurra o homem em direção à morte, repete incessantemente: "*Souviens-toi!*" (Recorda-te!). Recorda-te de quê? O poeta não qualifica nenhuma recordação. O imperativo lançado pelo relógio é tão mais angustiante quanto mais abstrato, da mesma qualidade que a marcação abstrata do tempo, "três mil e seiscentas vezes por hora", e que a cada segundo, depois de cochichar "recorda-te!", já se anuncia como parte do passado:

> [...] Eu sou Outrora
> E suguei tua vida com a minha tromba imunda!
>
> [...]
>
> *Recorda-te* que o tempo é um jogador ávido
> Que ganha sem roubar, a cada partida! é a lei!
>
> O dia declina; a noite cresce; *recorda-te!*
> O abismo tem sempre sede; a clepsidra se esvazia.[146]

---

l'hiver n'est pas la plus mauvaise ni la moins féerique. Dès lors la beauté ne será plus que *la promesse du bonheur*, c'est Stendhal, je crois, qui a dit cela. La beauté sera la forme qui garantit le plus de bonté, de fidelité au serment, de loyauté dans l'éxecution du contrat, de finesse dans l'intelligence des rapports. La laideur sera cruauté, avarice, sottise, mensonge [...] Quels moyens pourrais-je efficacement employer pour persuader à un jeune étourdi que l'irrésistible sympathie que j'éprouve pour les vieilles femmes, ces êtres qui ont beaucoup souffert par leurs amants, leurs maris, leurs enfants, et aussi par leurs propres fautes, n'est mêlée d'aucun appétit sexuel?"

[146] "[...] Je suis Autrefois, / Et j'ai pompé ta vie avec ma trompe immonde! [...] *Souviens-toi* que le Temps est un joueur avide / Qui gagne sans tricher, à tout coup! c'est la loi. /Le jour décroît; la nuit augmente, *souviens-toi!* / Le gouffre a toujours soif; la clepsydre se vide." Cf. Charles Baudelaire, "L'Horloge".

Acossado pelo relógio, o homem moderno assemelha-se a um jogador conformado a perder todas as suas apostas. O tempo ganha o jogo, sempre, sem roubar!

O melancólico, fatalista, dá o jogo por perdido. Em "Le Jeu"[147], Baudelaire representa-se como o observador invejoso da paixão tenaz dos jogadores que apostam tudo, sua honra, sua beleza, seu suor, preferindo sempre "a dor à morte e o inferno ao nada". Em outro poema, o narrador retira-se do convívio com os outros e escolhe a dor, o isolamento, a noite: "Minha dor, dê-me a mão, vem por aqui,// longe deles. Veja se debruçarem os anos defuntos..."[148]

Mas o leitor não deve se iludir: apesar de invejar a sanha dos apostadores, apesar de convidar sua dor a se afastar da multidão que se entrega aos golpes do prazer, "esse algoz sem piedade", a posição do sujeito da enunciação nesses poemas é mais fiel ao desejo do que pode parecer. Com base no poema "Le Jeu", Benjamin examina o que ocorre "do ponto de vista psicológico" com o apostador dos jogos de azar e estabelece uma importante diferença entre a pressa do jogador e a disposição íntima daquele que sustenta uma aposta em seu *desejo*. A esperança de realizar um desejo, projetada para diante, no tempo, confere valor à vida. "Contudo, o que nos leva longe no tempo é a experiência que o preenche e estrutura. Por isso, o desejo realizado é o coroamento da experiência"[149]. Já o intuito de ganhar dinheiro que caracteriza o apostador moderno não deve ser confundido com o desejo, mas com a avidez, "de uma determinação obscura". O jogador baudelaireano que joga *contra* a premência dos relógios, para Benjamin, "não se encontra em condições de dar à experiência a devida importância"[150]. Para ele, como para qualquer apostador contemporâneo, nos jogos de azar ou nos jogos da Bolsa, a duração do tempo só interessa pelo que pode render em dinheiro. É uma vivência do tempo incompatível com a experiência.

A tarefa de dotar de uma forma poética o impacto do tempo voraz sobre os homens teria cobrado de Baudelaire o preço do sacrifício de sua vida imaginária – o que autoriza a hipótese benjaminiana sobre a melancolia de sua posição. (Não devemos nos confundir: quando Baudelaire escreve, no poema

---

[147] Idem, "Le Jeu", em *Oeuvres complètes: Les fleurs du mal*, cit., p. 102.

[148] "Ma Douleur, donne-moi la main; viens par ici,// Loins d'eux. Vois se pencher les défuntes Années". Ver Charles Baudelaire, "Recueillement", *Oeuvres complètes: Les fleurs du mal*, cit., p. 101.

[149] Walter Benjamin, "Sobre alguns temas em Baudelaire", cit., p. 128-9.

[150] Ibidem, p. 129.

"Le Cygne", que para o poeta *tout devient allégorie*[151], é à dimensão simbólica da criação poética que ele se refere.)

Embora a psicanálise nos ensine que nenhum sujeito escolhe, conscientemente seu sintoma, Benjamin entende que Baudelaire paga o preço do sacrifício do imaginário, razão de sua melancolia, para realizar sua empreitada crítico-poética. Pois o poeta descrê sistematicamente das formas de sedução com que o capitalismo agencia a "multidão [que] se consome pelas maravilhas, as quais, não obstante, a Terra lhe deve"[152]. A tarefa de Baudelaire, de pensar e escrever na contramão dos laureados e dos bem ajustados às condições do tempo em que ele viveu, cobrou ao poeta justamente o sacrifício de uma parcela do gozo fálico, tributário da vida imaginária. No capítulo seguinte pretendo investigar, na clínica psicanalítica, a relação entre o empobrecimento do imaginário e as depressões.

A pergunta de Benjamin sobre o processo de trabalho de Baudelaire – "de que modo a poesia lírica poderia estar fundamentada em uma experiência para a qual o choque se tornou norma?"[153] – indica o caminho de reflexão sobre o estatuto da melancolia em Baudelaire.

Baudelaire inaugurou a poesia moderna ao entender antes de todos os outros uma característica fundamental do mundo a que pertencia: a instalação de um tempo sem devir, que teria *vindo para ficar* ao transformar rapidamente em ruínas todas as formas de vida que ele derrotou. É evidente a relação entre tal sentimento de prostração ante a vitória esmagadora da modernidade e o fatalismo que anula o valor da ação humana – presente, para Benjamin, no coração da melancolia. A modernidade, para Baudelaire, seria um tempo que envelhece depressa, mas não anuncia seu fim. Um tempo assolado pela velocidade dos estímulos que se produzem sem cessar, de tal forma que já não é possível viver o presente sem ter que "apagar os rastros" do passado recente, como no poema de Brecht.

A vida na Paris do século XIX reproduziria, em toda parte, o ritmo mecânico do trabalho industrial.

> O operário não especializado é o mais profundamente degradado pelo condicionamento imposto pela máquina. Seu trabalho se torna alheio a qualquer experiência. Nele, a prática não serve para nada. [...] [de forma similar] os transeuntes se com-

---

[151] Charles Baudelaire, "Le Cygne", em *Oeuvres complètes: Les fleurs du mal*, cit., p. 97.
[152] Citado em Walter Benjamin, "Sobre alguns temas em Baudelaire", cit., p. 73.
[153] Ibidem, p. 110.

portam como se, adaptados à automatização, só conseguissem se expressar de forma automática. *Seu comportamento é uma reação a choques.*[154]

A exigência contínua e veloz que a máquina impõe ao homem convoca permanentemente a atenção consciente dos habitantes das grandes cidades ao trabalho de amparar os choques advindos de todas as outras dimensões da vida urbana. A mobilização contínua da atenção consciente chega a impedir outras formas de percepção e fruição da temporalidade, entre as quais aquelas que fornecem a matéria da experiência – seja poética, literária ou narrativa, isso é: transmissível. Benjamin pensa em Baudelaire como um tipo "traumatófilo", que teria tomado para si a tarefa de suportar e aparar, no corpo e na consciência expostos ao torvelinho das ruas, o choque da vida moderna, para em seguida dotar tais vivências de forma por meio da poesia.

Essa tarefa exige, segundo Benjamin, um feito "notável: a emancipação com respeito às vivências". Observem que o autor não se serve aqui da palavra experiência; ele escreve *vivências*. A "emancipação com respeito às vivências" seria resultante da exposição contínua (e voluntária) do poeta ao choque. "O fato de o choque ser assim amortecido e aparado pela consciência, emprestaria ao evento que o provoca o caráter de experiência vivida em sentido *restrito*[155]."

Como se definiria o sentido restrito do vivido? O termo indica ao mesmo tempo uma precisão quanto ao objetivo do instante vivido e um empobrecimento quanto à sua qualidade. O sentido restrito do vivido implica uma dimensão muito especializada da temporalidade: a do presente comprimido. É o trabalho da consciência, de controlar a recepção dos estímulos e atenuar seu impacto, que restringe as condições da experiência, no sentido proposto por Benjamin. A condição da temporalidade distendida que possibilita a experiência é incompatível com a atividade da consciência, que se deixa insensibilizar, ou "morrer", a fim de proporcionar as condições adequadas à recepção dos choques.

> Quanto maior é a participação do fator do choque em cada uma das impressões, tanto mais constante deve ser a presença do consciente no interesse em proteger contra os estímulos; quanto maior for o êxito com que ele operar, tanto menos essas impressões serão incorporadas à experiência, e tanto mais corresponderão ao conceito de vivência.

---

[154] Ibidem, p. 126. (Comentário de Walter Benjamin sobre a peça "O homem da multidão", de Edgar Allan Poe). Grifo meu.

[155] Ibidem, p. 110.

Afinal, talvez seja possível ver o desempenho característico da resistência ao choque na sua função de indicar ao acontecimento, à custa da integridade de seu conteúdo, uma posição cronológica exata na consciência. Esse seria o desempenho máximo da reflexão, que faria do incidente uma vivência. Se não houvesse reflexão, o sobressalto agradável ou (na maioria das vezes) desagradável produziria, invariavelmente, sobressalto que, segundo Freud, sanciona a falha da resistência ao choque.[156]

O trabalho de resistência ao choque assemelha-se àquele indicado por Freud para explicar a repetição dos sonhos de angústia que reproduzem para o sonhador a cena traumática: trata-se de recuperar o domínio sobre os estímulos perturbadores, "desenvolvendo a angústia cuja omissão se tornou a causa da neurose traumática"[157]. No enfrentamento com a angústia, único afeto destituído de representação no domínio das formações imaginárias, pode-se encontrar a resposta para a pergunta de Benjamin sobre as condições da poesia lírica em um mundo em que o choque se tornou norma. Para fazer da depressão uma melancolia criativa – *não no sentido freudiano,* mas no sentido tradicional perseguido por Walter Benjamin, que relaciona melancolia e gênio criador, é preciso não recuar, tanto diante do conflito quanto diante da angústia.

Suponhamos que Baudelaire, ao expor-se à angústia e sacrificar o gozo da vida imaginária – portanto, melancolizar-se –, tenha de fato extraído dessa vivência restrita o material de sua monumental poesia. Mas se ele, além disso (como propõe Benjamin), se *emancipara* das vivências, isso significa que ele teria sido capaz de efetuar, a partir do "sentido estrito do vivido", *uma operação psíquica a mais.* Aqui se encontra uma hipótese que talvez responda à questão do sacrifício da dimensão imaginária na poesia de Baudelaire: se a vivência cotidiana na Paris moderna, para ele, era tão pouco significativa (comparada à experiência, desde já perdida), o poeta parece buscar a fonte de sua poesia em elementos *puramente simbólicos.* A seu desinteresse pelo material até então característico da poesia lírica – fragmentos da memória, nostalgia, reminiscências, dores da alma, encontros muito particulares com a beleza em um mundo desencantado – corresponde um interesse pelo uso alegórico da palavra. Uma imagem, em Baudelaire, não tem o mesmo estatuto psíquico das formações do imaginário: tem o estatuto de um símbolo. Benjamin cita Laforgue ao comen-

---

[156] Ibidem, p. 111.
[157] Sigmund Freud, "Más allá del principio del placer", cit., p. 2511.

tar que as metáforas baudelairianas impedem ao leitor a irrupção da paixão, pois irrompem no texto à maneira de "desmancha-prazeres"[158].

Aqui se encontra uma indicação preciosa para a compreensão da relação dos depressivos com a dimensão imaginária: assim como Baudelaire, os depressivos sofrem de um empobrecimento do imaginário, esse registro das representações psíquicas que deveria fornecer um mínimo de confiança na vida, um mínimo de fé nas representações correntes da felicidade. A vida mental dos depressivos, por razões que pretendo analisar nos capítulos seguintes, encontra pouca sustentação na rede imaginária que protege os neuróticos "normais" de cair no vazio. Daí a grande importância do simbólico na metapsicologia dos depressivos e sua afinidade particular com o humor, a música, a matemática, o xadrez e todas as outras formações da linguagem em que o simbólico predomina sobre o imaginário. Predomina e, se seguirmos a indicação de Freud em "O inconsciente", às vezes faz suplência a ele. Usar o símbolo no lugar em que deveriam estar as representações de coisas: seria o caso de perguntar se, para esses depressivos que se protegem do vazio ao se interessar por grandes estruturas simbólicas, *tudo também se torna alegoria*. No caso de Baudelaire, a poesia foi o terreno do predomínio do simbólico sobre as formações do imaginário.

O risco de tal empreitada não é estético: é psíquico. Nas últimas páginas de "O inconsciente", Freud escreve que a diferença entre o simbólico e o imaginário é que esse último guarda as "primeiras e verdadeiras cargas de objeto" características do sistema Icc. No pré-consciente (que em Freud, como vimos, é o sistema a que pertence à memória não recalcada), tais "representações de coisa" recebem o acréscimo das representações de palavra, essencial para o acesso das marcas mnêmicas à consciência.

Os processos de pensamento, mais distantes das percepções originais, podem desenvolver-se inconscientemente e tornarem-se conscientes a partir de seu enlace com as cargas verbais. Após algumas considerações sobre a relação entre o imaginário e o simbólico na psicose, Freud aponta que um dos perigos do trabalho intelectual seria privilegiar as representações abstratas a ponto de perder a conexão com as representações de coisa originárias.

> Quando pensamos abstratamente, corremos o perigo de desatender as relações das palavras com as representações de coisa inconscientes, e não se pode negar que nosso filosofar

---

[158] Os comentadores de Baudelaire citados por Benjamin são Lemaitre e Jules Laforgue. Ver Walter Benjamin, "Sobre alguns temas em Baudelaire", cit., p. 95.

alcança então uma indesejada analogia de expressão e conteúdo com o trabalho mental dos esquizofrênicos. Por outro lado, podemos dizer que a maneira de pensar dos esquizofrênicos se caracteriza pelo fato de manejar as coisas concretas como abstratas.[159]

Não se trata aqui de supor que Baudelaire tenha sido esquizofrênico, nem de empreender nenhuma tentativa de diagnóstico extemporâneo do poeta. Não me afasto da designação de *melancólico* atribuída por Baudelaire a si mesmo, adotada por comentadores contemporâneos a sua obra e outros posteriores, já no século XX, entre os quais privilegio a leitura de Walter Benjamin. Guardada a ressalva fundamental de que a versão tradicional da melancolia a aproxima das depressões na clínica psicanalítica, sugiro que a prevalência do registro puramente simbólico nos processos criativos e de pensamento em geral, desconectados do registro imaginário, tem importante participação dos quadros depressivos, a exemplo da melancolia do poeta.

A observação freudiana conduz a uma pergunta em relação ao projeto estético de Baudelaire: teria ele escolhido a alegoria como forma predominante de expressão poética por razões formais, ou sua compulsão simbolizadora ("tout pour moi deviant allégorie"[160]) pode ser considerada como tentativa de cura para o vazio depressivo em que o poeta já estava, de antemão, instalado? A pergunta, embora irrespondível, merece ser formulada: a melancolia teria sido, em Baudelaire, o *motor de sua estratégia poética* ou o custo subjetivo de seu projeto estético de dar conta da modernidade por meio da emancipação frente às vivências, e consequentemente da destituição do imaginário?

Vejamos em "Spleen"[161]. O primeiro verso anuncia o que poderia ser um propósito de recuperação da memória individual, aquela que registra, no psiquismo, a dimensão imaginária do vivido e fornece material à poesia lírica: "Tenho mais recordações do que se tivesse mil anos"[162]. Apesar da grandeza da

---

[159] Sigmund Freud, "Lo inconsciente", em *Obras completas*, cit., p. 2082. [Ed. bras.: "O inconsciente", em *Obras psicológicas completas*, cit., v. XIV.]

[160] "Paris change! mais rien dans ma mélancolie / N'a bougé! palais neufs, échafaudages, blocs, / Vieux faubourgs, tout pour moi devient allégorie, / Et mes chers souvenirs sont plus lourds que des rocs." Ver Charles Baudelaire, "Le Cygne", em *Oeuvres complètes: Les fleurs du mal*, cit., p. 97. ["Paris muda! Porém minha melancolia / Não! Andaimes, palácios novos, avenidas, / Blocos, para mim tudo vira alegoria, / E mais que as pedras, pesam lembranças queridas." (Tradução de Duda Machado.)]

[161] Charles Baudelaire, "Spleen", em *Oeuvres complètes: Les fleurs du mal*, cit..

[162] "J'ai plus de souvenirs que si j'avais mille ans." Idem. (Tradução minha.)

imagem inaugural ultrapassar de saída a dimensão individual do sujeito desse enunciado – quem pode guardar em si mil anos de recordações? –, a abertura do poema parece prometer um desfiar nostálgico de lembranças pessoais, já que a voz poética anuncia que tais memórias pertenceriam ao poeta.

Baudelaire, entretanto, não nos oferece nem uma única lembrança que corresponda às formações imaginárias que, em Freud e Lacan, consistiriam os desdobramentos na memória e na fantasia a partir dos quais o neurótico constrói sua novela particular. A fonte de imagens que compõem "Spleen" não é a dimensão imaginária da memória que dá consistência e permanência ao *eu*: o poema se escreve todo sob o registro alegórico. Baudelaire não nos oferece *souvenirs* de um passado nostálgico. O *je*, portador de mil anos de lembranças, descreve por meio de símbolos o estado de espírito de quem tomou para si a tarefa de reter, sozinho, os efeitos da passagem do tempo. Ele se representa como um móvel antigo, cheio de velhos papéis, como pirâmide, cemitério, túmulo onde os vermes devoram, "como [se fossem] remorsos", seus mortos queridos.

> Uma cômoda imensa atulhada de faturas,
> Versos, cartas de amor, romances, escrituras,
> Com pesados cachos de cabelo enrolados em recibos,
> Guarda menos segredos que meu cérebro triste.
> É uma pirâmide, um imenso porão,
> Que contém mais mortos que uma vala comum.
> – Sou um cemitério odiado pela lua,
> Onde, como remorsos, se arrastam os vermes
> Sempre a irritar os meus mortos queridos.[163]

Terá o poeta lírico, para cumprir seu projeto de reter em seu "triste cérebro" (faz toda a diferença a escolha simbólica do *cérebro*, no lugar do tradicional representante da nostalgia, o coração) mais de mil anos de recordações, se instalado em um tempo que não passa? Essa suposição provém de um verso que reproduz para o leitor a impressão do tédio, o *spleen* que dá nome a esse poema (e aos três que o sucedem, em *Les fleurs du mal*):

---

[163] "Um gros meuble à tiroirs encombré de bilans, / De vers, de billets doux, de procès, de romances, / Avec de lourds cheveux roulés dans des quittances, / Cache moins de secrets que mon triste cerveau. / C'est une pyramide, un immense caveau, / Qui contient plus des morts que la fosse comune. / – Je suis un cimitière abhorée de la lune, / Où, comme des remords, se traînent de long vers / Qui s'acharnent toujours sur mes morts les plus chers." Idem. (Tradução minha.)

> Nada se iguala em langor aos claudicantes dias
> Quando, sob os flocos pesados de longos invernos
> O tédio, fruto da morna incuriosidade
> Assume as proporções da imortalidade.[164]

O tempo do tédio simula o da imortalidade. É um tempo que não transcorre, não em função de alguma característica própria dele mesmo, mas em função do desinteresse desse eu-lírico diante dos acontecimentos que se desenrolam na temporalidade. O tédio, fruto da "incuriosidade", indica o fatalismo e o desinteresse por uma vida cujo devir não apresenta nenhuma perspectiva de superação do presente.

Assim termina o poema:

> Doravante não és mais, pobre matéria viva
> Que um granito cercado por um vago espanto
> Perdida no fundo de um Saara brumoso.
> Uma velha esfinge, ignorada do mundo, descuidada
> Esquecida no mapa, e cujo áspero humor
> Só canta ante os raios do sol que se põe.[165]

A emancipação frente às vivências e a escolha da alegoria como matéria poética produzem uma *dessubjetivação* do eu-lírico, em Baudelaire. Uma pedra perdida entre as brumas do Saara, rodeada por um vago espanto – "isso serás, oh pobre matéria viva, daqui em diante". O poeta abdicou das representações imaginárias que sustentam e enobrecem a subjetividade para representar-se como puro efeito da devastação produzida pelo tempo vazio.

O *spleen* baudelaireano não é idêntico ao tédio (embora fale dele). Por outro lado, o tédio que os depressivos experimentam também não é da mesma qualidade que o ócio referido por Walter Benjamin. O tédio que se produz em meio ao tempo urgente da vida moderna (e contemporânea) corresponde a um tempo vazio, *desprovido da contrapartida onírica*. Esse tempo que não passa, paradoxalmente, é o contrário da temporalidade dilatada do ócio, cuja

---

[164] "Rien n'égale en longueur les boiteuses journées, / Quand sous les lourds flocons des neigeuses années / L'ennui, fruit de la morne incuriosité, / Prend les proportions de l'immortalité." Idem. (Tradução minha.)

[165] "Desormais tu n'est plus, ô matière vivante! / Qu'un granit entouré d'une vague épouvante, / Assoupi dans le fond d'un Sahara brumeux; / Un vieux sphinx ignoré du monde insoucieux, / Oublié sur la carte, et dont l'humeur farouche / Ne chante qu'aux rayons du soleil qui se couche." Idem. (Tradução minha.)

duração possibilita uma modalidade menos urgente, mais prolongada, de prazer. O tempo que não passa, característico dos diversos tipos de depressão, apresenta-se aos sujeitos como tempo sem memória e sem devir, um puro presente comprimido entre dois instantes idênticos a todos os anteriores, que hão de passar sem deixar nada atrás de si.

O tempo é uma das dimensões da falta. O mesmo tempo de espera que inaugura a formação do aparelho psíquico, tempo que corre em ritmo distendido e alheio à urgência das demandas do Outro, introduz a falta no psiquismo. *A demora é uma das manifestações mais incontornáveis da falta, para o sujeito*. Inversamente, a automatização da pressa que nos leva a viver e realizar as tarefas da vida no tempo do Outro atropela o sujeito (do desejo); nesse caso, a pressa convém ao neurótico, que negocia seu desejo em troca da demanda do Outro. A expressão corriqueira "preciso disso *para ontem*" expressa bem tal desvalorização da duração presente, a única na qual o corpo existe, respira, age – duração que é também a temporalidade psíquica do sujeito que espera pela satisfação. Queremos "tudo ao mesmo tempo agora": o tempo comprimido e aparentemente *pleno* de ofertas/demandas de gozo, que caracteriza a sociedade contemporânea, é cúmplice, senão coautor, do sentimento de vazio que abate os depressivos. Parece que nada falta aos que se precipitam na velocidade exigida por essa demanda.

Nada falta a não ser – tempo. O tecido da vida.

A esse *sentido restrito* da temporalidade, pode-se contrapor a estrofe final do poema "Le reniement de Saint-Pierre" [A recusa de São Pedro], de Charles Baudelaire: "Quanto a mim, deixarei, satisfeito / um mundo onde a ação não é a irmã do sonho"[166].

A ação apartada do sonho corresponde ao fatalismo do melancólico, à submissão que Winnicott percebe naqueles que perderam a capacidade de criar e sucumbem à impressão de que um outro, "ou uma máquina", cria por eles. As máquinas sonham por nós?

A tecnologia, que tanto provoca quanto acompanha as mudanças subjetivas dos homens, já oferece uma aparente solução para o vazio da experiência da sociedade contemporânea: os aparelhinhos de registrar nossa existência no tempo parecem tentar substituir o trabalho imaginário da memória. Celulares e máquinas

---

[166] "Certes, je sortirai, quant à moi, satisfait / D'un monde où l'action n'est pas la soeur du rêve". Ver Charles Baudelaire, "Révolte", em "Poemas acrescentados a *Fleurs du mal*", *Oeuvres complètes*, cit., p. 119.

fotográficas computadorizadas oferecem às pessoas a imagem instantânea de cada momento vivido, de modo a garantir que, pelo menos nas férias ou nas noites de sábado, algum acontecimento tenha merecido registro – se não no psiquismo, ao menos na telinha destinada, também ela, à rápida superação. É notável o efeito social do caráter instantâneo da reprodução fotográfica, que relegou as velhas *polaroides* à prateleira das velharias. Os grupos que se reúnem na tentativa de compartilhar um momento inesquecível dedicam-se freneticamente a registrar as provas incontestáveis de sua felicidade. Se a foto não corresponder à imagem esperada, é fácil apagá-la e substituí-la por outra, até se obter uma edição perfeita da noitada ou do fim de semana. Que por sua vez terá sido todo ele ocupado pela própria atividade de perpetuar sua existência fugaz numa foto perfeita.

Não sei se devemos considerar o afã em registrar em imagem todos os momentos da existência apenas como efeito das inovações tecnológicas e dos apelos narcísicos com que elas se oferecem aos consumidores. Talvez a necessidade de testemunhar, por meio de fotografias ou de registros em vídeo, os chamados "bons momentos da vida" revele exatamente o empobrecimento da experiência que Benjamin atribuiu, desde o início do século XX, ao lugar hiperdimensionado que a técnica ocupa na vida moderna. Seria essa necessidade de registrar em imagens supostamente fidedignas cada momento vivido um sintoma de que a temporalidade socialmente regulada na vida contemporânea esteja encurtando a experiência subjetiva da duração? Um dos efeitos dessubjetivantes da velocidade é o empobrecimento da imaginação: o que se busca, no instantâneo fotográfico, é uma espécie de atestado de que a vida, como *action qui n'est plus soeur du rêve*, tenha sido de fato vivida.

Em um poema em prosa de 1863, "Les fenêtres", Baudelaire retoma mais uma vez a aliança entre vida e devaneio, ao escrever que aquilo que se enxerga através de uma janela aberta não se compara com o que se vê pela janela fechada. O poema é uma apologia do caráter misterioso do objeto do desejo, que excita a imaginação sem jamais se reduzir ao que os olhos podem ver.

> Não existe objeto mais profundo, mais misterioso, mais fecundo, mais tenebroso, mais deslumbrante do que uma janela iluminada por uma chama. O que se pode ver ao sol é sempre menos interessante do que o que se passa atrás de uma vidraça. Nesse buraco negro ou luminoso, vive a vida, sonha a vida, sofre a vida.[167]

---

[167] "Il n'est pas d'objet plus profond, plus mystérieux, plus fécond, plus ténébreux, plus éblouissant qu'une fenêtre éclairée d'une chandelle. Ce qu'on peut voir au soleil est toujours moins intéressant que ce qui se passe derrière une vitre. Dans ce trou noir ou lumineux vit la vie, rêve la vie,

O texto prossegue descrevendo a cena na qual o poeta sonha enxergar algo entre os reflexos que a vela projeta no vidro fechado de um quartinho pobre, que ele observa através da sua própria janela. Ao ser indagado sobre a fidedignidade da imagem que supunha presenciar, o narrador responde que isso não lhe interessa. O objeto de seu fascínio pertence àquela *outra cena* que o trabalho psíquico compõe ao preencher as lacunas de sentido do Real em busca do que nele é causa do desejo: o desejo, metonímia do ser.

> "Talvez você me diga: tens certeza de que essa lenda é verdadeira? Que me importa o que seja a realidade colocada fora de mim, se ela me ajudou a viver, a sentir que eu sou e o quê eu sou?"[168]

---

souffre la vie." Ver Charles Baudelaire, "Les fenêtres" (1863), em *Oeuvres complètes: Petits poèmes en prose*, cit., p. 174. (Tradução minha.)

[168] "Peut-être me direz-vous: 'Est-tu sûr que cette légende soit la vraie?' Qu'importe ce que peut être la réalité placée hors de moi, si elle m'a aidé à vivre, à sentir que je suis et ce que je suis?" Idem. (Tradução minha.)

Terceira Parte
O recuo depressivo

Sei que daqui a um ano eu vou me sentir melhor.
Um ano passa rápido.
O que demora a passar é um minuto.

IX
Ceder de seu desejo: o vazio depressivo

Quando me houveres domado, dize-me:
Na melancolia dos vivos
Voará longamente minha sombra?

Giuseppe Ungaretti

O leitor familiarizado com a psicanálise terá percebido que abordo a depressão a partir da teoria das neuroses. Há muito que esclarecer a esse respeito. No que consiste, para a psicanálise, a depressão? O que a diferencia da melancolia, de um lado, e dos diversos estados depressivos que acometem os neuróticos, por outro?

Se venho trabalhando a partir da hipótese de que a depressão, por ocupar o lugar de sintoma social, é o equivalente contemporâneo do sentido pré-freudiano da melancolia, é preciso buscar a analogia entre as condições do abatimento melancólico, desde a Antiguidade até Walter Benjamin, e as que se encontram na origem do crescimento das depressões na atualidade. A primeira condição, da melancolia como perda do lugar do sujeito junto à versão imaginária do Outro, cumpre-se perfeitamente quanto ao sentido da depressão na atualidade. No dizer de Pascal Bruckner, "nós constituímos provavelmente as primeiras sociedades da história a tornar as pessoas *infelizes por não ser felizes*"[1]. Essa formulação não resume o sofrimento do depressivo, mas expressa o lugar de exceção que ele ocupa entre os que se consideram adaptados às exigências contemporâneas

---

[1] Ver Pascal Bruckner, *A euforia perpétua: ensaio sobre o dever da felicidade* (trad. Rejane Janowitzer, Rio de Janeiro, Difel, 2002), p. 77.

da felicidade. O depressivo é incapaz de corresponder aos desígnios do Outro nas sociedades regidas pelo imperativo da felicidade, da predisposição permanente a divertir-se e a gozar.

Já a verificação, para a depressão contemporânea, da condição benjaminiana da melancolia como efeito do fatalismo exige um novo um rodeio teórico.

Em 1973 Lacan, na entrevista concedida à TV estatal francesa (ORTF) e editada em livro com o título *Télévision*, faz uma breve alusão à relação entre a tristeza e a depressão na qual sua posição parece ambígua: existe depressão, para a psicanálise, ou existem apenas a melancolia, de um lado, e, de outro lado, os estados de tristeza, insuficientes para configurar um quadro clínico? "A tristeza, por exemplo, nós a qualificamos de depressão, ao lhe atribuir a alma por suporte, ou a tensão psicológica de Pierre Janet." A seguir Lacan avança um pouco em suas considerações sobre a depressão. Essa não seria apenas um "estado da alma", mas uma *culpa moral* ou mais, ainda: *covardia moral*. Covardia que não se manifesta, necessariamente, no desinteresse pelos chamados "perigos da vida": um covarde, no sentido lacaniano da palavra, pode bem ser viciado na adrenalina dos esportes radicais. A covardia a que o autor faz referência se manifesta, por exemplo, frente ao que ele considera como "dever de bem dizer": nesse caso, o covarde seria aquele que faz de sua palavra uma repetição do discurso de um Mestre de plantão, esvaziada de qualquer relação com o saber inconsciente. A experiência da psicanálise nos faz perceber que a palavra vazia tem a função de obscurecer a posição inconsciente do sujeito na estrutura. A seguir, na mesma entrevista, já não se sabe se Lacan se refere à tristeza depressiva ou à melancolia, já que ele completa seu argumento falando do estado de excitação maníaca que corresponde ao retorno, no real, daquilo que foi rejeitado na linguagem.

Isso não nos impede de combinar essa breve associação entre tristeza depressiva e covardia moral com a passagem já citada, no *Seminário 7*, em que Lacan utiliza a mesma expressão para falar da única culpa legítima, do ponto de vista da psicanálise: a do sujeito que *trai sua via*[2]. À diferença do que acontece com as formas da culpabilidade neurótica, o depressivo tem toda a razão em se sentir culpado. Ele é, efetivamente, culpado – e sabe bem disso – pela posição a partir da qual escolheu viver sua única vida.

---

[2] Ver Jacques Lacan, *O Seminário, livro 7: A ética da psicanálise* (trad. Antonio Quinet, Rio de Janeiro, Jorge Zahar, 1988), p. 385.

O interessante é que nas outras passagens nas quais Lacan se refere à única via da qual o sujeito não pode ceder – ao preço de ficar legitimamente culpado – ele articula essa perspectiva com alguma ideia de obra. No Seminário de 1967, a ideia de covardia moral aparece quando o sujeito "tolera que alguém com quem ele se dedicou mais ou menos a alguma coisa tenha traído sua expectativa". Dedicar-se a alguma coisa com alguém implica um projeto. Pode ser um projeto privado, é claro: um casamento, por exemplo. Mas o sentido de "dedicar-se com alguém a alguma coisa" se enriquece quando retomamos a passagem do Discurso de Roma, de 1953, em que ele se refere ao "final de análise como o momento em que o sujeito pode encontrar sua satisfação através da associação com outros, tendo em vista a realização de uma obra".

Se a obra da psicanálise, à qual Lacan dedicou a vida, foi para ele a invenção mais importante do século XX, isso não significa que tornar-se analista seja a única via não covarde para o sujeito. O que importa aqui, na trilha da indicação de Hegel sobre a importância decisiva de se ganhar o espaço público (extra-familiar) para se lograr o "acabamento da personalidade"[3], é que a linha argumentativa que liga essas passagens pontuais, na obra de Lacan, permite-nos articular – vejamos como – depressão, covardia moral, apego à imago materna, recuo frente ao desejo e retirada da vida pública.

É corriqueira a ideia de que algumas pessoas não conseguem sair do quarto porque estão deprimidas. Proponho abordar esse fenômeno no sentido inverso: o ato originário que motivou essa retirada teria sido, ele próprio, responsável pela depressão. Primeiro o sujeito se retira para, em consequência disso, deprimir-se. Daí em diante, recolhimento e depressão alimentam-se mutuamente, impulsionados por todas as modalidades gozantes da pulsão de morte.

A psicanálise, embora ocorra em um ambiente privado, representa a primeira saída para o espaço público que alguns depressivos arriscam empreender. Na sala do analista, onde nunca se está "a dois" (pois a relação do profissional com o campo da psicanálise ocupa o lugar do terceiro), a palavra do depressivo começa a se dirigir a um interlocutor exogâmico e começa a fazer sentido a partir de uma outra lógica, diferente do circuito fechado da proteção familiar.

---

[3] Voltarei a esse ponto mais detidamente no capítulo XI, p. 269.

Melancolia, depressões, depressão

Na Primeira Parte referi-me brevemente à diferença entre os diagnósticos psicanalíticos da depressão e da melancolia. Essa distinção é fundamental por duas razões: primeiro porque as semelhanças sintomáticas produzem frequentes confusões entre os diagnósticos da melancolia e da depressão. Segundo, para definir se as depressões pertencem majoritariamente ao campo das neuroses ou das psicoses. Freud situa a melancolia próxima da esquizofrenia, como uma neurose *narcísica* em oposição às neuroses de transferência (histeria, neuroses de angústia e neurose obsessiva). Faz sentido. Na melancolia freudiana a falta de objeto não se inscreve ao longo do atravessamento do complexo de Édipo, e sim muito antes, na etapa primordial da constituição do sujeito dominada pela oralidade, pela ambivalência e pela indiferenciação entre o *infans* e a mãe. Assim sendo, o objeto perdido praticamente se confunde com o *eu* (sua "sombra recobre o *eu*", escreve Freud[4]), contra o qual o sujeito dirige seus insultos e sobre o qual o *supereu*, representante das moções de gozo anteriores ao atravessamento do complexo de Édipo, dirige seu sadismo.

O conceito de neurose narcísica, em psicanálise, aproxima-se do de psicose, mas não se confunde com ele. Freud, em "Neurose e psicose"[5], define as neuroses a partir de um conflito entre o *eu* e o *isso*, e as psicoses entre o *eu* e o "mundo exterior" (sem se ater à questão de qual instância psíquica o representa). A melancolia, como (única?) representante do grupo das "neuroses narcísicas", resultaria de um conflito entre o *eu* e o *supereu*. Uma psicanalista como Marie-Claude Lambotte, autora de dois livros importantes sobre a melancolia[6], opta por seguir a nosografia freudiana, que diferencia a esquizofrenia e a paranoia no campo das psicoses, e a melancolia como uma neurose narcísica. Lambotte distingue a melancolia das psicoses maníaco-depressivas, mas também das neuroses comuns – daí a insistência no termo *neurose narcísica*. Para ela, a ausência de representação do objeto (perdido) para o melancólico não configura uma

---

[4] Sigmund Freud, "Duelo e melancolía" (1915), em *Obras completas* (trad. Luis López-Ballesteros, Madri, Biblioteca Nueva, 1976), v. II, p. 2095. [Ed. bras.: "Luto e melancolía", em *Obras psicológicas completas*, Rio de Janeiro, Imago, 2006, v. XIV.]

[5] Idem, "Neurosis y psicosis" (1924), em *Obras completas*, cit., v. III, p. 2742-4. [Ed. bras.: "Neurose e psicose", em *Obras psicológicas completas*, cit., v. XIX.]

[6] Marie-Claude Lambotte, *Estética da melancolia* (Rio de Janeiro, Companhia de Freud, 2000) e *O discurso melancólico* (trad. Sandra Regina Felgueiras, Rio de Janeiro, Companhia de Freud, 1997).

estrutura psicótica: deve-se ao fato de que "a gênese da melancolia está assentada sobre um modo de deserção da parte do Outro em relação ao sujeito, antes mesmo que possamos falar em objeto"[7].

Quais as consequências, para o sujeito, dessa "deserção" tão precoce do Outro? Devemos diferenciar, como sugere Lambotte, a estrutura "narcísica" da melancolia de uma estrutura psicótica?

Encontramos em Antonio Quinet[8] uma abordagem a favor da hipótese da psicose. Quinet empresta de Jules Séglas, psiquiatra do grupo do hospital-escola parisiense Salpetrière no final do século XIX, a expressão "dor moral" para definir o sofrimento melancólico. Essa não é uma expressão estranha ao depressivo. Mas se pretendo sustentar a diferença entre depressões e melancolia, é importante averiguar de que tipo de dor moral se trata em cada uma dessas estruturas.

Na melancolia, a dor moral é tributária de um sentimento de desvalia absoluta do *eu*. O *eu*, no melancólico, se desenvolve a partir da experiência precoce de não ter tido valor para o Outro materno. Essa é a origem da dor. A impossibilidade de suportar a dor moral leva o sujeito a uma produção delirante, que atinge tanto as funções do pensamento como as funções corporais. Para Séglas, o delírio melancólico é "uma tentativa de interpretação do estado de aniquilamento profundo, de dor moral ou das causas que as produziram, e para as quais o paciente procura a razão ou prevê as consequências"[9]. Quinet chama a atenção para o fato de que o delírio que tenta interpretar a dor melancólica acaba por ser englobado entre as causas agravantes dessa dor. Isso indica que algo ainda mais grave do que o sujeito é capaz de expressar aconteceu na origem de sua melancolia, antes do estabelecimento das convicções delirantes sobre sua desvalia. O delírio melancólico busca reconstituir o Outro, escreve Quinet[10]. À falta da experiência primordial que instala o Outro em sua versão imaginária, como ser de amor que confere um lugar ao *infans* entre os significantes do objeto para seu desejo, o melancólico restaura o Outro nos domínios do *supereu* primitivo, cuja crueldade o delírio tenta justificar. Ocorre que a identificação do *eu*, na melancolia, com o objeto perdido e odiado – que se en-

---

[7] Idem, "A deserção do Outro". Entrevista a Lígia G. Victora, M. Rosane P. Pinto e M. Cristina Poli, em *A clínica da melancolia e as depressões* (Porto Alegre, APPOA, 2001), p. 85 e p. 84-101.
[8] Antonio Quinet, *Psicose e laço social: esquizofrenia, paranoia e melancolia* (Rio de Janeiro, Jorge Zahar, 2006).
[9] Jules Séglas, "Conferências clínicas" (1894), citado por Quinet, *Psicose e laço social*, cit., p. 190.
[10] Ibidem, p. 193.

contra "lá onde reina a pulsão de morte"[11] – favorece o masoquismo do *eu* diante do sadismo do *supereu* de modo que, como Freud bem observou, as autoacusações do melancólico acabam por tornarem-se verdadeiras.

Nesse ponto já se encontra uma importante diferença entre a melancolia e as depressões. Marie-Claude Lambotte observa que essa diferença se manifesta, antes de tudo, por meio do discurso. Se as queixas e autoacusações abundantes com que os melancólicos tentam justificar sua dor podem ser consideradas delirantes, nos depressivos encontramos uma parcimônia nas produções imaginárias. Os depressivos, na experiência da autora, procuram localizar alguma ocorrência na "vida real" que justifique seu sofrimento; propõem ao analista que os ajude a investigar a origem da depressão, que estabelece um "antes" e um "depois" em sua história de vida. Tal demanda de esclarecimento dirigida ao analista conduz a autora a classificar as depressões ao lado das neuroses. Na melancolia, há uma espécie de discurso totalizante e negativista que tenta englobar o analista em uma lógica impessoal e irrefutável baseada em grandes verdades gerais, do tipo: "não existe a verdade, nada tem sentido, você há de concordar comigo [...]"[12]. Para a autora, o discurso melancólico, fechado a qualquer questionamento investigativo, tenta produzir na transferência uma relação de *assimilação* oral com o analista – o que atesta, mais uma vez, a precocidade do laço com o objeto perdido. Por outro lado, o estabelecimento de tais verdades generalizadas a respeito do horror da existência faz com que o melancólico perceba seu analista como alguém que, como ele próprio, teria sobrevivido a uma descida aos infernos.

> Se, bem no início da tomada em tratamento, é o sujeito melancólico que se encontra em uma posição quase de sujeito-suposto-saber, – porque ele diz "eu sei tudo o que a senhora vai dizer" –, na sequência do tratamento isso muda. [...] o analista retorna daquilo que ele, o melancólico, viveu; o analista retorna, ele se safa. [...] parece-me que há aí um ponto de báscula que possibilita ao analista continuar verdadeiramente.[13]

Ao instituir o analista no lugar de alguém suposto-saber da dor melancólica, estaria o sujeito tentando superar a dor moral produzida pela deserção do Outro primordial?

A dor moral, na melancolia, ancora-se em delírios de iniquidade; na depressão, ela é expressão do horror ante o vazio psíquico. Uma das dificuldades iniciais que

---

[11] Ibidem, p. 217.
[12] Marie-Claude Lambotte, "A deserção do Outro", cit., p. 87.
[13] Ibidem, p. 92.

o psicanalista encontra na clínica das depressões é esta, de que durante muitos encontros ele se depara, junto a seu analisante, com um imenso vazio de significações. O depressivo procura explicar a origem histórica de seu mal, mas não produz nada correspondente a uma "novela familiar" que justifique sua posição. O vazio depressivo não corresponde ao que, na melancolia, Séglas denominou de "furo no psiquismo" e no qual Freud, por sua vez, detectou a perda de um objeto desconhecido (isso é, inconsciente) para o *eu*, cujo delírio consiste em acusar-se com segurança absoluta por uma indignidade cometida, ainda que não saiba qual foi.

A falta de objeto, na melancolia, corresponde ao momento da constituição subjetiva em que o *infans é o objeto*. "Eu sou o seio que eu sugo": essa fórmula, sugerida pelo psicanalista Alejandro Viviani a partir do ensino de Lacan, instaura o traço da primeira identificação que sustenta o sujeito. A experiência de satisfação, entretanto, não se dá em uma relação dual entre o bebê e a mãe. Não se restringe ao encontro do bebê com o seio, nem é um encontro exclusivo entre o bebê e a mãe, fora da mediação simbólica. O traço unário se instaura a partir desse encontro, como primeira marca do Nome-do-Pai, *através da subjetividade da mãe*. Isso significa que a função paterna atua desde os primórdios da constituição do sujeito *através do discurso da mãe*, que desde o início já não forma Um com seu bebê, apesar de lhe dar um lugar privilegiado em sua economia libidinal.

A entrada na vida, para o recém-nascido, é concomitante à possibilidade da mãe conferir a seu filho um lugar simbólico. A psicanálise revelou que desde a gestação, a relação que se estabelece entre a mãe e o recém-nascido já não é natural. O que a mãe visa, ao revestir seu bebê de amor e de cuidados, é sempre o falo – significante de um objeto que (desde sempre) lhe falta. Isso não significa que o bebê seja o objeto do desejo da mãe: ele é o *significante* desse objeto. Ocorre que a presença de um representante (imaginário) do falo é sempre decepcionante, já que o estatuto do falo é puramente simbólico. A presença do recém-nascido, para uma mãe suficientemente neurótica, nunca recobre plenamente a expectativa de que esse foi objeto antes do nascimento. A contrapartida desse estatuto simbólico da criança junto à mãe é que ele protege o *infans*, nas ocasiões em que fatalmente frustre a fantasia materna, de cair de objeto para dejeto. A mãe suficientemente boa, que na melhor das hipóteses é a mãe neurótica, suporta ser frustrada em algumas das expectativas que projetou sobre o recém-nascido sem expulsá-lo do lugar que ele ocupa frente a seu desejo.

A mãe do melancólico, incapaz de simbolizar o *infans*, por outro lado também não confere a ele, como é o caso da mãe do futuro esquizofrênico, o lugar de objeto de sua satisfação completa. Ela se ocupa do bebê como de um pedaço de carne[14], como de uma vida exclusivamente biológica que ela teria o dever de preservar. O futuro melancólico não foi, portanto, marcado pela identificação fálica; ele inaugurou sua existência como um rebotalho do simbólico.

Por essa mesma razão, a mãe que não confere ao recém-nascido um lugar entre os representantes de seu desejo vai ser percebida, do ponto de vista da criança, como um ser sem falta. A mãe do melancólico é percebida pela criança como um ser completo não porque se satisfaça toda por meio da fusão com o bebê[15], mas justamente ao contrário, porque prescinde inteiramente dele para sua satisfação. Isso não significa que ela esteja satisfeita: muito ao contrário, é frequente que, na origem da vida do melancólico, se encontre uma mãe mergulhada em depressão, em luto, em sua própria melancolia ou em alguma outra dor que não lhe permita alegrar-se com a chegada de seu bebê. Mas do ponto de vista da criança, a mãe que não se satisfaz com ela se apresenta como onipotente. É do lugar do Outro não barrado, para o qual ele não tem nenhum valor, que a mãe do melancólico dominará todo o desenrolar de sua vida psíquica.

Como a etapa inaugural da constituição do sujeito é marcada pela alienação, e não pela separação, *do ponto de vista do infans*, a mãe, normalmente, ainda não se apresenta como Outro[16] e sim como extensão do *ser* em que o projeto de sujeito ainda encontra-se mergulhado. Daí que o ódio pelo objeto perdido não se manifeste nitidamente como agressividade em relação à mãe, mas como destrutividade inconsciente do *eu* contra si mesmo.

Na melancolia, tal experiência inaugural de *ser Um com o Outro,* a partir da qual o *eu* haverá de se diferenciar, foi abortada pela dinâmica intersubjetiva entre o bebê e uma mãe que se apresenta como "morta"[17]. Daí decorre que, na melancolia: 1) a falta de objeto se inscreve precocemente como buraco no cerne do *ser*. Esse é o "furo no psiquismo" a que se refere Freud: faltou ao melancólico a marca da experiência de ter sido o falo, significante da falta, para o Outro; 2) na melancolia, a questão

---

[14] Ou, no caso da esquizofrenia, como objeto de satisfação – o que, no que se refere à forclusão do Nome-do-Pai, dá no mesmo.

[15] Fusão originária que o futuro neurótico tentará recuperar, ao "escolher" seu lugar no fantasma.

[16] Para uma descrição exata da passagem do estatuto da mãe, de parte do *ser* do *infans* à primeira versão imaginária do Outro onipotente, ver Marie-Christine Laznik-Penot, *Voz da sereia* (Salvador, Agalma, 2004).

[17] A expressão é de André Green. Cf. "A mãe morta", em *Narcisismo de vida; narcisismo de morte* (trad. Claudia Berliner, São Paulo, Escuta, 1988), p. 247-82.

do sujeito é com o Outro[18], que não se apresentou em tempo ou se retirou cedo demais, impossibilitando a identificação fálica que marca a experiência dos sujeitos não melancólicos antes que eles, forçosamente, a percam; 3) o Nome-do-Pai, na melancolia, está foracluído, já que não se inscreve por meio do discurso da mãe.

A identificação fálica faz diferença na comparação entre os melancólicos e os depressivos: para perder o lugar de significante do objeto que falta à mãe, quando da entrada do pai no segundo tempo do complexo de Édipo, o sujeito precisa ter antes ocupado esse lugar. Na melancolia, o Outro "morto" (a mãe que não dá a seu bebê um lugar simbólico) não permitiu que essa identificação se formasse. Daí que a criança fica identificada não ao falo, como o futuro neurótico, mas ao objeto *a*. Antonio Quinet refere-se a esse ponto ao fazer equivaler o furo no psiquismo de Freud à foraclusão do Nome-do-Pai, em Lacan. Todos esses fatores apontam para a hipótese de uma estrutura psicótica.

No caso do depressivo, a identificação fálica ocorreu. O depressivo está marcado por ela, pela experiência de ter representado, para sua mãe, o falo. Também está marcado pela queda desse lugar privilegiado: o depressivo não é um psicótico. A dor moral de que sofre é de natureza diferente da do melancólico. O depressivo está marcado pela castração, mas não a simboliza – até aqui, não se diferencia do neurótico. Só que a castração é para ele motivo de dor narcísica e também de vergonha (são estes os componentes de sua dor moral), uma vez que ele se instalou na condição de castrado por covardia – para esquivar-se da rivalidade fálica com o pai e, consequentemente, com os substitutos dele, ao longo da vida. Permanece, portanto, na versão imaginária da *castração infantil*: aquele que nada pode. Se tivesse entrado na rivalidade com o pai, como faz o neurótico, o depressivo estaria fadado à derrota; mas, como ele preferiu se retirar do jogo sem nem ao menos tentar, o depressivo se envergonha de sua impotência. Caso tenha talentos – e tem! – nunca os põe à prova. É comum encontrarmos, na clínica das depressões, tipos que se consideram gênios desperdiçados ou incompreendidos.

Quando, depois de algum tempo de análise, um depressivo toma coragem para apostar em sua potência criativa, é compreensível que comece por experimentar um estado de ansiedade que se assemelha, na expressão fenomenológica, aos episódios maníacos característicos da melancolia. Agitação, dispersão, fanta-

---

[18] Ao contrário da depressão e das neuroses, em que a questão do sujeito é com o falo. Ver Mauro Mendes Dias, *Cadernos do seminário: neuroses e depressão* (Campinas, Instituto de Psiquiatria de Campinas, 2003), v. I e II.

sias que tanto podem ser de derrota humilhante quanto de algum tipo de triunfo maligno acompanham de maneira particularmente cruel as tentativas do depressivo de "ganhar o mundo". Mas a agitação ansiosa do depressivo que se arrisca a inscrever seu nome no espaço público é de natureza muito diferente da mania. Esse é o momento em que ele há de se enfrentar para valer com a realidade da castração, com o fato de que existe o Outro e também os outros, seus semelhantes, seus rivais, os "irmãos" com quem ele se recusou a jogar para não se arriscar a perder. É o momento de dar a conhecer sua potência, mas também seus limites. A ansiedade acompanha as ousadias fálicas do depressivo como a angústia de castração acompanha o neurótico. Já a angústia, na depressão, é de outra ordem: é o sinal de perigo do desaparecimento do sujeito, tomado pelo buraco do Outro. Voltarei a esse ponto.

A mania é contrapartida necessária da estrutura melancólica. Se o melancólico está identificado com o objeto *a*, esse objeto não está perdido e o sujeito, sem a marca da falta do objeto que organiza o campo simbólico, fica à deriva. O simbólico não é, para o melancólico, o registro em que se inscreve a falta, uma vez que ele próprio é o objeto (não) faltante. Daí decorre a oscilação permanente entre os episódios depressivos, em que o sujeito fica esmagado pela onipotência sádica do Outro na forma do *supereu* primitivo e os episódios maníacos, em que o sujeito se identifica com a onipotência imaginária do Outro materno e percorre o campo simbólico, passando por todas as possibilidades de combinações linguageiras. Nessa passagem o sujeito se desgarra da estrutura lógica da língua e fica, no dizer de Lacan, "entregue à metonímia infinita e lúdica, pura, da cadeia significante"[19]. Daí a fuga de ideias e os excessos de todos os tipos que caracterizam os episódios maníacos na melancolia.

A comparação com a melancolia favorece a hipótese de que o depressivo não seja um psicótico. Por outro lado, nas neuroses, podem ocorrer episódios depressivos que às vezes se confundem com a depressão, mas não equivalem a ela. Devemos diferenciar as ocorrências depressivas, na neurose obsessiva e na histeria, da depressão como posição do sujeito. Isso coloca um problema de saída: em que lugar situar a depressão, senão em uma estrutura? E que estrutura seria esta, fora da psicose, próxima da neurose, mas igualmente externa às duas estruturas neuróticas conhecidas pela psicanálise? Deveríamos considerar a depressão como uma estrutura de borda? Vejamos.

---

[19] Jacques Lacan, *O Seminário, livro 10: A angústia* (trad. Vera Ribeiro, Rio de Janeiro, Jorge Zahar, 2005), cap. XXIX, p. 365.

Luto e depressões nas neuroses

> Meus passarinhos da treva
> Voem baixo.
> Respeitem meu cão doente
> E minha alma que soluça.
> Meus passarinhos tenham dó
> A dor é tanta.
> Cantem, não cantem.
>
> *Francisco Alvim*

Estabelecida a distinção entre a depressão e a melancolia falta diferenciar o que estou chamando de depressão, como uma posição singular e decisiva do sujeito, das depressões ocasionais que podem acontecer na vida de qualquer um. Muitos psicanalistas de orientação lacaniana não reconhecem a depressão como uma posição do sujeito; referem-se apenas a ocorrências depressivas que podem abater circunstancialmente o neurótico. Colette Soler, por exemplo, ao comentar a inconsistência da noção de depressão, é taxativa ao afirmar que "a depressão, no singular, simplesmente não existe. O que existe, sem dúvida, são os estados depressivos"[20]. Concordo que é importante diferenciar a depressão tanto dos episódios depressivos quanto dos casos prolongados ou intermináveis de luto. Entretanto, ainda mais importante é abrir espaço, no terreno da psicanálise, para outro entendimento a respeito daqueles que, excluídos do diagnóstico da melancolia, se apresentam ao psicanalista como depressivos crônicos. Se a psicanálise não reconhecer as particularidades de seu estado só resta a estes depressivos ditos crônicos recorrer, de forma igualmente crônica, aos tratamentos medicamentosos.

O tratamento da depressão crônica estaria excluído do campo da psicanálise? Daniel Delouya chama a atenção para essa separação dos campos ao escrever que "é notória a diferença entre, de um lado, estados e momentos depressivos na vida normal e nos quadros de neurose e psicose e, de outro, aqueles que constituem quadros depressivos propriamente ditos, como vêm sendo caracterizados nos manuais de psiquiatria"[21]. O autor defende que a depressão "propriamente dita" seja incluída entre os quadros clínicos estudados e tratados pela psicanálise: "o ponto

---

[20] Colette Soler, "Un plus de mélancolie", em *Des mélancolies* (Paris, Éditions du Champ Lacanien, 2001), p. 99-100.
[21] Daniel Delouya, *Depressão* (São Paulo, Casa do Psicólogo, 2000), p. 11.

crucial é que o contexto psicanalítico perderia todo seu sentido se a depressão não fosse contemplada como fenômeno *unitário*"[22]. Pensemos, portanto, a depressão no contexto das estruturas clínicas.

A depressão não é igual ao luto, embora lutos mal-elaborados possam resultar em sérios episódios depressivos. No início dos processos de luto o sujeito resiste a se desligar do objeto perdido. O processo não é linear; o enlutado passa por momentos de relativo alívio em relação à dor da perda, para em seguida apegar-se ainda com mais intensidade à lembrança daquele que morreu ou partiu. O luto dito patológico, em que o apego à marca mnêmica do objeto perdido parece não ter fim, pode ser entendido por três vias distintas. Freud, em "Luto e melancolia", enfatiza a resistência da libido em desligar-se da representação de um objeto de satisfação. Na mesma linha, Juan-David Nasio[23] refere-se à desorganização pulsional que afeta o próprio corpo do enlutado quando as pulsões eróticas não mais (re)encontram o objeto que já havia sido incorporado a certos circuitos corporais e a certas modalidades de satisfação.

O abatimento corporal do enlutado pode assemelhar-se ao do depressivo. Nos processos de luto, o corpo se desorganiza ou se deserotiza em função do desencontro entre as pulsões eróticas e o objeto que até então orientava sua busca de satisfação. A sustentação fálica do corpo também pode desabar, já que o sujeito, ao perder um ser de amor, perde também o valor fálico que lhe conferia o lugar ocupado junto ao desejo do Outro. Segundo Lacan, o único tipo de luto que não é vivido como perda, falta, saudade, mas como abatimento do sujeito, é o que se pode resumir na frase: "eu era a sua falta". Não é o luto do objeto (amado) perdido, mas do lugar de onde o sujeito cai ao perder aquele(a) cuja falta ele supunha preencher.

No caso do corpo dos depressivos, a falta de sustentação fálica se revela desde a infância em função do recuo precoce do sujeito em relação à dialética fálica. Voltarei a esse ponto.

A segunda razão do apego do enlutado ao objeto perdido é de ordem imaginária: trata-se da resistência a deixar de amar o objeto que morreu ou partiu. Essa razão não é incompatível com a resiliência da libido, mas pertence ao registro das formações imaginárias, que é também o registro privilegiado do amor. Se em todo o processo de luto ocorrem movimentos sucessivos de desligamento e de intensificação da ligação com a memória do objeto, estas oscilações são muito

---

[22] Idem.

[23] Juan-David Nasio, *O livro do amor e da dor* (Rio de Janeiro, Jorge Zahar, 2005).

mais dolorosas nos casos em que a culpa participa do sentimento de perda. É possível que a hostilidade característica de toda ambivalência amorosa produza um sentimento inconsciente de culpa, que impeça o desligamento amoroso em relação ao objeto. Não é pouco frequente que a morte de uma das figuras parentais – principalmente a do pai – adquira o sentido inconsciente de uma realização de desejo, impossibilitando o desfecho do processo de luto, o qual consistiria na possibilidade de aceitar a perda e substituir o investimento objetal. Nesses casos, a pessoa busca o analista dizendo-se deprimida, incapaz de superar a perda sofrida já há alguns anos: o luto impossível deu lugar a uma depressão. Além da tristeza, da deserotização, da confusão pulsional, do vazio deixado pela falta do objeto, o sujeito sofre uma profunda queda em sua autoestima e sente-se torturado por uma culpa de origem inconsciente cujos efeitos se parecem com as autoacusações do melancólico. Sua resistência em terminar o luto é também um modo de castigar-se, de obrigar-se a sofrer indefinidamente uma perda pela qual ele se sente culpado. A diferença em relação à melancolia é que nos lutos intermináveis os *sintomas* melancólicos causados pela culpa inconsciente pertencem ao campo das neuroses, e o complexo que os produziu pode ser dissolvido em análise.

Existe ainda uma terceira dificuldade, aliada às duas anteriores, mas não idêntica a elas. Essa é de ordem lógica: a impossibilidade de superar a tristeza causada por uma perda amorosa pode resultar também de uma dificuldade do sujeito em reverter sua posição, de passivo para ativo. De objeto abandonado a sujeito capaz de também abandonar seu objeto. De início, o enlutado reage à inevitável posição de abandonado tentando impedir que o outro se vá, ou que sua lembrança se desvaneça até o ponto de tornar-se uma representação psíquica "morta", que já não produz excitação nem dor. Mas não é esse o movimento capaz de resolver o impasse lógico provocado pelo abandono. O movimento decisivo não é de resistência à perda, mas de consolidação do fim; em análise, é possível observar o momento em que o enlutado consegue *abandonar aquele que o abandonou*. Neste momento a tristeza começa a ceder lugar a um sentimento de triunfo sobre a morte, o abandono e a dor; a partir daí, o analisando pode começar a incluir outros objetos no circuito de satisfações pulsionais, e outros significantes para seu desejo tomam o lugar do nome do morto.

É verdade que a tristeza, apesar disso, pode tornar-se uma paixão. Uma paixão do *ser*, paixão de autossuficiência daquele que se recolhe, que se casa com sua tristeza para fazer-se indiferente ao mundo: a tristeza não é incompatível com o autoerotismo. O homem triste prescinde do mundo. Em companhia de sua tristeza, não se deixa afetar por nada mais.

A tristeza é uma paixão oposta ao entusiasmo. Este, para Espinosa, decorre da disposição por deixar-se afetar pelos acontecimentos do mundo sem se deixar abater por eles. O que diferencia as paixões tristes das paixões alegres, para Espinosa, não é o objeto da paixão (da afecção), mas a posição do sujeito diante daquilo que causa sua paixão. A passividade corresponde ao desconhecimento da causa; a posição ativa, ao conhecimento da causa. Deixar-se afetar sem sucumbir à posição passiva diante do que causa a afecção: essa é a posição subjetiva daquele que experimenta o entusiasmo, uma paixão aliada à *alegria de saber sobre a causa*.

Acrescento ainda, entre as possibilidades de um luto desembocar em uma ocorrência depressiva de curto ou longo prazo, os casos de luto irrealizado apontados por Pierre Fédida, em que o recalcamento da perda produz o efeito de uma "morte desapercebida"[24]. São casos em que as tentativas maníacas de superar rapidamente uma morte, com ou sem o auxílio (inconveniente, nesses casos) do uso de antidepressivos, podem produzir uma espécie de negação da perda que, segundo Fédida, equivale a não perceber a morte em seu sentido pleno. O luto demanda tempo; este tem a função de proteger o psiquismo da desorganização causada pela perda. Mas o tempo do luto não se limita ao transcorrer de um determinado prazo: ele implica também a reconstrução de um novo *ritmo* compatível com novas modalidades de ausência e presença do objeto e de sua representação. A reorganização do campo de representações psíquicas e da circulação pulsional que ele determina implica também a dimensão rítmica da temporalidade, cuja representação mais conhecida em psicanálise é a alternância da ausência e da presença do objeto – o jogo do *fort-da* observado por Freud em um de seus netos.

Não se deve exigir do enlutado, assim como do depressivo, que se desaloje rapidamente de sua dor. Para Fédida, os adeptos dos tratamentos por antidepressivos "teriam muito a aprender com os tempos próprios a essa doença do tempo que é a depressão"[25]. O encurtamento do tempo de luto pode levar ao que o autor chama de "morte despercebida".

---

[24] Pierre Fédida, "Mortos desapercebidos" e "O sonho e a obra de sepultura", em *Dos benefícios da depressão: elogio da psicoterapia* (trad. Martha Gambini, São Paulo, Escuta, 2002), p. 87-109.

[25] Ibidem, p. 23.

Não perceber a morte significa negligenciar a percepção das mudanças: é também deixar que os afetos dolorosos sejam encobertos antes que apareçam. Na análise, a revelação de uma morte – ou, às vezes, de uma perda nas rupturas amorosas – acontece precisamente *aí* onde a imobilidade do deprimido, sua manifestação somática e seu próprio sentimento de ausência de vida são mais fortes.[26]

Como o leitor há de observar a partir do trecho citado, Fédida trata os processos de luto irrealizado como ocorrências agravantes de uma depressão *já instalada*, sem considerar o que a teria provocado, muito antes da mencionada "morte despercebida". Mais ao final do capítulo o autor afirma que aquilo normalmente chamado de "estado deprimido" pode ser causado por um "esquecimento protetor" dos mortos com os quais, por isso mesmo, o deprimido acaba por se identificar. A cura de tais episódios depressivos exige a retomada do contato com a lembrança do(s) morto(s), bem ao modelo do "retorno do recalcado" característico das análises com neuróticos. A pobreza das formações imaginárias nos depressivos deve-se, em parte, ao recalque da memória de episódios dolorosos, que torna o luto tão impossível quanto interminável.

R. é uma jovem mulher que, na adolescência, perdeu pai e mãe em um trágico acidente. O mero fato de ter estado por acaso fora da cena da tragédia faz com que se sinta culpada pela morte deles: a "culpa do sobrevivente", na expressão de outro analisando, que se representa como "salvo por acaso" de um ruinoso destino familiar. Criada junto com a irmã mais nova por tios que moravam em outra cidade, aprendeu por conta própria a viver "pisando em ovos", como se não houvesse espaço para mais problemas na família enlutada.

Durante meses a fio, escuto R. queixar-se de que se sente esvaziada de vida. Como um autômato, ela dá conta da profissão e da vida doméstica com relativo sucesso; mas só ela sabe o quanto está morta. O que lhe devolve a vida, em análise, não são pensamentos alegres, nem episódios animadores: são as associações que a conduzem, sem que ela espere por isso, ao núcleo duro da dor. É quando um cheiro familiar, um fragmento de canção, uma mudança climática despertam a reminiscência dos mortos queridos e R., como que abatida por um raio, cai num choro convulso e constrangido, sempre com medo de incomodar a analista com aquela cena que ela julga "feia". R. não é estruturalmente depressiva; o vazio de que se queixa é resultante de um luto eternamente adiado. A

---

[26] Ibidem, p. 87.

recuperação da lembrança infantil, com a dor inevitável que ela porta, devolve-lhe a sensação de estar viva.

No capítulo seguinte a "Mortos desapercebidos", Fédida valoriza justamente o retorno da possibilidade de sonhar com os mortos – "pois sonhar é sem dúvida a única maneira de *pensar* em nossos mortos"[27] – como decisivo à cura de um episódio depressivo desse tipo. O sonho não é apenas um aprofundamento importante da "depressividade do luto"[28], como também instaura a possibilidade de, na bela metáfora de Fédida, construir uma "sepultura" para os mortos até então esquecidos. A sepultura é a manutenção da memória do morto na forma simbólica da inscrição de um nome, "*memória reminiscente da intimidade de um corpo afastando o pensamento sobre o cadáver*"[29]. A inscrição psíquica do nome do morto é uma forma de abolir a possibilidade de seu esquecimento definitivo sem, no entanto, perpetuar a presença de seu fantasma através da identificação, pois o nome tem justamente o poder de invocar a presença de um ausente.

Aos depressivos, que sofrem de graves distúrbios do sono decorrentes de um medo de sonhar, a psicanálise oferece a possibilidade de deixar-se afetar pelos sonhos, deixar-se afetar pela dor de uma perda cuja ignorância lançou o sujeito em um processo de identificação melancólica com o lugar (vazio) do morto despercebido. Para que isso seja possível é preciso que a presença do analista confirme ao depressivo que ele próprio está vivo, de modo a propiciar a elaboração da verdadeira experiência da perda – a qual implica separar-se de sua identificação culposa com o morto. Que o sonho evoque a presença perdida do morto; que a inscrição significante evoque a ausência e impeça o esquecimento-recalque, para que o corpo do deprimido seja liberado da função de guardar a morte de um ente querido.

A impossibilidade de concluir um processo de luto seria, portanto, uma das determinações de ocorrências depressivas nas neuroses. Menciono rapidamente duas outras circunstâncias que podem provocar ocorrências depressivas nas mesmas, sem com isso pretender esgotar o campo das possibilidades de depressões do gênero.

Na neurose obsessiva, a posição do sujeito no fantasma é a de um eleito: Freud situa o obsessivo como o filho preferido pela mãe, aquele que é chamado para suprir a insatisfação dela, ou na ausência do pai ou nos pontos em que o pai fa-

---

[27] Ibidem, p. 99.
[28] Idem.
[29] Ibidem, p. 104.

lha em satisfazê-la. Desde essa posição tão sedutora quanto ameaçadora, ao mesmo tempo que procura conservar condição de exceção junto à mãe, o obsessivo defende-se da fantasia incestuosa ao se tornar um combatente em prol de todas as versões imaginárias da Lei. Não pretendo retomar aqui o que já escrevi em outros textos a respeito da neurose obsessiva[30]; tomo apenas as características essenciais da estrutura a fim de localizar o que pode deprimir um obsessivo.

Por simbolizá-la mal, o obsessivo toma a Lei ao *pé da letra*, o que me levou a apelidá-lo de "paranoico das pequenas causas"[31]. Para manter seu lugar de filho eleito e, ao mesmo tempo, proteger-se dos excessos da demanda da mãe, o obsessivo toma para si a tarefa de obturar a castração paterna. Sente-se compelido a restaurar, incansavelmente, a potência do pai: o mesmo pai a quem não cansa de desafiar, seja através de empreitadas rivalizadoras, seja através das pequenas transgressões com que busca reafirmar seu lugar de exceção nesse mundo.

Na neurose obsessiva uma depressão pode decorrer do fracasso de um investimento nos ideais, no qual o obsessivo põe à prova seu valor excepcional diante do Outro materno sem se desfazer das identificações com o pai. Nesse sentido, uma das causas de episódios de depressão entre os obsessivos pode ser entendida, freudianamente, como o sofrimento decorrente da perda de amor ou, o que é pior, da condenação do *supereu*. O obsessivo é facilmente convocado pelos desafios – que não deixam de ser, inconscientemente, reedições da rivalidade com o pai. Mas, como uma vitória no campo do pai abriria caminho para a fantasia da realização do incesto, o obsessivo está sempre sujeito a, na expressão de Freud, "fracassar ao ser bem-sucedido"[32], mantendo-se eternamente em dívida para consigo mesmo. Daí o desânimo, as alegadas "insegurança" e "falta de amor próprio", assim como a ansiedade com que os obsessivos encaram os desafios mais simples da vida e que os torna tão pouco confiantes em relação à alegria de viver.

Os obsessivos, a não ser nos raros episódios em que seu sintoma entra em sintonia com o *supereu* (mais frequentemente por obra de uma possibilidade aberta no campo da cultura e da vida social do que por mérito de sua neurose), costu-

---

[30] Ver Maria Rita Kehl, prefácio de Associação Psicanalítica de Porto Alegre (APPOA), *A necessidade da neurose obsessiva* (Porto Alegre, APPOA, 2003). Ver também "O apego ao dano nos obsessivos", em Maria Rita Kehl, *Ressentimento* (São Paulo, Casa do Psicólogo, 2004).

[31] Idem, *A necessidade da neurose obsessiva*, cit.

[32] Sigmund Freud, "Los que fracasan al triunfar" (1916), em *Obras completas*, cit., v. II, p. 2416-26. [Ed. bras.: "Alguns tipos de caráter encontrados no trabalho psicanalítico: os que fracassam ao triunfar", em *Obras psicológicas completas*, cit., v. XIV.]

mam ser pessoas tristes. Excessivamente temerosos em relação às possibilidades de derrota fálica, os obsessivos jogam mal com a castração. Para não se confrontar com as evidências da castração simbólica, oferecem ao Outro as provas de sua impotência, nas formas da inibição incapacitante, da insegurança, da falta de coragem em empreender alguma coisa. O temor da reprovação de um *supereu* particularmente exigente leva os obsessivos a apostarem baixo, em contraste com seus altos ideais herdados do imaginário edípico.

A atividade frenética e compulsiva de certos obsessivos não é incompatível com essas formas de inibição. Com frequência eles desperdiçam suas vidas tentando atender às supostas demandas do Outro, realizando pequenas tarefas insignificantes às quais se dedicam de corpo e alma como se fossem responsáveis pela manutenção da ordem do mundo – e por meio das quais adiam indefinidamente o momento do ato que poderia corresponder a uma aposta em sua via desejante. Dessa forma, eles sabem que levam uma vida aquém de suas possibilidades. Sua tristeza e seu desânimo decorrem dessa antecipação de derrota diante dos desafios da vida, nos quais eles frequentemente entram para perder, assim como do inevitável ressentimento diante daqueles que, partindo de condições semelhantes à sua, levaram a aposta até o fim.

Na histeria, os episódios depressivos decorrem acima de tudo da perda do amor, no qual os(as) histéricos(as), por sua vez, apostam muito alto. A estratégia com que a histérica (mas os homens histéricos, também) tenta driblar a castração consiste em oferecer-se, *toda*, como objeto de amor para o outro. Não se trata – atenção! – da identificação com o objeto *a*, que precipita o sujeito na angústia. A histeria promove uma regressão do *ter* ao *ser*, ao fazer do corpo histérico um simulacro imaginário do falo – que não é o objeto do desejo, é o significante da falta no Outro.

A histérica trabalha para que exista O Homem – esse que poderá oferecer-lhe o lugar da mulher que representa *tudo* para o desejo dele. Para isso, ela oferece ao homem o valor fálico de sua castração, e paga o preço de, na relação amorosa, permanecer na posição (imaginária) de *toda* castrada, de modo a iludir-se quanto aos efeitos (já ocorridos) da castração simbólica. O risco dessa operação é que quando o outro, o pequeno semelhante que a histérica elevou à condição de seu mestre e senhor, se desinteressa daquela que se instalou na posição de objeto ofertado ao seu desejo – posição que é menos garantida do que parece, pois acaba por fazer do desejo do ser amado uma *obrigação de desejar* –, a histérica cai, da posição de "ser tudo" para o Outro, para a de nada ser.

A depressão nesses casos tem o aspecto de uma verdadeira devastação que atinge o cerne do ser, que na oferta de amor histérico confunde-se com o objeto *a* – daí o parentesco fenomenológico entre as depressões histéricas e a melancolia. Tal semelhança pode se agravar em função das tentativas de suicídio histéricas cujas razões, entretanto, não se confundem com as da melancolia. Na histeria, uma tentativa de suicídio frequentemente equivale a uma última jogada espetacular na tentativa de oferecer-se ao Outro, no amor, como *toda*. *Toda* reduzida a objeto recusado, portanto fadado a morrer. *Toda* entregue ao amor, de maneira a mostrar ao Outro que a vida sem ele não tem valor algum. O que a tentativa de suicídio da histérica visa não é aniquilar-se; é ser resgatada pelo Outro como objeto de um amor inquestionável, que vale mais que a própria vida. Embora a perda do amor atinja a(o) histérica(o) no cerne de sua autoestima, ainda assim as encenações suicidas na histeria devem ser entendidas como tentativas desesperadas de recuperar um lugar, e não como desejo de morte.

No entanto, o analista não deve fazer pouco das fantasias através das quais o histérico revela seu flerte com a perfeição da morte. Tais fantasias não deixam de ser também, para o analisando, um teste de seu valor junto ao analista. É evidente que o analista não deve responder a esse desafio indicando o valor do(a) histérico(a), ele como objeto erótico, nem mesmo como objeto de amor, pois nestes dois casos cairia do seu lugar de analista. Em contrapartida, negligência do analista ante as ameaças de suicídio histéricas também pode levar o analisando a bancar seu desafio e *dobrar a aposta*, aumentando com isso o risco de um desfecho trágico para o que poderia ser apenas uma atuação espetacular. O empenho do analista contra as ameaças histéricas de destruição da vida deve ser sempre referido a um empenho pela continuação da análise.

É preciso também levar em consideração que todo neurótico é capaz de produzir pensamentos delirantes, como constata Freud em certas passagens de seu relato do "homem dos ratos". Os delírios de perfeição (sobretudo corporal) de um paciente histérico podem fazer com que as fantasias de morte adquiram a proporção ameaçadora de um encontro com a beleza absoluta, fora do alcance dos mortais comuns.

Ainda quanto às depressões na histeria, a psicanalista Maria Marta Assolinni[33] lembra que nem sempre a depressão decorre da perda do lugar que a histérica

---

[33] Comunicação oral em grupo de estudos, fevereiro de 2008.

ocupa junto ao Outro, no amor. Ela pode se produzir também nos casos em que a histérica se mantém em uma parceria amorosa duradoura na expectativa de que toda a sua satisfação provenha do amor do parceiro. Se a insatisfação não for tomada como condição do desejo pela qual o sujeito deve se responsabilizar (ao que a histérica poderá chegar através de uma análise), ela será encarada como insatisfação crônica em relação àquilo que o parceiro supostamente lhe recusa. A passividade da histérica que se instala na insatisfação pode vir a produzir sintomas depressivos e psicossomáticos, diante dos quais ela não faz outra coisa a não ser queixar-se da insuficiência do amor do parceiro.

Vale lembrar também que, se o significante *depressão* tem circulado na sociedade contemporânea como sinônimo da dor de viver, está aberto o caminho para as identificações dos histéricos com os sintomas depressivos[34], uma vez que eles lhes garantem não apenas uma ilusão identitária – "já sei o que sou, sou deprimido(a)"[35] – mas também lugar privilegiado no discurso dos Mestres da medicina e da psiquiatria.

Há ainda o episódio depressivo com o qual o neurótico haverá forçosamente de se deparar ao terminar uma análise. A depressão dos finais da análise é tributária do atravessamento do fantasma. É quando o lugar do analista na transferência, de um Outro supostamente demandante a quem o sujeito pretende servir, finalmente se revela vazio e o sujeito cai de sua posição fantasmática. Essa queda parece um agravamento do desamparo, mas não é: ao deparar-se com o fato de que o Outro é um lugar simbólico, vazio de significações, vazio de amor e de demandas de amor, o sujeito está em melhor condição de sustentar sua posição a partir do desejo. Condição bem menos confortável do que a daquele que se imagina entregue às boas mãos de Deus, ou ao amor do Outro. Menos confortável e mais livre[36]. Mais aberta à invenção, ao risco, à escolha.

---

[34] Para a identificação histérica com o sintoma, ver Sigmund Freud, "Psicologia de las masas y análisis del yo" (1920-1921), em *Obras completas*, cit., v. III, p. 2586 e p. 2563-618. [Ed. bras.: "Psicologia de grupo e a análise do ego", em *Obras psicológicas completas*, cit., v. XVIII.]

[35] "Prazer, sou uma F34!" é o título de um capítulo do livro de Cátia Moraes, *Eu tomo antidepressivos, graças a Deus* (Rio de Janeiro, Record, 2008). A ironia do título é apenas aparente: o livro é uma apologia ao uso de antidepressivos e o capítulo citado celebra o alívio da autora ao encontrar, entre as classificações das doenças mentais do *CID-10*, aquela com a qual ela poderia se identificar.

[36] Ver Maria Rita Kehl, "A ética da cura e a sublimação", em *Sobre ética e psicanálise* (São Paulo, Companhia das Letras, 2002).

Ainda uma importante diferença entre as depressões nas neuroses e a depressão como posição do sujeito: a relação entre a demanda (do Outro) e a angústia.

No neurótico, a demanda resulta do "uso falacioso do objeto na fantasia", que consiste em "transportar para o Outro a função do *a*"[37]. O neurótico defende-se da angústia de castração ao reverter a lógica que sustenta seu desejo em troca de, supostamente, atender à demanda do Outro. O objeto *a* que mobiliza sua fantasia, escreve Lacan, é um *a* "postiço" de que ele se serve para atrair a demanda do Outro. Se tal operação funciona para evitar a angústia de castração, isto não significa que o neurótico não corra o risco de pagar o preço com outra forma de angústia, muito mais custosa, aquela que é angústia para valer: a que acomete o sujeito ante à possibilidade de ser tomado como objeto do Outro.

O depressivo, conforme pretendo argumentar no capítulo seguinte, já está submetido a essa angústia logo de saída, não em função de uma operação defensiva semelhante à do neurótico, mas em função do lugar que o Outro lhe conferiu em sua economia libidinal. É por não querer abandonar esse lugar que o sujeito paga o preço da depressão, que inclui a angústia de ser engolido pelo Outro. Parte da imobilidade do depressivo pode ser entendida como uma frágil estratégia de evitamento da angústia: ele se encolhe, se imobiliza, recusa-se a mostrar seus atributos, a emitir o menor sinal que possa atrair sobre ele a voracidade do Outro. Voltarei a esse ponto.

Tempo, duração e conflito

> O pior já passou.
> Foram os melhores anos da minha vida.

Tais ocorrências depressivas nas neuroses, que podem ter maior ou menor duração e gravidade (uma histérica, por exemplo, pode tentar recuperar o *ser* encenando um suicídio espetacular que, por azar, termina "bem-sucedido") – não se confundem com a experiência daqueles que buscam uma análise dizendo não conhecer outro modo de estar no mundo além da depressão. De início, é preciso cautela: nada é mais fácil para um neurótico em crise do que identificar-se

---

[37] Jacques Lacan, *O Seminário, livro 10: A angústia*, cit., p. 62.

com o discurso da ciência e declarar, com ou sem o aval de um psiquiatra: "sou deprimido". Há nesse tipo de autodiagnóstico uma urgência em atropelar o processo analítico e ir direto à realização de uma fantasia de cura que consiste em encontrar um nome para o *ser*.

"A depressão é um dos nomes do sujeito", escrevem Dias e Fingermann[38] a propósito dessa facilitação (auto)diagnóstica com que muitas pessoas tentam forjar para si mesmas uma segurança identitária, ainda que às custas de um estigma psicopatológico. É claro que a tentação de fazer da depressão uma totalidade, um nome para o *ser* que dispense interrogações sobre o sujeito e seu desejo, não seduz apenas o neurótico que atravessa uma crise de depressão. Os depressivos também iniciam com frequência a primeira entrevista de análise dizendo: "sou deprimido, esse é meu problema" – e nada mais. Como se, a partir daí, o psicanalista só pudesse lhes oferecer algum consolo, algum tipo de conforto psicológico para ajudá--los a viver sem questionar a segurança que sua identidade lhes fornece.

Em uma perspectiva semelhante, Alain Ehrenberg[39] pensa que o aumento das depressões decorre de uma "crise identitária" que se produziu na segunda metade do século XX nas sociedades ocidentais. Para Ehrenberg, a forma avançada do individualismo moderno teria produzido mudanças significativas na subjetividade: a culpa diante das proibições do *supereu* teria dado lugar a sentimentos de insuficiência do indivíduo diante dos novos mandatos de emancipação e liberdade. O "homem soberano" contemporâneo não reconhece nenhuma referência acima dele para orientar suas identificações, já que ele se pretende o único "proprietário de si mesmo"[40]. "Ser idêntico a si mesmo" tornou-se um imperativo central na vida contemporânea; as identificações com os ideais paternos recuaram diante das ambições identitárias. A depressão resultaria da derrota dessa empreitada, sinalizaria o cansaço extremo diante dos compromissos de autenticidade, ousadia e originalidade que substituíram, no estágio avançado das sociedades capitalistas, os imperativos da moral do trabalho, da renúncia e da adequação às normas. Se a neurose é uma "doença da culpa", escreve Ehrenberg, a depressão seria, como propõem os psiquiatras uma "doença do déficit". Com o aval da psiquiatria, o depressivo se apresenta como aquele a quem falta alguma coisa para completar o *ser*.

---

[38] Ver Dominique Fingermann e Mauro Mendes Dias, *Por causa do pior* (São Paulo, Iluminuras, 2005).

[39] Ver Alain Ehrenberg, *La fatigue d'être soi: dépression et société* (Paris, Odile Jacob, 2000).

[40] Ibidem, p. 150.

A depressão revelaria o fracasso da "estranha paixão de ser idêntico a si mesmo"[41] que caracterizou a nova forma do individualismo surgido nas sociedades pós-1960. Um fracasso que o sujeito tenta compensar ao assumir o nome que as neurociências oferecem para refazer a identidade perdida: *sou deprimido*.

Alain Ehrenberg defende a ideia de que a substituição da culpa pelo déficit como expressão (imaginária) da dívida simbólica[42] inauguraria um período de desvalorização do complexo de Édipo como principal organizador da subjetividade. O autor refere-se à hipótese de Jean Bergeret, para quem a depressão teria se tornado uma doença da moda em decorrência da insuficiência organizadora do imaginário edipiano na sociedade contemporânea[43]. Não penso que se trate do "fim do Édipo" (tampouco da morte do sujeito), mas de condições sociais que facilitam a emergência do que Bergeret considera como estados-limite, de origem pré-edípica – portanto mais precoce do que as neuroses – resultante de conflitos essencialmente narcísicos. Segundo Bergeret, os sujeitos contemporâneos se veem com muito mais frequência, frente ao laço social, "solicitados segundo um registro comportamental e violento, e cada vez menos sustentados pela ativação de seu imaginário edipiano, genital e triangular"[44]. A questão da depressão como estado-limite será retomada no capítulo XI.

O ponto interessante, a meu ver, da contribuição de Ehrenberg, é a constatação da prevalência da questão identitária (portanto, narcísica) na origem das depressões, à qual ainda hei de recorrer em outros trechos desse capítulo. Mas discordo da conclusão do autor de que essa nova configuração subjetiva revelaria uma superação do Édipo, da lei e do *supereu*. As transformações que os países industrializados do Ocidente promoveram (ou sofreram) no campo dos ideais, das interdições e das identificações não podem ser entendidas como uma ultrapassagem do complexo de Édipo em sua função de organizador da subjetividade e do laço social. Vejamos.

A partir da década de 1960, a prevalência dos ideais de emancipação e soberania individuais sobre os antigos valores do esforço, sacrifício e renúncia que

---

[41] Ibidem, p. 165.

[42] Tal formulação é de minha autoria; tento transpor os argumentos do autor para o enquadramento psicanalítico.

[43] Ver Jean Bergeret, "La dépression et les états vraiment limites", em Jean Bergeret, *Freud, la violence et la dépression* (Paris, PUF, 1995), p. 15-33.

[44] Idem, "Généalogie de la destructivité", cit., p. 146: "Il existe, en plus, une troisième situation, extrêmement fréquent à l'heure actuelle, où les sujets se voient de plus en plus solicités sur le registre comportamental et violent et de moins en moins aidés dans la mise en activité de leur imaginaire oedipien, genital et triangulaire".

predominaram desde os primórdios do capitalismo até a década de 1950, não implicou em que a dívida simbólica tenha se tornado supérflua. Em primeiro lugar, não há razão para imaginar que só exista culpa em função das moções inconscientes de transgressão às *interdições* paternas. A culpa diz respeito também à impossibilidade de atender aos mandatos de gozo – daí resulta a cruel ambiguidade do *supereu* e a impossibilidade de se entrar em acordo com ele. As gerações que participaram dos movimentos libertários dos anos 1960, ou que se beneficiaram deles, legaram a seus filhos a dura tarefa de levar adiante os ideais de liberdade, de autenticidade (seja lá o que isto signifique), de desfrute do corpo e do sexo que seus pais não conseguiram realizar plenamente. Não conseguiram porque é impossível, mas nem por isso deixam de se sentir em dívida para com estes ideais.

Em segundo lugar, a crença na soberania do indivíduo não aboliu a dívida simbólica, e sim favoreceu as condições imaginárias que sustentam o recalque da dívida e o consequente sentimento inconsciente de culpabilidade. Continuamos, portanto, em plena vigência do complexo de Édipo. Mais ainda: no centro do mal-estar psíquico dos sujeitos contemporâneos, entre os quais se encontra o depressivo, ainda é a severidade desenfreada, a "gourmandise" do *supereu*, no dizer de Lacan, que se manifesta, a todo vapor. Que tal severidade se apresente antes como exigência de gozo do que como interdição ao gozo não enfraquece em nada o sadismo do *supereu*. Basta recorrer a Freud, em "O ego e o id", para entender que o *supereu* não se limita a interditar a satisfação do excesso pulsional. O *supereu*, "criando uma expressão duradoura da influência dos pais, eterniza a existência dos momentos a que essa influência deve sua origem"[45].

Que "momentos" são esses, senão o período mais conflitivo do complexo de Édipo, em que tanto o menino quanto a menina tentam conciliar o amor e a rivalidade em relação ao pai com os violentos impulsos libidinais em relação à mãe? Ao herdar a versão definitiva (e impossível) do imperativo categórico que conclui a travessia do complexo de Édipo – "assim como o pai deves ser; assim como o pai, não deves ser"[46] – o *supereu* torna-se também o representante dos "impulsos mais poderosos do Isso e dos mais importantes destinos da libido"[47]. Mais adiante[48],

---

[45] Sigmund Freud, "El ego y el id" (1923), em *Obras completas*, cit., v. III, p. 2714 e p. 2701-28. [Ed. bras.: "O ego e o id", em *Obras psicológicas completas*, cit., v. XIX.]

[46] Ibidem, p. 2713.

[47] Idem.

[48] Ibidem, p. 2725.

Freud afirma que a dissociação das pulsões produzida por efeito das identificações libera a pulsão de morte como tendência destrutiva: "dessa dissociação extrairia o ideal [do *eu*] o *dever* imperativo, rigoroso e cruel". Daí o achado de Lacan, que resumiu o rigor do *supereu* com o nome dos autores setecentistas de dois imperativos categóricos antagônicos: Kant, Sade[49]. "Gozar sob ordens, afinal, é algo sobre o qual todo mundo sente que, se existe uma fonte, uma origem da angústia, ela deve estar mesmo em algum lugar por aí", diz Lacan no *Seminário 10*[50].

O imperativo do gozo que circula nas sociedades capitalistas do século XXI não aboliu a dívida simbólica nem anulou a principal característica do sujeito da psicanálise – o conflito psíquico. Por outro lado, a equivalência entre os ideais de felicidade e a supressão do conflito constrói a perspectiva fantasiosa de que o sujeito possa se tornar idêntico a si mesmo, anulando sua divisão originária. O empobrecimento da vida subjetiva que resulta das diversas estratégias contemporâneas de anulação do conflito – seja por via medicamentosa ou pela adesão sem reservas às ofertas de gozo em circulação no mercado – é cúmplice do atual crescimento dos casos de depressão.

Afirmar que a depressão é um sintoma social contemporâneo equivale a afirmar que representa, no início do século XXI, o que a histeria representou para as sociedades europeias ao final do XIX: uma forma de mal-estar que, ao se expandir contra a corrente das crenças, valores e práticas corriqueiras, interroga as condições atuais do laço social. A teoria das neuroses na psicanálise freudiana ainda é, a meu ver, o modelo teórico para a compreensão do depressivo.

A ressalva que faço a respeito do complexo de Édipo é de outra ordem. Que a travessia edípica continue a constituir a grande passagem organizadora da subjetividade não implica que os *vetores dessa normalização* não se transformem ao longo da história. A passagem pelo Édipo institui o sujeito e define sua estrutura. As grandes linhas de força que organizam a vida social e as formações da linguagem são transmitidas por meio das matrizes relacionais formadas do contato do filhote de homem com as figuras parentais. Assim se organizam, nos primórdios da vida psíquica, o corpo pulsional e a perda de gozo que ele exige; assim se inscrevem o Nome-do-Pai e as várias versões da falta de objeto que ele implica. Mais

---

[49] Ver Jacques Lacan, "Kant con Sade", em *Escritos* (trad. Tomás Segovia, Madri/México, Siglo Veintiuno, 1994), v. II, p. 744-72. [Ed. bras.: "Kant com Sade", em *Escritos*, Rio de Janeiro, Jorge Zahar, 1998.]

[50] Idem, *O Seminário, livro 10: A angústia*, cit., p. 91.

adiante, o complexo de Édipo há de definir o campo das identificações, a escolha dos ideais, a identificação (ou não) da sexualidade ao gênero, as versões imaginárias da dívida simbólica entre as quais predomina a versão neurótica da dívida como culpa.

Se as grandes linhas de força que organizam o campo social se transformam e os significantes mestres da cultura já não são os mesmos do período no qual Freud criou a psicanálise, isso não implica na obsolescência do Édipo e sim que *as condições da dissolução do complexo de Édipo* também se alteram. Mas ainda é do Édipo que se trata.

O exemplo mais evidente de que as condições da dissolução do complexo se alteram historicamente diz respeito a dois grandes pilares teóricos da psicanálise no século XIX: a feminilidade e a sexualidade feminina. Muito pouco do que se escuta hoje, nos consultórios de psicanálise, lembra as hipóteses freudianas a respeito dos destinos das mulheres e de sua sexualidade, mas nem por isso as condições atuais da feminilidade indicam um sujeito desgarrado do complexo de Édipo. O que mudou para as mulheres pós-freudianas, com o auxílio da própria psicanálise, foi a abertura de uma infinidade de novos destinos pulsionais para o impulso interditado. A histeria não está superada, mas as perspectivas de cura, para as mulheres, são hoje mais promissoras do que a de meramente "substituir as grandes crises de sofrimento [histérico] por um sofrimento cotidiano e suportável", como escreveu Freud de maneira pouco consoladora a uma de suas pacientes histéricas.

Na contemporaneidade, a atual predominância dos imperativos de gozo sobre os imperativos de renúncia ao gozo, característicos das formações superegoicas na era freudiana, não implica a destituição *supereu* como representante psíquico da Lei e da ordem social, nem representa um afrouxamento de suas exigências. Ao contrário: sendo o imperativo do gozo, por definição, impossível de se cumprir e aliado da pulsão de morte; estando o indivíduo que se pretende soberano muito mais ao desabrigo de referências identificatórias do que o sujeito endividado (e culpado) do início do século passado, o que se observa nos depressivos da atualidade é que o *supereu* tornou-se ainda mais rigoroso, mais exigente e mais cruel. Não se trata apenas de dizer que o neurótico desconhece a moeda que pagaria sua dívida simbólica; os membros das sociedades ocidentais contemporâneas acreditam na moeda que lhes é cobrada, de mais-de-gozar infinito, e desesperam ao constatar que não dispõem dela. Do ponto de vista do neurótico, não há diferença entre culpar-se por falta ou por excesso de gozo.

É possível que a conclusão sobre a desvalorização do Édipo tenha se baseado, para Ehrenberg, mais na observação de comportamentos-tipo do que na análise das estruturas clínicas, o que é bastante compreensível já que sua abordagem é predominantemente sociológica.

O ponto mais importante na investigação de Alain Ehrenberg diz respeito à intolerância ao conflito predominante nas culturas *soi-disant* do "bem-estar", culturas nas quais as ideias de felicidade e saúde psíquicas se reduzem a projetos de conforto, segurança e autoafirmação. Para realizar tal projeto, não há melhor recurso do que a medicação: ela contribui para o apagamento do conflito psíquico ao agir no lugar do sujeito. Sob efeito da medicação, o sujeito não se indispõe contra si mesmo nem interroga as razões de seu mal-estar: vai pelo caminho mais curto, que consiste em tornar-se objeto de seu remédio. O sujeito e sua medicação formam uma unidade indivisível: eis aí, afinal, uma promessa de realização do indivíduo – que, entretanto, não esconde a relação de dependência (da medicação, da droga, do álcool etc.) que a sustenta.

A expectativa psiquiátrica é de que o apaziguamento do conflito seja a chave para garantir a manutenção da propalada "autoestima": um indivíduo apaziguado é um indivíduo de acordo consigo mesmo, supostamente não dividido, mais *inteiro*. Em uma sociedade em que as pessoas circulam como mercadorias em oferta, um indivíduo "inteiro" não valeria muito mais do que um sujeito dividido e conflituado?

Ou não. Aquele que se encolhe diante do conflito torna-se conformista. Ou fatalista, para utilizarmos o termo que Walter Benjamin colocou no centro de sua concepção de melancolia. A depressão, equivalente psicanalítico da melancolia benjaminiana, se expande sobre o terreno de onde o sujeito se retirou. O declínio da referência ao conflito[51] tanto na dinâmica da vida psíquica quanto na dinâmica social, favorece a "indolência do coração", a atitude fatalista que caracteriza, para Benjamin, o melancólico. Essa atitude, que no pensamento de Benjamin resulta da traição da perspectiva do sujeito na luta de classes, guarda uma forte analogia com aquela que Lacan designou como traição da via desejante, a única pela qual, para o autor, o sujeito deveria sentir-se legitimamente culpado.

Acrescente-se ao fatalismo o empobrecimento da vida psíquica resultante dessa operação. A "cura" da depressão deveria custar o achatamento da subjetividade? Mas esse resultado não é parecido demais com a própria depressão? Não estaríamos assistindo, como bem observa Daniel Delouya, a uma tentativa de

---

[51] A expressão é de Alain Ehrenberg, *La fatigue d'être soi*, cit., p. 18.

eliminação medicamentosa da dimensão propriamente psíquica, resultado de um "conluio entre a descrição psiquiátrica e a própria queixa do deprimido"[52]?

Vale lembrar ainda a relação que Freud estabelece, em "Inibição, sintoma e angústia", entre o recuo ante o conflito psíquico e a inibição das funções do *eu*. A inibição, nas depressões, predomina sobre a formação de sintomas justamente em razão da intolerância do depressivo ao conflito, que compromete o desenvolvimento das funções progressistas do *eu*. No texto de 1925, Freud já observara que "o *eu* renunciaria a essas funções para não ter que levar a cabo uma nova repressão um novo recalque *para evitar um novo conflito com o supereu*"[53].

A despeito dessa combinação de esforços pelo apagamento do psíquico, não são poucos os que chegam a uma demanda de análise depois de ter tentado, anos a fio, curar sua depressão por meio de tratamentos exclusivamente medicamentosos. Esses se queixam, com sinceridade, não suportar mais a desafetação e o automatismo de seu funcionamento "normal" conquistado por obra do consumo de antidepressivos. Já não suportam o vazio e a insignificância de seu "bem estar". Se a quimioterapia os "curou", parece que buscam a análise na tentativa de reverter a cura e reencontrar o conflito. Afinal, "o bem-estar não é a cura, porque curar-se significa ser capaz de sofrer, de tolerar o sofrimento. Estar curado, desse ponto de vista, não é simplesmente ser feliz, é ser livre"[54].

"Prefiro me arriscar a enfrentar o desespero de antes do que não sentir nada", disse-me uma moça durante a primeira entrevista, empenhada em se livrar da medicação que vinha tomando por quatro anos seguidos. "Quem sabe, se eu puder falar com você a partir daquela tristeza que eu conheço tão bem, vou me sentir menos morta do que me sinto agora". Mergulhado em sua tristeza, o depressivo resiste a falar. Depois de alguns anos durante os quais conseguiu calar a tristeza a com auxílio de antidepressivos, M. concluiu que sua depressão não estava sendo tratada, só havia mudado de figura: em vez da tristeza, o empobrecimento da vida psíquica. Em vez da angústia, a estupefação.

A decisão de falar *a partir da tristeza* deu início à análise de M. Durante dois anos, todo o seu empenho foi no sentido de encontrar *modos de dizer* que expres-

---

[52] Daniel Delouya, *Depressão*, cit., p. 24.

[53] Sigmund Freud, "Inhibición, sintoma y angustia" (1925), em *Obras completas*, v. III, p. 2835 e p. 2833-83. [Ed. bras.: "Inibições, sintomas e ansiedade", em *Obras psicológicas completas*, cit., v. XXI.]

[54] Alain Ehrenberg, *La fatigue d'être soi*, cit., p. 256.

sassem o que ela vivia. M. já não suportava mais ser objeto do saber alheio: da mãe invasiva e onipotente que desde sua infância pretendia saber sempre o que se passava com a filha sem escutar o que ela tinha a dizer, ao pai bem-intencionado que não lhe negava "bons conselhos" e os irmãos mais velhos que tentavam "endireitar" a irmãzinha esquisita, passando pelos diversos médicos que diagnosticaram e medicaram sua dor como uma "depressão endógena". O sofrimento de M. não fora negligenciado pela família. Nunca faltou quem tentasse ajudá-la, quem falasse dela, quem falasse *por ela* – às vezes, aliás, com opiniões e conselhos bastante razoáveis. A vida psíquica de M. contava sempre com a participação interessada de alguém – e com a omissão dela própria, que preferia sempre delegar a outros a responsabilidade por suas escolhas.

O que faltou a ela, até o momento da entrada em análise, foi tempo psíquico. Tempo de contato com o conflito ou, antes ainda, com o vazio resultante da sua posição de recuo diante do conflito. Tempo para que ela se encorajasse a falar por conta própria, decisão que só poderia partir de si mesma. Embora pedisse, constantemente, a "opinião" da analista, M. recebia minhas menores observações com um silêncio angustiado, como se a minha palavra pudesse repetir o efeito dos conselhos familiares e viesse desviá-la de seu caminho. O saber do Outro, que ela insistentemente convocava, não só desqualificava todos os indícios de seu próprio saber como, principalmente, atropelava seu tempo psíquico. Era como se ela estivesse sempre ficando para trás ao tentar alcançar a velocidade do Outro. Na medida em que encontrou sua temporalidade própria e pôde inventar seus modos de bem--dizer, M. começou a se empenhar para suspender a medicação, que até então vinha tendo o efeito de apaziguar sua angústia. Aos poucos, substituiu o vazio de não desejar pela indagação sobre o que causa seu desejo.

É evidente que nenhum analista encorajaria um candidato a análise a suspender por conta própria o uso de antidepressivos; é evidente também que, em muitos casos, a medicação permite que a pessoa consiga vir até o consultório e tenha forças para dirigir a palavra ao analista. Por outro lado, a decisão de atravessar uma análise sem o apoio de antidepressivos contribui para o desenvolvimento da "capacidade de sentir-se deprimido"[55], que para Winnicott é uma aquisição fundamental do desenvolvimento psíquico sem a qual o sujeito não dispõe de recursos para enfrentar as perdas e os conflitos

---

[55] Ver Donald Winnicott, "O valor da depressão", em *Tudo começa em casa* (São Paulo, Martins Fontes, 2005).

inevitáveis da vida. Não é pouco comum que, depois de alguns meses de análise, alguns depressivos ditos crônicos procurem ajuda de um psiquiatra para orientá-los sobre a suspensão dos medicamentos e que descubram que de fato é melhor viver sem eles.

Melhor não significa, necessariamente, com menos sofrimento. Mas pode significar uma vida com menos dor, pois nem todo sofrimento é idêntico à dor moral da depressão. Sigo Espinosa, para quem a ética da vida não consiste no conforto de quem não se deixa afetar pelas paixões, mas na busca de se conhecer as *causas adequadas* delas. O conhecimento das causas não garante a felicidade, mas alguma liberdade. Por outro lado, a independência que o "conhecimento da causa" possibilita abre brechas para a experiência da alegria – o *gay sçavoir* que Lacan propõe como antídoto da covardia moral do depressivo[56].

A ideia psicanalítica de cura está longe de perseguir os ideais da emancipação "*self-made*", que atormentam os sujeitos contemporâneos. Mas está igualmente distante de uma proposta de adequação à norma, seja ela a normalidade do sacrifício e da repressão que caracterizou o período em que Freud viveu e inventou a psicanálise, seja a da pseudo-transgressão em busca de novas formas de mais-de--gozar, que tornam ainda mais irresistível a servidão voluntária em nossos dias.

Seja qual for o *semblant* da normalidade criado em cada cultura, um dos critérios mais persistentes e mais invisíveis que define a adaptação à norma continua sendo a regulação social do tempo. A normalização que o depressivo obtém por meio exclusivo do consumo de medicamentos não passa, do ponto de vista das exigências da vida social, da obtenção da capacidade de fazer as tarefas banais da vida cotidiana *no tempo do Outro* – ainda que o sentido de tais tarefas continue escapando ao depressivo e que a vida continue lhe parecendo totalmente desprovida de interesse e de valor.

Ao tempo abreviado por efeito da medicação, a psicanálise contrapõe a experiência do inconsciente, que é por definição atemporal.

Pierre Fédida chama atenção para o valor específico do tempo na análise dos depressivos e para o fato de os tratamentos medicamentosos, ao precipitarem o sujeito para fora da depressão, impedirem o acesso à dimensão subjetiva da problemática temporal. A extrema lentidão do depressivo, tão incômoda para os que convivem com ele, não deixa de denunciar os excessos de velocidade exigidos

---

[56] Em Jacques Lacan, *Télévision* (Paris, Seuil, 1973), p. 40. [Ed. bras.: *Televisão*, Rio de Janeiro, Jorge Zahar, 1993.]

pela vida dita normal dos outros, "os tais sãos", na expressão mordaz de Fernando Pessoa. A equivalência entre a lentidão depressiva e o sintoma só faz sentido no sentido rigorosamente freudiano do sintoma como tentativa de cura. O depressivo busca reencontrar e apropriar-se de uma temporalidade que lhe foi roubada no início da constituição psíquica. Busca reencontrar, diria Fédida, a *depressividade "absolutamente essencial como interiorização de uma duração"*[57].

Se o psiquismo não se define como um lugar no espaço e sim como um trabalho contínuo no tempo, a qualidade do psíquico não se confundiria com a depressão e sim com a depressividade, esse vazio sobre o qual se instaura a *duração* temporal. Vazio vivo, portanto; vazio vibrante que se inaugura com o que Freud chamou de "espera de satisfação". Mas tão alheio à experiência contemporânea que muitas vezes o analista, diante de um depressivo, deixa-se contaminar pelas associações inevitáveis entre o vazio e o nada, o vazio e a morte. Retomo, em outro texto, o ensino de Fédida: "O vazio, já o dissemos, é certamente o único conceito que o pensamento pode se oferecer para conceber o psíquico"[58]. Mais adiante, acrescenta: "A escuta analítica acontece exatamente aí – não para substituir o ausente, nem preencher o vazio de seu lugar, mas para fundar a relação que ele desconhece: a da ausência"[59]. Como entender essa dupla negatividade da proposta de Fédida, de que o depressivo "desconhece a ausência"?

Na introdução a essa coletânea de artigos de Pierre Fédida, Daniel Delouya escreve que "[...] a depressão acarreta deficiências na função principal da vida psíquica, que é a da simbolização da ausência"[60]. Proponho tomar essa mesma relação entre depressão e dificuldade de simbolizar a ausência, só que na via oposta à de Delouya. A depressão, a meu ver, não *produz* deficiências na simbolização da ausência: ela seria, ao contrário, consequência dessa dificuldade. A depressão decorre de um excesso de presença do Outro, que torna claudicante a simbolização da ausência. No entanto, se o depressivo "desconhece a ausência", um outro vazio, mortífero, sobrepõe-se ao vazio vital da espera de satisfação que inaugura

---

[57] Pierrre Fédida, *Os benefícios da depressão, elogio da psicoterapia* (trad. Martha Gambini, São Paulo, Escuta, 2002), p. 30. A ideia de depressividade como fundamento da vida psíquica remete à "capacidade de sentir-se deprimido" proposta por Winnicott.

[58] Idem, "O vazio da metáfora e o tempo do intervalo", em *Depressão* (trad. Martha Gambini, São Paulo, Escuta, 1999), p. 107.

[59] Idem.

[60] Daniel Delouya, introdução a Pierre Fédida, *Depressão*, cit., p. 12.

o trabalho psíquico: esse segundo vazio decorre da pobreza da atividade psíquica que é convocada a preencher a falta de presença do Outro. O Outro, na origem da vida psíquica de um futuro depressivo, apressa-se para estar sempre presente. Ele atropela a temporalidade psíquica da criança que se torna, em decorrência da pressa do Outro, particularmente lenta e inapetente em sua vida mental.

A contrapartida vantajosa da lentidão depressiva é que ela joga a favor daqueles que se encorajam a tentar uma psicanálise. A lentidão necessária durante o primeiro tempo (dure o quanto durar) da análise de um depressivo não é da mesma ordem da morosidade que o obsessivo contrapõe à sua impulsividade, na tentativa de retardar o momento do encontro com o fantasma que captura seu desejo. Para os depressivos, trata-se de buscar a duração de um tempo necessário para que o sofrimento se converta em experiência. Ora: a experiência é a qualidade adquirida pelo vivido quando de sua transmissão a outro(s). A experiência não se constitui no momento em que se vive um episódio qualquer: ela ganha sentido no *après-coup*, ao ser relatada a alguém. A transmissão permite ao sujeito apossar-se do vivido e extrair dele um saber comunicável. No caso da psicanálise, a experiência que se constitui por meio da palavra dirigida ao analista é a experiência do inconsciente, e o saber que ela possibilita é necessariamente incompleto. Só os fragmentos e as ruínas permitem ao poeta refazer ou intuir a imagem das velhas construções que desabaram ou foram destruídas, das belas paisagens que o tempo ou a ação do homem alteraram. A experiência do saber inconsciente remete à estética do fragmento, que Benjamin resgatou do pensamento de poetas românticos como Schlegel e Novalis.

Retomemos a proposta benjaminiana de que a experiência confere valor ao vivido. Do lado de quem transmite, a experiência se completa quando o vivido ultrapassa o âmbito solitário da vida interior e passa do privado ao público. O valor acrescido ao vivido, no ato dessa passagem, é evidente por si só. Do lado de quem recebe, escuta, acolhe e/ou questiona o relato da experiência de outrem, o fato de participar da corrente da transmissão (re)instaura do valor coletivo, perdido ou recalcado, da condição humana. O psicanalista é alguém que trabalha por sua conta e risco, sozinho, sim, mas jamais solitário.

Vale lembrar ainda que para Walter Benjamin a condição da transmissão da experiência é uma temporalidade distendida, semelhante à do devaneio, que permite ao sujeito desligar-se das urgências da vida cotidiana e entregar-se de forma desinteressada ao fluxo narrativo (ou associativo). Há uma incompatibilidade entre o tempo da experiência e o tempo "otimizado" das sociedades capitalistas. O valor da transmissão da experiência é incompatível com a lógica dos empreendimentos de "resultados".

A essa incompatibilidade, a psicanálise oferece uma temporalidade alternativa[61]. Para muitos depressivos, recolhidos durante anos a fio entre as quatro paredes de um quarto, a entrada em análise é o primeiro contato com o espaço público, por meio da mediação do analista. Trata-se de espaço público sim, pois embora estejam apenas duas pessoas em uma sala, o analista deve se apresentar como alguém que não representa apenas a si próprio: ele trabalha em nome de pelo menos uma parte da grande comunidade psicanalítica à qual se filiou[62].

Mas tal passagem não se dá, para o depressivo, sem uma perda: a perda da totalidade que ele constituiu ao isolar-se com seu silêncio e com sua tristeza. A passagem do privado ao público implica uma perda de gozo. Entrar em contato com o outro implica em sair da autossuficiência que o apego à tristeza parece conferir ao depressivo. Ninguém é mais pobre do que aquele que não se interessa pelo mundo em que vivem seus semelhantes. No entanto, ninguém se imagina mais completo em sua indiferença do que estes pobres soberanos do isolamento. A proposta de Pascal[63], para quem o homem sábio não precisaria de nada que não pudesse encontrar entre as quatro paredes de seu quarto, resume bem a triste autossuficiência do depressivo. Voltarei a esse ponto ao abordar a questão da pulsão de morte nas depressões, com o auxílio de um dos primeiros textos de Lacan.

O depressivo precisa de tempo para falar ao analista até que, de sua experiência aparentemente esvaziada de conflito possa advir uma palavra plena, comprometida com o saber inconsciente. É importante que o analista não se precipite no sentido de oferecer ao depressivo tal saber, ainda que ele eventualmente já se anuncie

---

[61] Não no sentido da extensão das sessões, que podem obedecer aos critérios do "tempo lógico", e sim da repetição sequencial dos encontros e da falta de pressa, de ambos os lados, em concluir o percurso. A psicanálise, definitivamente, não é uma técnica competitiva "de resultados".

[62] Ver Juan-David Nasio, *Como um psicanalista trabalha* (Rio de Janeiro, Jorge Zahar, 1998).

[63] "Quand je m'y suis mis quelquefois à considerer les diverses agitations des hommes et les périls et les peines où ils s'exposent dans la Cour [...] j'ai dit souvent que tout le malheur des hommes vient d'une seule chose, qui est de ne savoir pas demeurer en repos dans une chambre". Cf. Pascal, cap. IX, "Divertissements", em *Pensées* (Paris, Librairie Générale Française, 2000), p. 121. A referência a esse trecho ficaria anacrônica se não se tomar em conta o fato de que o destinatário privilegiado dos *Pensamentos* de Pascal, em meados do século XVII, teria sido a figura do libertino – não necessariamente o boêmio, mas o incréu – representado, para o filósofo, pelo pensamento do também católico Michel de Montaigne, cujos *Ensaios* Pascal considerava um "breviário dos libertinos". Ver a Introdução aos *Pensées* por Gérard Ferreyolles, p. 8 e p. 5-31.

por meio das associações do analisando. O depressivo, mais do que ninguém, precisa assenhorear-se do tempo de sua análise e do saber a que ela o conduz. Essa é uma experiência fundamental contra a angústia depressiva, que decorre da sensação de ameaça permanente de ser tomado pela urgência da demanda de gozo do Outro.

A depressividade, que inaugura o sujeito psíquico por meio da experiência primordial de espera de satisfação, deve ser recuperada ao longo da análise de um depressivo. Talvez seja essa a experiência de muitos analistas que afirmam, como Mauro Mendes Dias, que a depressão não se "cura" em análise, mas se trata. Tal prognóstico aparentemente pessimista pode ser complementado com a afirmação de Fédida, para quem a depressividade difere do estado deprimido. Ela é, ao contrário, "essa reapropriação do psíquico com suas próprias temporalidades"[64].

---

[64] Ibidem, p. 37.

X
A depressão, terra de ninguém entre ser e ter

>Passa-se a vida esperando que disso resulte uma vida.
>
>*Samuel Becket*

Penso que é preciso escutar o relato desses que se dizem cronicamente deprimidos, com uma atenção diferenciada em relação aos neuróticos que atravessam episódios depressivos, de maior ou menor intensidade e duração. É preciso investigar do que se trata o sofrimento desses que só sabem dizer de si mesmos, e com razão, que *são* deprimidos. Mesmo porque, embora o instrumental teórico para a compreensão das depressões seja a teoria das neuroses, a clínica da depressão não é igual à clínica da neurose, pelo menos no que diz respeito à ênfase na associação livre como via para o "retorno do recalcado". A experiência do depressivo não é a mesma da do neurótico que se deprime.

Se existe uma diferença estrutural entre ocorrências depressivas nas neuroses e a experiência daqueles que se dizem cronicamente deprimidos, isso indica que a "escolha" depressiva compromete ou modifica alguns vetores da própria estrutura neurótica. A começar, como a observação clínica nos ensina, da fragilidade dos mecanismos de defesa nos depressivos. Comparado aos histéricos e aos obsessivos, observa-se que o depressivo defende-se mal. Daí decorre, como bem percebeu Bergeret, a maior permeabilidade do depressivo (em comparação, por exemplo, com as "famosas histéricas clássicas"[65]) ao processo analítico. Mas tal fragilidade das defesas implica também na vulnerabilidade do depressivo diante da suposta

---

[65] Ver Jean Bergeret, *Freud, la violence et la dépression*, cit., p. 32.

demanda do Outro. Uma das causas importantes do abatimento do depressivo tem um nome familiar para a psicanálise: angústia. Voltarei a esse ponto.

Do ponto de vista da entrada em análise, a fragilidade dos mecanismos de defesa facilita o acesso do depressivo à depressividade, condição primeira da vida psíquica. O depressivo está mais perto do saber inconsciente a respeito da castração e dos objetos pulsionais do que os neuróticos "normais". Mas essa passagem, da depressão à depressividade, demanda tempo. A fala dirigida ao analista na clínica da depressão tem, antes de mais nada, a função de construir um lugar – de ordem mais *temporal* do que espacial – em que o sujeito possa se instalar.

Na depressão, o problema com a temporalidade é de outra ordem, em relação à melancolia. Na melancolia o Outro materno, pouco disponível e, sobretudo, pouco interessado, se apresenta de má vontade e sempre com atraso em relação aos apelos da criança. O contrário ocorre na origem da depressão, em que o Outro materno se manifesta como um adulto ansioso e hipersolícito que se precipita com frequência para atender às necessidades do *infans* antes que ele possa expressar sua insatisfação. Ora, a tensão de necessidade (insatisfação, desprazer) institui, para o recém-nascido, a primeira exigência de trabalho psíquico. O grito, recurso primário de descarga pulsional, transforma-se em expressão de tensão e a seguir em chamado dirigido à mãe em busca do (re)encontro da experiência de satisfação.

Na melancolia o investimento no trabalho psíquico insiste, em vão: mesmo quando o Outro comparece de corpo presente, sua presença não confirma ao *infans* que seus gritos tenham, para Ele, o valor de uma demanda a ser respondida não apenas com a oferta do seio (ou da mamadeira), mas com um olhar de amor. No melancólico, a produção de significantes que fazem apelo a esse Outro nunca deixará de ser abundante, exagerada mesmo – ainda que as significações imaginárias, através das quais o sujeito tenta justificar a indiferença do Outro, sejam todas da ordem da desvalorização do *eu*.

Na depressão, todavia, o trabalho que inaugura o psiquismo, de representação de um objeto faltante sobre um fundo de temporalidade vazia, torna-se até certo ponto dispensável uma vez que o Outro exige pouco, quase nada, do futuro deprimido. Ao contrário da exuberante produção de fantasias de autoacusação dos melancólicos, nos depressivos a rede imaginária, invenção subjetiva que visa proteger o psiquismo do vazio instaurado pela falta do objeto, é pouco consistente. Poupado pelo Outro do tempo de espera (do objeto de satisfação), a vida psíquica do futuro depressivo se inaugura com uma aposta baixa: ele precisa fazer muito pouco, quase nada, para que a mãe compareça.

"O paciente deprimido pede tempo", escreve Fédida, para em seguida sugerir que o analista deva se interrogar sobre as "brutalizações" sofridas em sua vida, "a ponto de ele não mais sentir a percepção interna do tempo"[66]. Tal brutalização sofrida pelo depressivo não tem que ser, necessariamente, da mesma ordem daquelas mais conhecidas pelos psicanalistas: abandono, maus tratos, desamparo além do suportável, sedução. No caso da depressão, a experiência de brutalização pode ser definida como atropelamento do tempo do sujeito pelo Outro. A precipitação do Outro, na origem da constituição do sujeito, não teria possibilitado ao *infans* a experiência fundamental de sua própria temporalidade psíquica. Se a depressividade, "interiorização de uma duração"[67], é condição da temporalidade da vida psíquica, a depressão decorre da impossibilidade de o sujeito ter acesso a essa experiência de duração – que pode muito bem ser entendida no sentido bergsoniano, tal como se encontra no capítulo VI. A *durée* bergsoniana é condição da experiência, ou, mais ainda, do valor que a experiência empresta à vida. Uma vida privada da experiência subjetiva da duração é uma vida cujo valor não é acessível ao sujeito.

Recorro à literatura para expressar a ideia de que o valor da vida é tributário da disposição temporal. Tomo de empréstimo uma frase de Gonçalo M. Tavares, no romance *Jerusalém*, colhida de um parágrafo no qual o autor descreve a dificuldade de um ex-interno em hospital psiquiátrico de retomar a vida em suas mãos: "Esforçara-se por aprender de novo a contatar com as pessoas normais, e não apenas isso: também com os dias normais, os dias que esperam pelo humano para que esse decida o que fazer deles"[68].

Para o depressivo, a perspectiva de ter os dias à sua disposição, à espera que ele "decida o que fazer deles", é angustiante. A série infindável de minutos, de horas, de dias, se estende diante dele como o "biombo de dias grises" do verso de García Lorca. O tempo lhe parece desprovido de valor uma vez que o trabalho psíquico capaz de atribuir valor e sentido ao uso do tempo encontra-se empobrecido. O trecho de fala que utilizei como epígrafe dessa Terceira Parte, escutada fora de minha clínica da parte de um amigo deprimido, expressa bem a dramática relação dos depressivos com o tempo. O tempo que não passa é o tempo que não produz diferença, que não promete nada a não ser a perpetuação de um presente estag-

---

[66] Pierre Fédida, *Depressão*, cit., p. 21.
[67] Ibidem, p. 30.
[68] Gonçalo M. Tavares, *Jerusalém* (São Paulo, Companhia das Letras, 2006), p. 184.

nado, vazio. O que nos faz, afinal, esperar pelo futuro próximo, *desejar* o futuro, senão alguma fantasia, ainda que vaga, de que alguma experiência interessante ou prazerosa há de acontecer – ainda que seja a repetição dos pequenos prazeres cotidianos conhecidos?

Mas mesmo o prazer da repetição, para não se tornar mortífero, depende de que alguma diferença, por menor que seja, se apresente a cada vez. O tempo estagnado do depressivo não inclui o registro da diferença porque sua vida psíquica está paralisada pela onipresença da Coisa materna. A angústia que paralisa o depressivo, num arremedo do *pathos* amoroso, ameaça aniquilar o sujeito sem ao menos lhe oferecer perspectiva do objeto erótico que sidera a vida mental do apaixonado. A angústia do depressivo não é convocada por um objeto que se apresente para seu desejo, mas pela ameaça permanente de ser tomado, ele próprio, como objeto do Outro – esse que supostamente sabe mais do sujeito que ele próprio; esse que ocupa o vazio de onde o sujeito deveria advir.

Ainda a palavra não chegou à boca, já a conheceis plenamente.
Como poderei ausentar-me de vosso espírito e como fugir da vossa presença?
Se subir aos céus, lá vos encontro,
se descer aos infernos, igualmente.[69]

O valor do imaginário

E daí? Daí, nada.

O leitor já terá percebido que empresto certo valor ao imaginário na psicanálise dos depressivos. Minha experiência com supervisões de jovens analistas, assim como de participação em alguns cartéis, me fez pensar que a técnica lacaniana, na clínica das neuroses, produz um mal-entendido que consiste na condenação das formações imaginárias. É um mal-entendido compreensível. Embora os três registros, RSI, sejam indissociáveis, a técnica recomenda que o analista se atenha à cadeia significante de modo a não se envolver com a sedução dos-

---

[69] Salmo 139 atribuído ao rei Davi, "Salmos", em *Bíblia sagrada* (trad. Gerardo M. M. Penido, 8. ed. autorizada, Leiria, Difusora Bíblica dos Missionários Capuchinhos de Portugal, 1978), p. 877 e p. 774-884.

toievskiana⁷⁰ da "novela familiar" de que o neurótico se serve para assegurar-se do sentido de seus sintomas e de suas identificações. "A arte do analista", afirma Lacan, "deve ser a de suspender as certezas do sujeito até que se consumem seus últimos espelhismos"⁷¹.

Mas é importante sublinhar que o trabalho contra os espelhismos imaginários, com ênfase na cadeia significante e nas estruturas simbólicas que ela determina, não é um trabalho *contra* o imaginário. O imaginário é uma das três dimensões fundamentais na sustentação do sujeito. Lacan, ao comentar o "Caso Schreber", sugere que o resultado do trabalho com psicóticos implica uma restauração da estrutura imaginária a partir de determinações simbólicas⁷². Guardadas as devidas diferenças entre a neurose e a psicose, assim como a especificidade das estruturas imaginárias de uma e outra, toda direção da cura em análise implica em alguma restauração do imaginário. Nos neuróticos, é mais provável que essa restauração se dê no sentido de uma retificação da posição do sujeito na novela familiar (imaginária) que dá sentido ao fantasma (simbólico). A análise dos neuróticos implica sempre em uma desinflação da dimensão imaginária.

O uso do tempo lógico ou mesmo das sessões breves, na clínica das neuroses, favorece o encontro do analisando com o vazio de sentido, evidência dolorosa do caráter simbólico do Outro. O corte efetuado pelo analista, intervenção em ato a contrapelo da construção de sentidos efetuada pelo analisando, visa desinflar as fantasias que, ao recobrirem o vazio no campo simbólico do Outro com os atributos fantasiosos de um ser de amor, sustentam a posição do sujeito no fantasma. Tal operação imaginária traduz as evidências da castração como se fossem atestados da culpa que teria levado o sujeito a perder o amor do Outro. O corte – tanto no tempo quanto na produção de sentido – efetuado pelo analista deve conduzir o sujeito a descrer dessa versão do Outro como ser de amor. Diante da evidência de que o Outro é apenas um lugar simbólico, que não demanda nada dele, o neurótico a princípio se deprime. O final da análise se apresenta quando o desejo

---

⁷⁰ A expressão é de Luis Izcovich, em conferência para o Fórum do Campo Lacaniano, em agosto de 2007, São Paulo. Izcovich defendeu não o tempo lógico, mas as sessões curtas, de modo a impedir que o analisando desenvolva o "Dostoiévski", a inflação de sentido tão cara ao neurótico, que recobre e justifica seu sintoma.

⁷¹ Jacques Lacan, "Función y campo de la palabra y del lenguaje en psicoanálisis" (1953), em *Escritos*, cit., p. 241.

⁷² Idem, "De una custión preliminar a todo tratamiento posible de la psicosis" (1955-1956), em *Escritos*, cit., v. II, p. 550 e p. 513-63.

do sujeito passa a comandar suas escolhas, que até então vinham se orientando na direção da (suposta) demanda do Outro.

Porém, se na clínica, a condução de uma análise é favorecida pela escuta da cadeia significante (simbólica) em detrimento das grandes fabulações imaginárias[73], é preciso lembrar que os três registros, indissociáveis, formam o nó que sustenta o sujeito. O imaginário é o registro que oferece consistência à vida; não a consistência dura e impenetrável da coisa Real, por definição irrepresentável, mas a de sua tradução em imagens. Ao final de "O inconsciente", Freud escreve que a fragilidade do campo imaginário caracteriza a psicose e explica a razão pela qual os psicóticos têm "que contentar-se com as palavras no lugar das coisas"[74].

A experiência clínica com pacientes depressivos confirma a observação de Jean Bergeret sobre a pobreza da elaboração imaginária que, somada às dificuldades nas identificações secundárias e à carência de recursos para a regulação das pulsões, aproxima as depressões do que o autor chama de estados-limite[75].

A produção imaginária nos depressivos é escassa; a pobreza das formações imaginárias deixa o sujeito à mercê do vazio psíquico. O depressivo, que recuou de sua posição fantasmática, teme a fantasia, portadora de notícias sobre seu desejo. Ao contrário dos neuróticos "comuns" (a não ser nas ocorrências em que se deprimem), o depressivo imagina pouco e, quando ousa fazê-lo, logo descrê da fantasia. O vazio depressivo é tributário dessa recusa em fantasiar: o depressivo se vê abatido pelo desejo recusado, que por isso não se articula através da fantasia e só se manifesta pela via da angústia. O desencantamento do depressivo em relação ao mundo resulta desse vazio de significação. De acordo com Mendes Dias,

> [...] tudo aquilo que mobilizaria o sujeito no sentido de um investimento sobre o mundo, sobre os outros, através das incidências do falo, ou seja, das incidências das

---

[73] Idem, "Función y campo de la palabra", cit., p. 232. Lacan assinala que a superestimação da fantasia, herdada da experiência com a análise de crianças, coloca "o problema da sanção simbólica que há de dar-se às fantasias em sua interpretação".

[74] Sigmund Freud, "Lo inconsciente" (1915), em *Obras completas*, cit., v. II, p. 2082 e p. 1961--2082. Mais adiante, na mesma página de conclusão do texto, Freud acrescenta que o psicótico, assim como certos pensadores, lida com as ideias abstratas como se fossem coisas concretas.

[75] Jean Bergeret, *Freud, la violence et la dépression*, cit., p. 32: "En effect il existe trois facteurs de risque essentiels qui jouent sur la constituition de telles états: ce sont les difficultés identificatoires secondaires, la pauvreté de l'élaboration imaginaire et les carences de régulation des pulsions".

diferentes manifestações do objeto do desejo, tudo isso, na posição depressiva, está esvaziado de significação.[76]

A passagem por uma análise deve restituir a esse que se instalou em um mundo desencantado a possibilidade de sonhar, de recordar e também de fantasiar, pois a fantasia é o suporte do desejo.

As fantasias infantis são tributárias da rivalidade fálica. A criança atinge sua máxima capacidade de fantasiar no momento em que tenta reverter a perda narcísica sofrida com a entrada do pai no Édipo. A partir desse momento, as fantasias participam dos mecanismos de defesa contra a angústia de castração, sustentam a posição do sujeito no fantasma, representam objetos para o desejo, dão forma aos ideais. Disso tudo o depressivo abriu mão. Daí que, para defender-se da voracidade urgente do Outro, ele não dispõe de nada além de formas de resistência passiva exercida numa tal lentidão que instala o sujeito em um tempo que parece estagnado. O tempo não passa quando a perspectiva do devir é vazia, não se apoia em moções de desejo nem em fantasias a respeito do futuro.

É importante lembrar que a pobreza imaginária facilita a abertura de uma via importante na análise dos depressivos, que desde o início já se encontram perto da verdade a respeito do vazio no Outro. Na análise dos neuróticos, é necessário desinflar a fantasia que sustenta as "certezas" com que o sujeito se esquiva da castração simbólica. Mas a destituição da face imaginária do Outro como um ser de amor, ao final da análise de um neurótico, não é equivalente ao vazio que caracteriza a posição depressiva. Acossado pela demanda do Outro materno, cuja proteção ainda assim ele não quer perder, hesitante de fazer a passagem entre *ser* e *ter*, o depressivo abstém-se de fantasiar. É mais seguro para ele desdenhar do falo imaginário que tanto oprime o obsessivo e fascina a histérica. Com isso o depressivo, que escolheu oferecer sua castração com garantia de não perder o lugar junto ao Outro, já sabe daquilo que o neurótico não quer saber. Mas não sabe tirar partido desse saber, de modo a fazer da castração, não a condição incapacitante que o lança no colo da mãe, mas a condição do desejo. O que o depressivo ignora, de acordo com a preciosa indicação de Alejandro Viviani, é o valor de sua castração como sustentação do desejo. A castração, em psicanálise, não é um vazio de morte: é o vazio pulsante a partir do qual emergem as moções do desejo.

---

[76] Mauro Mendes Dias, *Neuroses e depressão*, cit., v. II, p. 114.

Para fazer essa passagem, do vazio mortífero ao vazio do Outro simbólico, destituído do revestimento imaginário de um ser amor e demanda, é preciso que o analista se abstenha de qualquer atitude maternal ou protetora em relação ao analisando depressivo e o receba sem pressa e sem expectativa de modo que, depois de algum tempo, alguma expectativa possa se esboçar *do lado dele*.

Não se concebe um sujeito sem fantasia. Além de dar consistência às defesas neuróticas e tentar tornar o sintoma egossintônico, a fantasia tem a função vital de representar, no campo dos possíveis, o objeto causa do desejo. Por isso mesmo ela é indissociável do erotismo e do desejo sexual. A sexualidade humana nunca será natural como a dos pássaros e a das abelhas, nem é esse o propósito de uma cura analítica. A fantasia inventa versões suportáveis e atraentes para a falta e o falo, sem a qual a relação sexual não anda. A diferença que a cura analítica produz na relação do sujeito com o imaginário não é da ordem do esvaziamento das fantasias, mas da perda de sua onipotência infantil: o sujeito, em final de análise, deve saber que fantasia por sua conta e de acordo com seu gosto; já não precisa se amparar na consistência de estereotipias fantasiosas para excluir a castração do imaginário da diferença sexual.

Além disso, a fantasia, como pensa Winnicott, amplia o campo dos possíveis. A incapacidade de fantasiar lança o sujeito em uma atitude fatalista. Tomar o mundo "como ele é", como se fosse expressão do puro Real é uma ilusão fatalista à qual facilmente associa-se o cinismo. Afinal, "o mundo, tal como ele é" também é uma versão imaginária do estado das coisas, à qual os sujeitos, como agentes da vida social, podem opor outras moções de desejo e com isso modificar – para melhor ou para pior – a vida em sociedade.

O registro privilegiado do depressivo é o simbólico. Perguntei a um analisando inteligente, capaz de consumir seus dias em jogos de xadrez no computador, por que o campo dos jogos puramente simbólicos o interessava. "Porque é um campo seguro", respondeu. De que segurança se trata? O simbólico é seguro porque dele o sujeito pode participar sem passar pelas identificações imaginárias, a salvo de se ver convocado pelo fantasma do Outro. O depressivo sente-se a salvo nesse campo organizado por leis impessoais, puramente lógicas, que permitem ao sujeito manejar "uma máquina que prescinde da minha subjetividade", conforme escutei de outra analisanda, aficcionada pela matemática.

O depressivo joga bem com o significante: daí decorre o famoso senso de humor dos depressivos, que deu origem à lenda de que todo palhaço é um homem triste. Triste porque fica excluído, ou pelo menos excêntrico, em relação à produção de crenças que constituem, em cada cultura, a realidade social. Tristeza e humor compartilham dessa capacidade de fazer emergir o sem sentido das construções imaginárias nas quais, para os neuróticos mais bem-adaptados às convenções sociais, a significação parece assegurar as escolhas subjetivas.

O humor desconstrói a fantasia e possibilita, aqui e ali, um vislumbre do Real. O depressivo, assim como o humorista e o poeta, aproxima-se do Real de maneira perigosa[77]. Se a função da crença, como sugere Peirce, é a de nos dispensar de pensar, o homem que não crê está condenado a pensar – ou então, a ficar de cara para o vazio. Aquele que descrê pode ser triste, mas também livre. Ao não compartilhar da produção de sentido que normatiza os projetos de vida de seu grupo social, o homem triste está mais livre para inventar sua própria vida – desde que tenha coragem para isso. Do contrário, corre o risco de não viver vida nenhuma: nem a vidinha dita normal do meio a que pertence, nem a trajetória singular que caracteriza aqueles em posição excêntrica em relação às regras e às crenças do imaginário social.

"Sei que serei sempre um cara esquisito", diz-me um desses homens tristes que não mais se define como deprimido. "Levo comigo essa imensa tristeza que é minha; já não quero me livrar dela. Vou por aí com minha esquisitice e com minha tristeza. Com o que resta, pretendo me divertir". Ao dizer isso, ele ri. Depois de sete anos de análise, esse homem sabe que, para "se divertir", ou seja, para obter algum prazer na vida – seja corporal ou sublimado – precisa encorajar-se a apostar em alguma coisa. Não se trata de crença, mas de aposta. Constrói-se assim uma fantasia, como expressão do desejo (sempre) inconsciente, em outro tempo verbal: em vez de o "assim deve ser" com que o neurótico tenta justificar suas escolhas como se agisse sob ordens; em vez da indiferença em relação às expectativas e aos acontecimentos que caracteriza a depressão, a fantasia em um final de análise pode se expressar num futuro mais-que-perfeito: *quisera*. Nada – e Ninguém – autoriza o depressivo a acreditar que sua fantasia há de se realizar. Ele apenas adquire a coragem de apostar nela.

O imaginário é, ainda, o registro das identificações e dos ideais do *eu*. A inconsistência imaginária participa da relação frágil que o depressivo estabelece com estas duas dimensões ao recusar as identificações secundárias resultantes da en-

---

[77] Recomendo a leitura do texto de Ana Cecília de Carvalho a respeito dos poetas suicidas. Cf. "Pulsão e simbolização: limites da escrita", em Giovanna Bartucci (org.), *Psicanálise, literatura e estéticas de subjetivação* (Rio de Janeiro, Imago, 2000), p. 251-85.

trada do pai no segundo tempo do Édipo[78]. Também é imaginário o registro do corpo unificado, sede representacional do *eu* (*moi*). Não por acaso, a experiência aterrorizante do corpo fragmentado indica a crise psicótica. A depressão não compromete com tanta gravidade a imagem corporal como a psicose, mas observam-se com frequência no abatimento corporal dos depressivos os efeitos da queda da identificação fálica.

Em terceiro lugar, o imaginário é o registro da memória. Assim como se recusam a fantasiar, os depressivos lembram-se pouco do passado e da infância. Isto não seria importante (não é essa a questão do infantil na psicanálise) se tal esquecimento não fosse cúmplice do vazio depressivo, dos lutos eternamente adiados e do apagamento dos conflitos edípicos.

Quanto ao valor da memória, *lato sensu*, é possível dizer que está relacionado ao valor da vida. A memória não recalcada, que Freud considera pré-consciente[79], é responsável pelo encadeamento de experiências a que Fédida chamou de "rapsódia da vida". Por meio dela o sujeito reconhece os traços que o identificam como sendo o mesmo ao longo do tempo, assim como adquire a medida de suas transformações: a memória é a dimensão imaginária da temporalidade. A recusa do depressivo em recordar, à qual o analista não deve ceder, participa do sentimento de vazio que o abate. Além disso, ao isolar-se do meio social a que pertence, o depressivo fica excluído da corrente de transmissão da memória coletiva. Que as condições sociais da transmissão das narrativas na modernidade tenham sido praticamente destruídas não implica que as pessoas deixem de tentar atribuir valor e sentido a suas vidas, ao narrar repetidamente suas pequenas anedotas no círculo familiar ou nos grupos de velhos amigos. O encolhimento da memória contribui para o isolamento espiritual do depressivo na medida em que apaga os rastros que poderiam orientá-lo na direção do pertencimento a uma comunidade. Essa tanto pode ser formada pelos integrantes vivos e mortos do grupo familiar como pelos que compartilham ideais políticos, afinidades estéticas e literárias ou simplesmente experiências geracionais. O depressivo,

---

[78] Ver, neste capítulo, p. 246 e, no capítulo XI, p. 253-5.

[79] Jacques Lacan, na aula 7, em *O Seminário, livro 9: A identificação* (Recife, Centro de Estudos Freudianos de Recife, 2003. Publicação não comercial), reconhece que o pré-consciente é a linguagem articulada do discurso comum, tal como falamos e escutamos. As representações inconscientes, ao passarem ao pré-consciente, começam a ser organizadas segundo as leis de um discurso já constituído.

em sua bem calculada posição de exceção que recusa todas as crenças, acredita piamente na mais tola delas: a de seu desligamento em relação ao laço social.

Vazio

> Y a du soleil dans la rue / J'aime le soleil, mais j'aime pas la rue.
> Alors, je reste chez moi / En attendant que le monde vienne.[80]
>
> *Boris Vian*

Depois dessa digressão em defesa do imaginário, voltamos à questão da constituição da posição depressiva na origem do sujeito.

Se na melancolia o olhar desinteressado do Outro produz um buraco no cerne do *ser*, na depressão encontramos um sujeito a meio caminho entre *ser* e *ter*. A identificação fálica ocorreu para o depressivo, assim como a entrada de um terceiro para o desejo da mãe: o depressivo, insisto, não é um psicótico, embora a nosografia psiquiátrica confunda o psicanalista ao diagnosticar como "depressões endógenas" (o que é isso, um sujeito todo determinado pelo Real do corpo bioquímico?) os casos mais graves de melancolia. A posição do depressivo é decidida entre o segundo e o terceiro tempo do Complexo de Édipo, o que indica que: ou o depressivo é um neurótico – e a depressão, como querem diversos autores, não passa de uma ocorrência possível nas neuroses – ou teremos que pensar em uma quarta estrutura, mais próxima das neuroses do que das psicoses e da perversão.

Não vejo elementos que sustentem a hipótese da existência de uma quarta estrutura "depressiva". Para diferenciar os sujeitos que se dizem depressivos crônicos, daqueles neuróticos que experimentam ao longo da vida períodos pontuais de depressão, proponho que os depressivos pertençam, sim, ao campo das neuroses: mas a "escolha de neurose" teria ficado comprometida por uma ocorrência precoce, na constituição do sujeito.

Penso que tal ocorrência não corresponda, como supõem alguns psicanalistas de linha inglesa, a uma ausência ou um buraco no lugar do Outro materno, e sim – o que é igualmente nocivo – a um excesso de presença. O vazio depressivo não corresponde à marca negativa de uma mãe que não estava afetivamente ligada a

---

[80] "Faz sol na rua / Gosto do sol, mas não gosto da rua / Então fico em casa / Esperando que o mundo venha." (Tradução minha).

seu bebê, e sim à pobreza do trabalho de representação e de expressão exigido da criança por essa mãe ansiosa, que pouco se permite demorar em atender às menores expressões de desconforto por parte da criança. *O depressivo sofre dos efeitos da pressa do Outro*. Não que ele não conheça a falta. Mas não se deve entender a falta como mera ausência do Outro. A falta de objeto se inscreve, para o sujeito, mesmo na presença do Outro. "E estando, me faltas", diz o belo verso de amor de Neide Archanjo.

A falta em presença: talvez essa seja a natureza do *espaço-entre* a criança e a mãe, que Donald Winnicott considera essencial para o desenvolvimento da criatividade infantil. Que a mãe esteja presente, mas não ocupe todo o espaço; que se interesse pelas pequenas evidências da vida psíquica de seu bebê, mas não faça delas um assunto *todo* seu. Acima de tudo, que a mãe, mesmo presente, possibilite à criança a experiência da duração temporal que, nessa fase da vida, traduz-se sempre como tempo de espera. Que a mãe possibilite a seu bebê o desenvolvimento da capacidade de esperar (pela satisfação) e de inventar o que fazer desse tempo vazio.

> Em algum ponto teórico, no começo do desenvolvimento de todo indivíduo humano, um bebê, em determinado ambiente proporcionado pela mãe, é capaz de conceber a ideia de algo que atenderia à crescente necessidade que se origina da tensão instintual. Não se pode dizer que o bebê saiba, de saída, o que deve ser criado. Nesse ponto do tempo a mãe se apresenta. De maneira comum, ela dá o seio e seu impulso inicial de alimentar. A adaptação da mãe às necessidades da criança, quando suficientemente boa, dá a essa a ilusão de que existe uma realidade externa que corresponde à sua própria capacidade de criar.[81]

Na origem da constituição do sujeito depressivo não se encontra a *falta da falta* que caracteriza a angústia psicótica, mas a *insuficiência da ausência*. A ausência do Outro, que provoca a primeira manifestação do psíquico na forma de espera da satisfação, teria ocorrido em intervalos de tempo insuficientes para que o *infans* pudesse testar e confirmar sua potência ao verificar que a mãe, ainda que demorasse um pouco, acabaria por atender aos apelos dirigidos a ela. Winnicott também se refere, nesse ponto, a uma medida razoável para esse intervalo de espera. Se for curto demais, será insuficiente para que a criança

---

[81] Donald W. Winnicott, *O brincar e a realidade* (1971) (trad. José Octávio de Aguiar Abreu e Vaneide Nobre, Rio de Janeiro, Imago, 1975), p. 27.

desenvolva sua capacidade de suportar o vazio e sua potência em convocar o Outro. Se for extenso demais, a insatisfação prolongada produzirá uma ruptura no tecido psíquico, uma falta de confiança na vida, difícil (mas não impossível) de reparar.

A origem da impotência depressiva está na fantasia materna, que representa seu bebê como incapaz de suportar o menor desprazer e de criar uma resposta para os tempos de espera e de vazio. É uma mãe que subestima seu bebê. Uma mãe apaixonada por sua própria potência, que adora imaginar-se como a única capaz de atender e satisfazer o *infans*. Uma que se pretende mais do que suficientemente boa.

O sentimento de impotência que acompanha o depressivo ao longo de toda a vida não decorre da inutilidade de suas primeiras tentativas de atrair a atenção e o desejo do Outro, mas do fato de ele ter sido *poupado demais* da experiência da ausência do Outro. Em decorrência disto, o depressivo é tomado desde a origem por um vazio de ordem muito diferente daquele que se produz a partir da perda do objeto. Tal perda não causa o vazio: causa o desejo. Cair do lugar de objeto privilegiado do Outro é condição do desejo. "O preço por escapar dessa queda é exatamente essa condição de vazio que se instala sobre o sujeito. O depressivo é, notadamente, um sujeito tomado por um vazio[82]."

A primeira manifestação da falta (como condição do desejo) para o *infans* é o tempo que separa o impulso da satisfação. O tempo de espera é um vazio necessário que instaura a depressividade como fundamento do psíquico. A depressividade é condição inaugural do trabalho de representação do objeto assim como das tentativas, em ato, de atrair de volta a presença da mãe. Em contrapartida – esse ponto é decisivo – a ausência insuficiente do Outro não permite que o *infans* desenvolva seus próprios recursos para suportar o vazio. Na origem, o vazio que angustia o depressivo não é diferente da experiência com o vazio dos neuróticos, em geral. O neurótico tem horror ao vazio. Ele o preenche com fantasias, com dramas, com pequenas tragicomédias, com sintomas, com atuações. Se o depressivo conhece e suporta o vazio melhor do que o neurótico é porque sua dependência o condenou a, na ausência do Outro, conformar-se com ele. É preferível suportar o vazio a convocar o Outro de volta, com seu excesso opressivo de presença, de oferta, de demanda.

---

[82] Mauro Mendes Dias, *Neuroses e depressão*, cit.

Só que o depressivo não cria nada a partir de seu vazio; daí o parentesco entre a depressão e o conformismo. Ou cria: a dependência do Outro materno pode ser substituída por outras formas de dependência, geralmente químicas. O depressivo não se cansa de tentar (re)fazer uma totalidade com o Outro, com a tristeza, com a droga e com o álcool. Sua sorte – na vida, na análise – é que ele continua aquém da tal totalidade. A não ser, como se sabe, na morte – mas nesse caso extremo o sujeito não estará lá para gozar de seu triunfo.

Aqui se encontram os elementos para formular uma primeira hipótese a respeito do sentimento fatalista que abate o depressivo. Winnicott percebeu que a sensação de que "a vida é digna de ser vivida" não se origina tanto da experiência empírica com as eventuais gratificações que a vida oferece, mas é consequência da capacidade da criança criar a partir de suas percepções. A essa capacidade, ele chama "apercepção criativa". Na falta dela, a criança desenvolve uma "submissão com a realidade externa". O mundo se lhe apresenta como um cenário inalterável que só exige dela a capacidade de submissão e adaptação.

> A submissão traz consigo um sentimento de inutilidade e está associada à ideia de que nada importa e de que a vida não vale a pena ser vivida. Muitos indivíduos experimentaram suficientemente o viver criativo para reconhecer, de maneira tantalizante, a forma não criativa pela qual estão vivendo, como se estivessem presos à criatividade de outrem, ou de uma máquina. Essa segunda maneira de viver no mundo é identificada como doença, em termos psiquiátricos.[83]

O grande achado de Winnicott é de nos fazer ver que nem sempre a submissão é produzida pelo autoritarismo ou pela severidade do Outro. A pressa da mãe ou seu substituto em atender às menores manifestações da criança pode ser muito mais nefasta, no sentido de impedir o desenvolvimento dessa capacidade de perceber criativamente o mundo. A "máquina" que ocupou toda a cena do mundo para o futuro depressivo pode ter sido sua própria mãe amorosa. Nesse caso, foi o excesso de presença do Outro, e não a sua falta, que impediu o desenvolvimento da capacidade do *infans* inventar mentalmente objetos para sua insatisfação.

Por outro lado, é fundamental lembrar que, do ponto de vista do *infans*, não há diferença ente a oferta e a demanda que lhe chegam partindo do Outro. Se o futuro depressivo sofre pelo excesso de oferta de uma mãe ansiosa, de uma mãe apaixonada por sua própria potência em prover seu bebê, do ponto de vista

---

[83] Donald W. Winnicott, *O brincar e a realidade*, cit., p. 95.

da criança essa mãe que não cansa de lhe oferecer satisfação é simultaneamente percebida como alguém que demanda dela algo que ela não sabe o que é. Essa percepção não deixa de estar correta: toda mãe "suficientemente boa" satisfaz-se ao satisfazer seu bebê. A criança que mama satisfaz-se do leite, mas também por atender à demanda materna de que ela se alimente. Assim se organiza o corpo pulsional, a partir do desenho traçado pelas demandas do Outro.

A questão que se coloca para o bebê, quando submetido ao excesso de ofertas de satisfação vindas de uma mãe que se pretende excessivamente boa, é que ele se vê diante de uma demanda igualmente excessiva, que não tem recursos para satisfazer.

Assim, o sentimento de impotência se desenvolve em duas vias: de um lado, a mãe que dispensa o trabalho psíquico do bebê e de outro, o bebê que se sente atropelado por um excesso de demandas que ele não tem recursos para atender. Esse sentimento de impotência remete ao que Freud chama de *inibição*: um mecanismo de defesa contra angústia. A diferença entre a concepção freudiana e a lacaniana em relação à angústia é que Lacan não a entende simplesmente como um sinal de alarme ante a iminência da perda de um objeto. Essa pode ser a angústia de castração. Antes (ou para além) dela, a angústia não é, para Lacan, o sinal de uma falta ou de uma perda iminente, e sim de "algo que devemos conceber num nível duplicado, por ser a falta de apoio dada pela falta"[84]. Não a nostalgia do seio materno nem o sinal de que o sujeito estaria prestes a perder o que já está perdido, e sim a iminência de seu reaparecimento, na parte em que ele deveria faltar para que o sujeito pudesse se manter desejante. O que provoca a angústia, diz Lacan, "é tudo aquilo que nos anuncia, que nos permite entrever que voltaremos ao colo"[85]. A relação entre a angústia e a demanda, que se observa de maneira particularmente dramática no caso dos depressivos, é exatamente o fato de que, em sua posição fantasmática, eles se encontram permanentemente à mercê de se perder da possibilidade da ausência que lhes fornece a "segurança da presença" (do Outro). Ainda Lacan, no *Seminário 10*:

> O que há de mais angustiante para a criança é, justamente, quando a relação com base na qual essa possibilidade (da ausência) se institui, pela falta que a transforma em desejo, é perturbada, ela fica perturbada ao máximo quando não há possibilidade de

---

[84] Jacques Lacan, *O Seminário, livro 10: A angústia*, cit., p. 64.
[85] Idem.

falta, quando a mãe está o tempo todo nas costas dela, especialmente a lhe limpar a bunda, modelo da demanda, da demanda que não pode falhar.[86]

Isso porque, de parte da mãe, é necessário preservar certo vazio, no que se refere à demanda. É da "saturação da demanda que surge a perturbação em que se manifesta a angústia"[87].

Essa saturação, que abate o depressivo, não faz dele um psicótico. Em primeiro lugar, como parece evidente, porque a mãe lhe confere um lugar simbólico, ainda que esse seja o lugar de um incapaz a ser poupado das menores exigências da vida. Em segundo lugar porque, ainda que o Outro se apresse, ainda que sua ansiedade atropele a temporalidade necessária para que a criança se depare com o vazio e invente meios para enfrentá-lo, ainda assim, na origem da depressão encontra-se uma mãe barrada. Para o depressivo, o Nome-do-Pai se inscreveu. A suposta "falta de pai" de que se queixam muitos depressivos é tributária de uma produção inconsistente no que se refere ao pai imaginário. O depressivo em análise há de queixar-se constantemente da falta de um pai que, no entanto, (como em toda neurose) já terá feito sua função. Se o pai do depressivo parece periclitante, isso resulta de uma operação feita *pelo próprio sujeito,* com a qual a pobreza da fantasia há de ser solidária.

O Édipo, ainda

> Deus dessas! – aquilo era a Família. A roda travada, um hábito viscoso: Cada um precisava de conter os outros, para que não fossem e vivessem. Um antigo amor, rasteiro.
>
> *Guimarães Rosa*

Mais uma vez, marquemos a diferença entre as depressões e a melancolia. Não são poucos os autores que pensam que o vazio que abate o depressivo seja provocado pela perda do objeto materno. O impacto de "Luto e melancolia" (1915-1917), que aprofundou as intuições freudianas de 1895 ("Manuscrito G") ao articular a depressão aos estados de luto, instituiu na psicanálise uma relação teórica entre a depressão e a perda. "Perda do objeto, separação e luto

---

[86] Idem.
[87] Ibidem, p. 76.

parecem constituir um eixo possível para o tema da depressão", escreve Delouya, para quem "o desenho freudiano da melancolia arrastou consigo a depressão"[88].

Ora, se a depressão é uma decorrência da perda do objeto, é idêntica à gênese do psíquico: estaríamos todos marcados por ela, sim. Mas nem por isso, condenados à melancolia.

Outra decorrência dessa confusão entre perda, melancolia e depressão é o surgimento, talvez devido a um mal-entendido sobre as propostas de acolhimento ao paciente criadas por Donald Winnicott, de uma clínica da "maternagem", que supõe que o trabalho do analista seria o de promover o reencontro do sujeito com o objeto perdido, supostamente causador de sua depressão. Tal procedimento clínico só não é mais desastroso porque, a rigor, sua meta é inatingível. Tentar fazer, da transferência, o simulacro de uma "relação atual com o objeto, equivale a projetar o sujeito em uma ilusão alienante", escreve Lacan[89].

Ainda assim, os excessos de acolhimento no *setting* analítico, de atitudes protetoras, bem como o manejo da transferência desde um lugar maternal, têm por resultado lançar o analisando em uma angústia paralisante, na qual ele pode se instalar por anos, demandando cada vez mais proteção e acolhimento na ilusão de que o apaziguamento de sua angústia estaria na supressão do vazio por meio do (re?)encontro com o objeto. Ora, o objeto perdido não é causa da depressão: é causa do desejo. É aí que o depressivo precisa se engajar para sair de sua imobilidade angustiada. Voltarei a esse ponto.

Uma abordagem menos dramática, no caso de Fédida, secundada por Delouya, propõe que a experiência (necessária) de separação do objeto marca "o nascimento do afeto depressivo, assim como [...] a instalação da sensibilidade depressiva"[90]. Mantenhamos, assim, a relação entre vida psíquica e depressividade como condição de reconhecimento da perda, que evoca, a cada nova experiência de separação, a sensibilidade depressiva – mas não necessariamente a depressão.

Em Melanie Klein[91], a perda do objeto é agravada pelo sentimento de culpa provocado pela destruição imaginária do objeto, que lança a criança na *posição*

---

[88] Daniel Delouya, *Depressão*, cit., p. 26-7.
[89] Jacques Lacan, "Función y campo de la palabra", cit., p. 242.
[90] Ibidem, p. 33.
[91] Ver Melanie Klein, *Inveja e gratidão* (1957) (trad. José Octavio de Aguiar Abreu, Rio de Janeiro, Imago, 1974) e Jacques Lacan, *O Seminário, livro 4: A relação de objeto* (trad. Dulce Duque Estrada, Rio de Janeiro, Jorge Zahar, 1995).

depressiva. Para Klein, a perda do objeto tem, do ponto de vista da criança, o sentido de uma decepção em relação à capacidade do objeto satisfazê-la sempre. A criança reage com fúria destrutiva à perda do objeto (seio) parcial. A entrada na posição depressiva é concomitante à capacidade de integrar o aspecto mau e o bom do objeto, de modo que a criança sinta-se culpada pelo dano (imaginário) causado ao objeto bom. Já em Lacan, o objeto é por definição um objeto perdido, e a relação de objeto é sempre com a *falta de objeto*.

A teoria kleineana, à qual não me filio, desperta nossa atenção para um ponto importante: o *saber* que se esconde sob a posição depressiva. Para a autora, esse saber diz respeito à passagem da relação com os objetos parciais para a relação do bebê com o objeto que ele passa a perceber como unificado. A separação do objeto em aspectos parciais, bom e mau, seria um artifício da fantasia que permitiria a conservação do "bom" objeto, ligado à satisfação do impulso, e a destruição do "mau", o objeto que frustra. Ao perceber que "bom" e "mau" são dois aspectos de um mesmo objeto, a criança entra na posição depressiva, ligada ao sentimento inconsciente de culpa por ter destruído, com sua agressividade, o objeto "todo". O saber que acarreta a posição depressiva é um saber sobre a capacidade de destruição que a criança supõe possuir, a partir de suas fantasias e da violência de seus impulsos.

Penso que a proposta kleineana de que a posição depressiva resultaria de um sentimento inconsciente de culpa pela destruição do objeto remete antes às origens da melancolia, em Freud, do que à depressão. O interessante, no que toca ao sentido kleineano da posição depressiva, é essa associação entre a depressão e um saber inconsciente. A compreensão possibilitada pela posição depressiva traz grande alívio à criança, que já não percebe esse objeto como tão mau como ela antes idealizara. Nem tão mau, nem tão idealizado – a idealização do objeto seria, para a autora, proporcional ao ódio e ao medo que ele desperta na criança. Ódio e idealização seriam duas faces indissociáveis da relação persecutória com o objeto.

Alcançar a posição depressiva, escreve Klein, equivale a tornar-se "mais capaz de enfrentar a realidade psíquica"[92]. De que realidade se trata, do ponto de vista lacaniano, senão a de que o objeto não é nem bom, nem mau, mas simplesmente perdido?

Avancemos um pouco mais na busca da relação entre a depressão e o Édipo.

---

[92] Melanie Klein, *Inveja e gratidão*, cit., p. 62.

Uma das muitas diferenças significativas entre o melancólico e o depressivo é que, se para o primeiro a estrutura se define no momento inaugural da constituição do sujeito, a posição do depressivo se decide no segundo momento do complexo de Édipo, que é o momento por excelência das escolhas de neurose. O complexo de Édipo, como lembra Joel Dor, gira em torno da localização do lugar do falo "respectivamente no desejo da mãe, da criança e do pai, no curso de uma dialética que se desenvolverá sob a forma do 'ser' e do 'ter'"[93]. Se no curso normal do primeiro tempo do Édipo a criança está identificada simbolicamente com o objeto que falta à mãe e seu desejo está sujeito à demanda dela, no segundo tempo o pai entra como mediador do desejo da mãe.

O pai surge como aquele que faz a lei para o desejo da mãe e, portanto, como conhecedor das respostas para o enigma do desejo, na criança. Isso não significa que a função paterna só comece a operar nesse estágio, já que ela se inscreve desde os primórdios da vida psíquica por meio da mãe, que deverá estar barrada em seu gozo. O que marca o segundo tempo do Édipo não é a inscrição do Nome-do-Pai, que deve se dar desde o início da constituição do sujeito; é a evidência, para a criança, da presença incontornável do pai imaginário – o pai tal como se apresenta à criança por meio do discurso materno – como seu rival em relação ao desejo da mãe. O que se introduz nesse momento para a criança é a dimensão da falta de objeto, já que a entrada do pai como aquele que detém o objeto para o qual se volta o desejo materno vem interditar a satisfação do impulso. Que tal falta se apresente para a criança sob as formas da privação e da frustração não impede que, *do ponto de vista da teoria*, ela já corresponda, desde o início, à única falta de objeto incontornável: a castração.

Dizer que o pai só se apresenta à criança no segundo tempo do Édipo não equivale a dizer que a *pessoa* do pai não exista para o bebê, como objeto de satisfação, bem antes disso. Todo pai sabe por experiência própria que com pouco tempo de convívio o bebê dá mostras de experimentar grande prazer com sua presença. O pai de antes do Édipo[94] funciona para o bebê ao mesmo tempo como extensão da mãe, do ponto de vista da satisfação dos impulsos, e como apaziguador da criança dos eventuais excessos maternos a que ela está submetida. A diferença

---

[93] Joel Dor, *Introdução à leitura de Lacan* (trad. Carlos Eduardo Reis, Porto Alegre, Artes Médicas, 1989), p. 76.

[94] Ver Maria Rita Kehl, "O pai antes do Édipo", *Viver, mente & cérebro: a mente do bebê – constituição psíquica e universo simbólico*, São Paulo, Duetto, 2º sem. 2006, p. 36-40.

é que para a criança esse adulto amoroso, fonte de diversas modalidades de satisfação pulsional, ainda não se apresentou a ela sob a forma do *pai*. Nem por isso sua importância nos primórdios da constituição do sujeito deve ser subestimada.

Em "Psicologia de massas e análise do eu", Freud estabelece que a primeira identificação da criança, fundadora do traço unário, não é com a mãe, e sim com o pai; primeiro o pai representa, para a criança, o que ela deseja ser; depois, o que deseja ter[95]. Mais tarde, em "O ego e o id", Freud volta a escrever que a gênese do ideal do *eu* é tributária da "primeira e mais importante identificação do indivíduo, ou seja, a identificação com o pai"[96]. A seguir, na nota 1641, corrige: "Talvez fosse mais prudente dizer 'com os pais', pois o pai e a mãe não são objetos de uma valoração distinta antes do descobrimento da diferença entre os sexos"[97]. Tal objeção não impede que ele afirme a seguir: "Do pai, a criança se apodera por identificação"[98].

O importante é que para Freud, o pai do traço unário não é pai do Édipo. Do ponto de vista da psicanálise, o pai é introduzido no complexo de Édipo por meio do discurso da mãe. A entrada do pai obriga a criança a formar sua própria versão imaginária do falo, como objeto do desejo da mãe para além da criança.

Um dos momentos mais favoráveis para que o bebê se aperceba da importância do pai como detentor da resposta ao enigma do desejo materno é o momento do desmame. O drama do desmame, para o bebê, não se resume à perda do contato prazeroso com o seio no ato da amamentação. O desmame evidencia a independência da mãe em relação aos apelos do bebê. No momento em que a alimentação do bebê deixa de depender inteiramente da presença materna, ao desmamar sua cria, até mesmo a mãe mais amorosa adquire certa liberdade para ocupar, *ou não*, o lugar de objeto até então indispensável para a satisfação das necessidades do bebê. Segundo Laznik[99], essa separação é fundamental para que a mãe se constitua como primeira forma imaginária do Outro, no psiquismo do bebê. Do ponto de vista do bebê, essa mãe que prescinde de se satisfazer ao satisfazer o filho parece onipotente.

---

[95] Sigmund Freud, "La psicologia de masas y el análisis del yo" (1920-1921), em *Obras completas*, cit., p. 2585. [Ed. bras.: "Psicologia de grupo e análise do ego", em *Obras psicológicas completas*, cit., v. XVIII.]

[96] Idem, "El ego y el id", em *Obras completas*, cit., p. 2712.

[97] Idem.

[98] Idem.

[99] Marie-Christine Laznik-Penot, *Voz da sereia*, cit.

Do ponto de vista da mãe, o desmame exige o luto de sua própria potência como única fonte de vida para seu *infans*. Tal perda é compensada pela retomada de sua própria independência, como mulher, em relação às demandas da criança, já que a satisfação de necessidades do bebê deixa de depender inteiramente da presença física da mãe. Esse é o momento da prova dos nove do desejo materno; é quando ela volta a estar liberada para se ocupar de outros interesses sem se sentir culpada por não atender às necessidades do bebê. A mãe pode enviar substitutos para satisfazer a fome do bebê que desmamou. O luto da amamentação é, para a mãe, concomitante ao renascimento da mulher, que nesse momento se volta para o pai ou para outro eventual portador de outro objeto, além do filho, para seu desejo. Não é que o pai não estivesse presente antes, tanto junto ao bebê quanto como referência ao desejo materno. Mas é nesse momento que o filho se dá conta do pai como *rival* em relação à presença da mãe. No dizer de Mauro Mendes Dias[100], "esse é o momento em que a criança se depara com a verdade do desejo da mãe", verdade que se traduz como possibilidade da mãe desejar qualquer outra coisa além dela.

É nesse momento que a intervenção do pai *junto ao desejo da mãe* leva a criança a questionar sua própria identificação fálica. O pai do segundo tempo do complexo de Édipo aparece como aquele que priva a mãe do falo e frustra a (plena) satisfação infantil. O desejo da mãe agora está submetido à *lei do pai*, esse "outro" que intervém na relação entre a mãe e a criança, privando essa última da posição de *ser* (o falo) junto à mãe. Mas ainda que a mãe já não se apresente mais incondicionalmente para atender aos apelos do bebê, já que um outro pode substituí-la no que se refere à simples satisfação de necessidades, esse é o momento em que o filho começa a testar sua potência como "causa da presença da mãe"[101]. Inaugura-se, para a criança, a passagem do *ser* ao *ter*, passagem que não tem data marcada para terminar – se é que termina – já que a constituição dos ideais do *eu* há de exigir sempre novos investimentos e novas conquistas daquele que, tendo perdido a identificação com o *eu ideal*, está fadado a passar a vida tentando voltar a ser, no dizer de Freud, "seu próprio ideal mais uma vez"[102].

Na teoria lacaniana, esse momento inaugura a constituição do fantasma, fantasia inconsciente que situa o sujeito que procura (re)ocupar a posição perdi-

---

[100] Mauro Mendes Dias, *Neuroses e depressão*, cit., p. 49.
[101] Ibidem, p. 50.
[102] Sigmund Freud, "Introducción al narcisismo" (1914), em *Obras completas*, cit., v. II, p. 2017-33. [Ed. bras.: "Sobre o narcisismo: uma introdução", em *Obras psicológicas completas*, cit., v. XIV.]

da como objeto de gozo do Outro. A constituição do fantasma representa, em Lacan, o mesmo que a escolha de neurose (ou da perversão)[103] em Freud. Ora, a neurose não se resume à posição do sujeito no fantasma; essa é sua matriz simbólica. A neurose participa do campo das formações imaginárias que sustentam o narcisismo secundário do *eu* (*moi*)[104]. Por isso a estrutura neurótica é indissociável da série de fantasias por meio das quais o sujeito imagina sua posição no fantasma. A rivalidade com o pai e a busca de recuperar a identificação fálica impulsiona também uma nova série de identificações, a começar pelas identificações com os atributos do pai e, a partir daí, com os atributos de outras pessoas que representem, para a criança, ideais do *eu*. Fantasias e identificações participam dos mecanismos de que o *eu* dispõe, nas neuroses, para defender-se das evidências da castração. Mas não se limitam a essa função. Do ponto de vista da psicanálise, não há um sujeito sem estrutura, assim como não existe o sujeito do inconsciente em estado puro, desligado dos recursos egoicos que lhe permitam viver no mesmo mundo que seus semelhantes. Faço essa observação aparentemente óbvia para contrabalançar certo desapreço pelo *eu* (*moi*) na clínica lacaniana. Se do ponto de vista da direção da cura é importante que o analisando ultrapasse o campo narcísico das fantasias, das identificações e dos mecanismos de defesa de modo a possibilitar a emergência do sujeito do desejo, aquele que se submete a uma análise continua dependendo dos recursos do *moi*, o ego do jargão freudiano, para viver em meio a seus semelhantes.

A diferença em relação a outras escolas é que a direção da cura, na psicanálise lacaniana, não tem nada a ver com o propósito de "fortalecer o ego", e sim, ao contrário, visa proporcionar um esvaziamento do campo imaginário – o mesmo, aliás, que dá consistência ao sintoma – de modo a facilitar o acesso do sujeito ao saber inconsciente: a castração simbólica e os objetos pulsionais. Ainda assim, as identificações já deverão ter feito seu trabalho, permitindo inclusive algum destino sublimatório para o excesso pulsional, já que a capacidade de sublimação implica uma "identificação à potência paterna"[105]. O esvaziamento do eixo vertical que sustenta as identificações tem relação com o aumento das questões identitárias que, segundo Ehrenberg, participariam do crescimento das depressões nas sociedades contemporâneas.

---

[103] A psicose se decide em um momento anterior.

[104] É indiferente, nesse caso, se a fantasia situa o *eu* em sintonia com os ideais narcísicos ou, pelo avesso, como culpado ou fracassado em relação a eles.

[105] Jacques Lacan, *O Seminário, livro 7: A ética da psicanálise*, cit.

Volto ao ponto que me parece central na gênese da posição do depressivo. A depressão resulta de uma posição do sujeito no fantasma. Uma posição de recuo em relação à rivalidade edípica que não se confunde com as estratégias de recusa da castração dos histéricos e obsessivos. Que posição seria essa?

Penso que a posição do depressivo se esboça do lado das neuroses, mas permanece periclitante. O depressivo, tendo sido expulso do paraíso onde esteve, como todos nós, mergulhado no *ser*, escolhe a estratégia que lhe parece mais segura (entretanto, a mais arriscada) para não ter que saber disso: ele se recusa a se apropriar da condição de *ter*, com todos os riscos – mas também os ganhos – que tal oferece. Em consequência, permanece suspenso em uma espécie de terra de ninguém entre o *ser* e o *ter*. O depressivo já não *é*, mas não investe nos recursos que tem. Daí que para ele a questão identitária se apresente de maneira muito mais dramática do que as questões com as identificações. Na contemporaneidade, essa posição periclitante fica ainda mais facilitada em função da particular fragilidade do pai no imaginário social. O pai imaginário, em nossa cultura, parece inconsistente. Colette Soler refere-se a uma fragilidade no *semblant* paterno[106], o que não é a mesma coisa que dizer que o Nome-do-Pai deixou de operar. Voltarei a esse ponto.

---

[106] Colette Soler, *Des Mélancolies*, cit.

XI
Um fantasma insuficiente

Avancemos então com mais *vagar*. A precipitação do Outro é condição necessária, mas insuficiente para determinar o que virei a chamar de posição depressiva. Para que tal posição se estabeleça será necessário, parodiando Freud[107], um *novo ato psíquico,* de responsabilidade do sujeito, que corresponda ao que o criador da psicanálise chamou de escolha de neurose. A lassidão do bebê ultrassatisfeito por uma mãe ansiosa ou amorosa demais, facilita, mas não garante que ele venha a se transformar em um futuro depressivo. A posição do depressivo, assim como a do neurótico, há de se definir no segundo tempo do complexo de Édipo, quando a criança costuma reagir à intrusão do pai com uma série de empreitadas, tanto apaixonadas quanto rivalizadoras. O pai do segundo tempo do Édipo é interpretado pela criança como "dono do falo" (a expressão é de J. Dor), detentor do objeto capaz de satisfazer o desejo da mãe. Na tentativa de refazer a identificação fálica perdida, a criança por um lado, procura identificar-se com a potência paterna em convocar o desejo da mãe; por outro lado, rivaliza com ela.

A posição do depressivo se definiria a partir de um recuo da criança em relação à rivalidade fálica. Essa é a escolha subjetiva que define a posição do sujeito na estrutura como uma posição depressiva: recuar da rivalidade com o pai equivale a recusar a entrada da dimensão conflitiva que marca a vida psíquica do neurótico. A "escolha" depressiva se dá nesse ponto; ao invés de avançar em direção ao conflito, o depressivo regride para a posição anterior de dependência

---
[107] Sigmund Freud, "Introducción al narcisismo" (1914), em *Obras completas,* cit.

em relação à mãe, da qual ele já teria condições de se distanciar. Daí decorre o sentimento de impotência dos depressivos diante dos mais corriqueiros desafios da vida. Da mesma forma que o sofrimento depressivo seja antes decorrente de uma inibição generalizada do que de uma proliferação de sintomas. Freud entendeu que a inibição se produz justamente como efeito do não enfrentamento de um conflito; a tentativa permanente de anulação do conflito, inaugurada pela recusa em enfrentar o pai imaginário, haverá de definir os outros avatares da posição depressiva.

Essa mesma recusa a entrar na dimensão conflitiva, que pode ser entendida tanto na vida psíquica quanto na vida social, está na origem do fatalismo, a "indolência do coração" que caracteriza a melancolia benjaminiana. Eis a conexão teórica entre a depressão e a antiga melancolia, no sentido que lhe empresta Walter Benjamin. O depressivo é um fatalista: não aposta na potência criativa de sua ação. A psiquiatria, ao tratar sua dor moral como déficit, promove a covalidação social dessa fantasia que oprime o depressivo: de fato, ele imagina que sua prostração se deva a um déficit de alguma coisa que aos outros, neuróticos "normais", não falta. As versões imaginárias desse déficit se multiplicam: falta de substâncias químicas no cérebro, falta de ânimo, de vontade, de forças, de amor à vida, de cuidados, de proteção – de coragem. Aí, sim. Ao depressivo, falta coragem. De quê? De desejar. O vazio depressivo é correlato da falta de desejo.

Por isso mesmo, trata-se de um vazio cheio – de angústia. O "ponto de angústia", no dizer de Lacan, situa-se entre o gozo e o desejo. A busca do desejo não vai pelo mesmo caminho que a busca do gozo. A via do desejo é consequência do enfrentamento com uma das duas modalidades da angústia, a chamada angústia de castração. A outra modalidade seria "um termo intermediário entre o gozo e o desejo, uma vez que é depois de superada a angústia, e fundamentado o tempo da angústia, que o desejo se constitui"[108]. O depressivo, presa de um gozo (no Outro) do qual ele precisa a todo custo se esconder, apartou-se, desde a origem de sua posição subjetiva, do caminho do desejo, que exige o enfrentamento da angústia de castração. Entre gozo e desejo, entre *ser* e *ter,* entre a angústia de castração e a angústia ante a ameaça do desvanecimento subjetivo – ser sugado pela demanda do Outro materno –, o depressivo fica capturado em um tempo que não passa porque não pode ir adiante, nem voltar.

---

[108] Jacques Lacan, *O Seminário, livro 10: A angústia,* cit., p. 193.

O recuo diante da rivalidade com o pai não tem poucas consequências. Ele equivale ao movimento que Lacan nomeou como "ceder em seu desejo", única escolha da qual o sujeito da psicanálise deve se sentir legitimamente culpado. Esse é o ato de covardia que está na origem da dor moral do depressivo. Qual a relação entre recuar diante da rivalidade com o pai e ceder em seu desejo?

Ao "desistir do pai", o depressivo também está tentando, como todo neurótico, negociar o desejo em troca da demanda do Outro. Ele também pretende, como todo neurótico, recuperar o *ser*. Isso implica em afirmar que o recuo não impede que o depressivo construa seu fantasma. Essa é a função do fantasma: sustentar o sujeito em uma posição a partir da qual ele supõe atender à demanda de gozo do Outro. Por que então a posição do depressivo no fantasma é mais periclitante do que a posição do neurótico?

Na construção do fantasma do neurótico, o pai imaginário ocupa primordialmente o lugar desse Outro que a criança pretende fazer gozar. O pai, não a mãe. A ele o sujeito endereça uma demanda de reconhecimento do valor que ele tem para o Outro: "o que você quer de mim?" Essa oferta/demanda é de caráter masoquista, já que o sujeito se coloca diante do Outro em posição sacrificial: "seja o que for, me demande, eu saberei satisfazê-lo".

Retomemos o texto freudiano que fundamentou o conceito lacaniano de fantasma: "Bate-se em uma criança"[109]. Ali, as três versões de uma fantasia masturbatória, tanto em homens quanto em mulheres, representam uma criança sendo espancada por um adulto que é o pai ou (na terceira versão) um seu representante, "um mestre ou um superior qualquer"[110].

Entre as duas fantasias conscientes, nas quais o sujeito relata que se excita ao ver uma criança sendo espancada, Freud escutou as associações de seus analisandos até a (re)construção de uma fantasia inconsciente, de caráter masoquista, que ele resumiu com a seguinte frase: "Meu pai me bate porque me ama". Essa frase situa a posição a partir da qual o sujeito se oferece como objeto de gozo do Outro. Por que o pai, e não a mãe, é que ocupa o lugar do Outro no fantasma do neurótico, se a mãe é o grande Outro fusional do qual a criança, ao separar-se, perdeu o *ser*?

Para encontrar a resposta, façamos duas observações preliminares. Primeiro: a origem da fantasia é o complexo paterno, que combina o amor pelo pai, a ri-

---

[109] Sigmund Freud, "Pegan a un niño" (1919), em *Obras completas*, cit., v. III, p. 2463-80. [Ed. bras.: "Uma criança é espancada", em *Obras psicológicas completas*, cit., v. XVII.]

[110] Ibidem, p. 2472.

validade e a culpa, tanto pelos impulsos sádicos como pelos impulsos eróticos em relação a ele. Segundo: a relação "(me) bate porque (me) ama", que resulta em uma perfeita solução de compromisso entre o erotismo e a culpa, tem como fundamento a interpretação infantil do ato sexual como um ato de violência do pai sobre a mãe. O pai, que "maltrata" a mãe ao gozar de seu corpo, é o agente da castração materna. A criança, já separada do Outro materno desde antes dessa fase, constrói *a posteriori* sua versão sobre o desejo da mãe, o qual constitui a própria prova do reconhecimento da castração dela e da potência fálica do pai.

Assim, a definição da posição do sujeito no fantasma se dá no apogeu do complexo paterno. O todo-poderoso pai imaginário, que domina os investimentos ambivalentes da criança no segundo tempo do Édipo, é que ocupa o lugar do Outro, no fantasma. É a ele, senhor da lei do desejo da mãe, que a criança demanda reconhecimento.

Ora, se o depressivo recua ante as consequências do complexo paterno (no qual já está, bem ou mal, mergulhado), o lugar do Outro na constituição do fantasma fica periclitante. Consequentemente, a posição do sujeito também se fragiliza. Vale considerá-la como uma posição de *borda*? Sim, no sentido da particularidade da constituição insuficiente do fantasma para o depressivo. Tento evitar o termo *borderline* (Stern) utilizado por autores da escola inglesa como Kernberg, por exemplo, porque não penso na estrutura do depressivo como situada entre a psicose, a neurose e a perversão[111]. Talvez a expressão empregada por Bergeret, de "estado-limite", seja menos contaminada pela clínica do *borderline*, sem perder de vista a problemática narcísica. O termo *estado* indica uma situação que pode não ser definitiva. De fato a experiência clínica nos indica a possibilidade do depressivo transpor, em análise, os limites (narcisistas) de seu estado. Vejamos.

No ponto em que o neurótico, para sustentar-se nessa posição, rivaliza com o(s) dono(s) do falo – seja a histérica ao desafiar seu mestre, seja o obsessivo ao tentar se equilibrar dos dois lados da Lei, entre a obediência e a transgressão –, o depressivo recua. Com isso, estabelece uma relação ambígua com os ideais de *eu*. Uma relação de desistência – o que não significa que o Ideal não tenha se constituído. Mas, ao abandonar a perspectiva aberta pelo confronto com o Ideal (como se fosse possível não se separar dele), o depressivo se mantém aquém dos ideais. Ao não avaliar o caráter *assintótico* da curva que o separa do Ideal, o depressivo

---

[111] Ver Luís Cláudio Figueiredo, "O caso-limite e as sabotagens do prazer", em *Elementos para a clínica contemporânea* (São Paulo, Escuta, 2003), p. 77-107.

abandona ou adia indefinidamente o investimento nos ideais que lhe proporcionariam gratificações da ordem do narcisismo secundário.

O que lhe interessa é minimizar a importância do pai, como quem diz: "eu não me importo com o falo". Esse artifício está na origem da inapetência do depressivo ante todas as ofertas aparentemente tentadoras da vida: ele é indiferente ao falo. Ele escolheu oferecer ao Outro a versão infantil de sua castração: a daquele que, sem o Outro, não pode nada[112]. À demanda do Outro materno, o depressivo se oferece como castrado. É assim que (ele bem sabe!) a mãe o quer. Ele se faz indiferente ao falo para não perder a proteção materna. Por isso mesmo o falo é uma questão central na depressão.

A indiferença em relação ao brilho fálico de todos os objetos que seduzem o neurótico participa da tristeza depressiva. O mundo é um lugar sem graça, sem interesse. Nada acena para ele com o brilho do falo imaginário. Em análise, essa descrença pode facilitar a direção da cura; se é tão difícil ao neurótico desacreditar do falo como objeto que (assim ele espera) realmente *é*, o depressivo já parte desse saber. Para ele, o falo imaginário é uma bobagem. Ao mesmo tempo, para sair do quarto e entrar no mundo – que é sempre o mundo onde já estão, antes dele, os outros –, o depressivo precisa se dispor a entrar, nem que seja timidamente, na dialética fálica.

A outra consequência importante dessa escolha subjetiva é que para o depressivo o pai será sempre representado como insuficiente para barrar a onipotência da mãe e, ao mesmo tempo, como pouco interessado no filho(a). O pai imaginário do depressivo é um pai inconsistente – o que mantém o sujeito perigosamente à mercê do gozo materno.

"O desejo da mãe não é algo que se possa suportar assim, que lhes seja indiferente", diz Lacan no *Seminário 17*[113]. "Carreia sempre estragos. Um grande crocodilo em cuja boca vocês estão – a mãe é isso. Não se sabe o que lhe pode dar na telha, de estalo fechar sua bocarra. O desejo da mãe é isso."

No caso particular do depressivo, a bocarra do crocodilo torna-se mais ameaçadora a partir do momento em que ele abriu mão, para não ter que se confrontar

---

[112] "É evidente que o sujeito na posição depressiva não deixa de passar pelo Édipo. Ele passa pelo Édipo-Castração, pois não é psicótico. Só que ele se conserva na primeira alternativa que o fantasma apresenta para ele". Mauro Mendes Dias, *Neuroses e depressão*, cit., p. 121.

[113] Jacques Lacan, *O Seminário, livro 17: O avesso da psicanálise* (1960-1970) (Rio de Janeiro, Jorge Zahar, 1992, versão de Ary Roitman sobre texto estabelecido por Jacques-Alain Miller), cap. VII, p. 105.

com a angústia de castração, de medir-se com o pai e identificar-se com os traços que representam a potência dele[114], como aquele que faz a lei para o desejo materno. A mãe, para o depressivo, não é entendida como desejante (do pai), e sim como demandante (do filho/a). Essa operação de evitamento da angústia de castração há de lhe custar um preço alto.

Nesse caso, seria correto considerar a depressão como um mecanismo de defesa? Não vou por esse caminho. O sujeito se refugia na depressão justamente porque não dispõe de recursos para se defender da voracidade do Outro. Ao se encolher, no quarto, na cama, imóvel sob as cobertas, o depressivo tenta evitar o incesto que, na fantasia, lhe parece iminente. Só que em sua retirada, ele acaba por se colocar perigosamente à mercê do mesmo gozo mortífero que vinha tentando evitar, pois quanto mais ele recua, mais se coloca como que no colo do Outro. Ao afirmar que uma parte importante da análise de um depressivo se dá *per via de porre*, não digo que o analista deva sair de seu lugar e se aventurar a sugerir medidas paliativas para melhorar o ânimo do analisando. Para que o depressivo consiga sair da posição ambígua em que se colocou – escondido do Outro/ bem no colo do Outro! –, não basta ter acesso (*per via de levare*) à fantasia inconsciente (fantasma) de modo a fazer a passagem de objeto da demanda do Outro a sujeito desejante. O acesso ao desejo angustia o deprimido. Melhor assim: é por essa via que o depressivo pode vir a transpor seu estado-limite. Estamos agora no terreno seguro da angústia de castração, não mais no da angústia ante a iminência de desaparecimento do sujeito. Mas o que diferencia, então, o depressivo de um neurótico comum? Duas ressalvas são necessárias aqui.

A primeira, sobre o desejo: o acesso ao desejo não equivale ao acesso ao *objeto* do desejo, mas a um saber sobre como se manifesta na vida cotidiana aquilo que *causa* esse impulso lançado sobre o vazio a que chamamos desejo. Como saber algo sobre a causa a não ser através das variadas formas do querer, agenciadas pela fantasia e pela pulsão?

A segunda, sobre a castração simbólica: essa não equivale à interdição de toda satisfação, mas à de uma satisfação (impossível) apenas. A fórmula freudiana para a castração simbólica do menino "todas as mulheres menos a do pai" resume bem a relação entre o desejo e a lei e aponta para a ampla margem de manobra – "todas as mulheres"! – daquele que se dispôs a renunciar ao objeto

---

[114] Essa recusa inaugura, a meu ver, a dificuldade no estabelecimento de identificações secundárias a que se refere Jean Bergeret.

interditado. A função da lei não é tornar o sujeito conformado, e sim potente, embora barrado. Potente *porque* barrado. O que não significa que, a cada nova empreitada movida pelo desejo, a angústia de castração não se renove.

No caso do depressivo, o que torna a angústia de castração recém-conquistada mais difícil de suportar é a fragilidade dos recursos, também chamados mecanismos de defesa, do *eu* (*moi*), que lhe permitam formular as *vontades* que representam sua via desejante e assim apostar em formas substitutivas da (única) satisfação interditada.

No momento em que define a escolha de sua posição, o depressivo recuou do terreno da rivalidade fálica com o pai para permanecer sob as asas da mãe. Ao posicionar-se nessa *borda* da estrutura fantasmática o sujeito permanece suspenso, como observou Lacan a propósito da angústia, entre o gozo e o desejo.

Nesse sentido, a depressão não pode ser entendida como mecanismo de defesa, embora por meio dela – como também através da neurose – o sujeito se defenda, sim, dos riscos da castração. No entanto, desde tal posição periclitante, o depressivo tem muito menos mecanismos de defesa a seu dispor do que os neuróticos, assim como permanece aquém de outros recursos, ouso dizer, egoicos. Estes não consistem apenas nos mecanismos que defendem o narcisismo do *eu*; são também todos os recursos que o *eu* desenvolve para se colocar no páreo da vida, inaugurado (mas não limitado a esse momento) quando da rivalidade edípica com o pai. Assim como fantasia pouco, o depressivo se defende mal. Uma parte de sua análise passa pelo encorajamento do analista para que ele aposte em algum recurso que lhe permita enveredar por uma via desejante. Do contrário, a regressão estará sempre à disposição do depressivo; ele conhece o caminho de volta ao quarto, à cama, ao recolhimento, ao autoerotismo. Há de tentar voltar a ele diversas vezes ao longo da análise, a cada vez que a angústia de castração apontar no horizonte. O analista não deve subestimar a possibilidade de o depressivo enfrentar esse novo momento de angústia, nem muito menos lhe oferecer algum tipo de acolhida maternal que se pareça com o colo protetor ao qual ele quer/não quer regressar.

Em momentos assim, em que o analisando regride em direção a seu refúgio de tristeza e impotência depois que os primeiros anos de análise lhe possibilitaram apostar em algumas conquistas exogâmicas, costumo indagar, quantas vezes forem necessárias: "por que você quer recuar?".

Outro ponto importante no que se refere aos mecanismos de defesa – os quais incluem as identificações secundárias – é o seguinte: se o depressivo é aquele que fracassa no rumo da paixão identitária, como na hipótese de Alain Ehrenberg, isso significa que em algum momento ele foi tomado por ela. Vejamos o que ocorre durante o estádio do espelho, momento em que a "matriz simbólica do *eu* (*je*) se precipita em uma forma primordial, *antes de objetivar-se na dialética da identificação com o Outro* e antes que a linguagem lhe restitua, no universal, sua função de sujeito"[115]. Lacan está se referindo às identificações secundárias, que são imaginárias. O outro, com *o* minúsculo, pode ser qualquer semelhante – até mesmo o pai, suporte fundamental das identificações com os ideais do eu. Só que o pai das identificações secundárias não é o pai do traço unário (simbólico) e não ocupa, para o bebê, o lugar do Outro imaginário. Essas primeiras identificações com o outro são fundamentais na conclusão do estádio do espelho. Elas possibilitam a passagem da ficção alienante do Eu Ideal – que lançam o *eu* em uma insolúvel "discordância a respeito de sua própria realidade"[116] – à identificação com os ideais do *eu*.

> Esse momento em que termina o estádio do espelho inaugura, pela identificação com a *imago* do semelhante e o drama dos ciúmes primordiais [...] a dialética que desde então liga o *eu* (*je*) com situações socialmente elaboradas.[117]

O depressivo investe mal nas identificações secundárias que abrem caminho ao sujeito em direção à conquista dos ideais do *eu*. É fácil concluir qual o rigor das exigências superegoicas que incidem sobre esse que, na tentativa de ser idêntico a um intangível "si mesmo" (representado pela imagem perfeita que ele perde no mesmo instante em que se depara com ela, no espelho) dispensa a mediação salvadora dos ideais do *eu*, esses que se constituem à medida em que *je* se objetiva, no dizer de Lacan, na dialética da identificação com o outro. O que se objetiva através das identificações é o *moi*, forma imaginária do *eu*, sujeito do inconsciente que encontrou sua forma primordial ao precipitar-se na matriz simbólica, universal, da linguagem.

As identificações secundárias libertam o sujeito do aprisionamento narcísico, especular, promovido pela imagem Ideal porque modificam o *eu* (*moi*).

"O caráter do *eu* é um resíduo das cargas de objeto abandonadas e contém a história das escolhas de objeto", escreve Freud em "O ego e o id"[118]. As sucessivas

---

[115] Jacques Lacan, "El estádio del espejo como formador de la función del yo" (1949), em *Escritos*, cit., v. I p. 87 e p. 86-93. [Ed. bras.: "O estádio do espelho como constitutivo das funções do eu", em *Escritos*, cit.] (Grifo meu.)

[116] Idem.

[117] Ibidem, p. 91.

[118] Sigmund Freud, "El ego y el id" (1923), em *Obras completas*, cit., v. III, p. 2711 e p 2701-28.

operações de "reconstrução do objeto no *eu*" a que se refere Freud[119] ao mesmo tempo que enriquecem os recursos do *eu*, possibilitam uma relativa liberdade em relação ao ideal, já que a cada identificação corresponde uma perda, uma ferida narcísica. Ao recuar da dialética fálica no segundo tempo do Édipo, o depressivo, homem ou mulher, tenta ignorar o que ele já sabe e, até certo ponto, já viveu: a importância capital do pai na inauguração das identificações. É um artifício através do qual ele se representa como inteiro – "idêntico a si mesmo" – pois cada identificação, embora enriqueça o *eu*, é a marca incontestável da presença (e da perda) de um *outro* a fraturar a pretensa unidade do sujeito consigo mesmo.

A partir daí, o depressivo só faz por empobrecer seu campo identificatório. Ao não reconhecer a identificação (secundária) com os ideais paternos e permanecer preso ao Ideal (materno), afastado do mundo – onde os outros não teriam por que reconhecer, nele, o Ideal – ele também deixa de se identificar com os traços dos seus semelhantes. O depressivo é solitário justamente porque, em sua fidelidade regressiva a "si mesmo", *não se identifica com ninguém*.

A semelhança entre as oscilações sofridas pelos depressivos – tanto de humor como do lugar que ocupa diante do Outro – e aquelas que caracterizam ocorrências depressivas nas neuroses, provavelmente provocam muita confusão no campo da psiquiatria. A depressão participa das estruturas neuróticas, não como um sintoma ou um mecanismo de defesa, mas como uma posição que encobre a estrutura. Isto não significa que a análise de alguém que se apresente como depressivo crônico deva ser conduzida da mesma forma que a análise de um neurótico. Durante o primeiro tempo da análise de um depressivo (cuja duração pode ser bastante longa), trata-se de promover sua entrada na dialética fálica e o acesso à angústia de castração.

As oscilações de humor sofridas pelos depressivos, assim como pelos neuróticos não deprimidos, promovem muita confusão no campo da psiquiatria. A ênfase diagnóstica no *humor* faz com que muitas vezes estas pessoas sejam diagnosticadas como bipolares. Ora, a experiência psicanalítica mostra que em qualquer estrutura podem ocorrer fenômenos circunstanciais que, empiricamente, fazem pensar em manifestações *bipolares*. À diferença da melancolia, cuja estrutura inclui necessariamente uma contrapartida maníaca, a posição subjetiva constituída nas neuroses está sujeita a falhar, e o neurótico fica sujeito a deprimir-se. O neurótico, quando cai de sua posição fantasmática, depara-se com o avesso da imagem

---

[119] Ibidem, p. 2710.

que oferecia para atrair a demanda do Outro. Nesses episódios, o neurótico está sujeito a se deprimir, às vezes gravemente. Mas isto não faz dele um "bipolar". Nem um depressivo. Do neurótico, dizemos que *está deprimido*.

A neurose, pela própria instabilidade de seus artifícios, está sujeita a contrastes de humor aparentemente "bipolares": extremos de euforia e tristeza, de triunfo e derrota, de onipotência e de fragilidade, a depender das ocorrências que possam indicar, para o sujeito, o encontro ou a perda do lugar privilegiado que ele busca ocupar. De maneira análoga, o esforço do neurótico na direção dos ideais do *eu*, quando é sabotado pelo sintoma "dos que fracassam ao triunfar", proporciona experiências de legítima onipotência narcísica à maneira do que Freud nomeou como "voltar a ser seu próprio ideal, mais uma vez". O oposto também é verdadeiro: quando fracassa, o neurótico deixa-se abater diante da reprovação do *supereu*. O obsessivo derrotado em uma disputa fálica, a histérica abandonada pelo homem a quem se ofereceu como objeto de adoração são casos típicos de quedas depressivas que podem ocorrer durante a análise (ou a vida) dos neuróticos e fazem lembrar as manifestações da chamada "bipolaridade".

O emprego de critérios diagnósticos meramente comportamentais poderá levar o psiquiatra a definir um quadro bipolar diante de uma depressão neurótica. Com exceção dos casos de intervenções pontuais que ajudem o sujeito em crise a se empenhar num tratamento analítico ou no mínimo psicoterapêutico, a medicalização das neuroses pode produzir um recuo em relação ao conflito, propício à cronificação de um estado depressivo. Em vez de ajudar o sujeito a enfrentar o conflito, a medicalização pode produzir um apaziguamento que corresponde a um apagamento da dimensão conflitiva e a um empobrecimento da vida subjetiva – os mesmos dos quais os depressivos que procuram a psicanálise querem se curar.

Na depressão a identificação fálica ocorreu. Mas como as posições ocupadas pelo sujeito junto ao Outro são ressignificadas durante o atravessamento do complexo de Édipo, digamos que o futuro depressivo tenha perdido essa identificação sem ter lutado por ela, sem ter rivalizado com o pai, o "dono do falo" do segundo tempo do Édipo. Esse é o sentido da queda precoce do depressivo. Ele recuou do enfrentamento com o pai e consequentemente de todas as empreitadas que marcam a vida infantil, a partir das quais ele haveria de constituir os recursos identificatórios e as defesas do *eu* (*moi*).

Se o depressivo recuou nessa etapa decisiva da constituição do narcisismo do *eu*, secundário ao narcisismo de "sua majestade, o bebê", a clínica nos revela a precariedade de seus mecanismos de defesa e dos recursos criativos do *eu*, imprescindíveis para enfrentar os desafios e obstáculos que a vida haverá de interpor em sua via desejante. Dessa precariedade narcísica se alimenta a dor moral do depressivo, que se deixa de estar sempre aquém de suas mais modestas pretensões. Mas essa não é a única razão de sua dor moral. Na origem das depressões encontramos a covardia moral que Lacan considera como a verdadeira causa da dor de que sofrem os depressivos: a dor de ter cedido de seu desejo em nome do gozo do Outro. Daí a relação entre a dor moral e a vergonha, na depressão.

Mas não é isto o que faz todo o neurótico? Não é como objeto de gozo que o sujeito se oferece ao Outro, sustentado pelas fantasias que se organizam a partir do fantasma? Qual a diferença, então, entre a covardia moral do depressivo e a dos demais neuróticos?

Se para os(as) histéricos(as) e para os(as) obsessivos(as) a posição no fantasma é decidida *depois* que o pequeno incestuoso é derrotado em sua rivalidade com o pai (derrota da qual ele traz, como prêmio de consolação, as identificações que haverão de constituir os ideais do *supereu*, herdeiro das pretensões do complexo de Édipo), o depressivo seria aquele que, a caminho da estrutura neurótica, desistiu um pouco antes de entrar na rivalidade. Daí o achado de Mauro Mendes Dias, de que o depressivo "cai antes da queda". Se a queda do neurótico que entra em disputa com o pai pela primazia junto ao desejo da mãe é inevitável, a do depressivo ocorre por escolha antecipada, estratégia para permanecer junto à mãe sem ter que se confrontar com o pai. Em função dessa escolha, ele deixa de conhecer grande parte de seus recursos, mas também de seus limites. A impotência do depressivo é a contrapartida de uma pretensão onipotente secreta, que ele preserva ao não se colocar à prova diante dos pequenos desafios da vida, a não se medir com o outro e não querer saber da distância que o separa de seus ideais.

Os pais da criança depressiva

> Separados entre si pela perda geral de toda e qualquer linguagem adequada aos fatos [...] até dos filhos se veem separados, dos filhos que ainda não há muito eram a única propriedade dos que nada possuem. É-lhes retirado, na tenra idade delas, o domínio sobre essas crianças, já suas rivais, que já nem ouvem as informes opiniões dos pais e até riem do flagrante falhanço que neles se escancara; que desprezam por certo com razão, a origem que têm, sentindo-se muito mais filhas do espetáculo reinante do que

desses criados do espetáculo que por acaso um dia as engendraram – sonhando assim ser os mestiços de tais negros.[120]

A experiência clínica nos ensina que tanto a mãe como o pai do futuro depressivo são cúmplices, cada um à sua maneira, do recuo da criança. A "queda" do depressivo acontece no segundo tempo do Édipo, mas sua origem está no tempo anterior, determinada a partir de um modo de intervenção do Outro materno que eu chamei, por falta de uma palavra melhor, de antecipação das demandas do *infans*.

A mãe do depressivo não é a mãe do psicótico porque não toma a criança como pedaço de carne, nem como pedaço não simbolizado de si mesma. Ela não toma o filho como seu objeto, mas como um dependente que não pode suportar a ausência dela. Essa modalidade de amor materno compromete a falicização do corpo da criança, uma vez que perpetua e radicaliza as condições da castração infantil: a mãe do futuro depressivo conserva a criança capturada pelo desejo de que ele permaneça como seu eterno bebê. Trata-se de uma mãe que não suporta ser dispensável junto à criança. Pode ser a mulher angustiada que não suporta que a criança se revele a ela como ser de falta; ou a mãe obsessiva que pretende aplacar sempre a todas as menores manifestações de inquietação de seu bebê; ou a mulher fálica que superprotege a criança como forma de comprovar sua potência, e que se sente muito ameaçada ante qualquer possibilidade de independência de sua cria em relação ao que ela, e só ela, pode lhe oferecer. O fato é que a mãe do depressivo não é indiferente ao seu bebê; ela lhe confere um lugar importante na sua economia libidinal – o lugar de seu eterno dependente.

Que satisfação a mãe do depressivo obtém ao manter a dependência do filho em relação a seus cuidados? O gozo de sua própria potência: a mãe do depressivo representa a si mesma como indispensável para o outro. Não é raro encontrar ao lado dessa mulher hipereficiente um marido que se deprimiu, independente de qual for sua estrutura psíquica; um homem que ao longo dos anos de casamento tenha se deixado capturar, por comodidade ou descuido, no lugar daquele que não sabe, não pode, não é capaz. Nesse caso, a criança fica ainda mais vulnerável frente à onipotência materna, confirmada pelo abatimento do pai. Justamente porque se demitiu da dialética do desejo, o depressivo fica mais assujeitado ao gozo de um Outro, que

---

[120] Guy Debord, roteiro do filme *Movemo-nos na noite sem saída e somos devorados pelo fogo* (trad. Júlio Henriques, Lisboa, Fenda Edições, 1984).

lhe parece avassalador. Assim, ao seu recuo originário acrescenta-se um segundo recuo, que consiste nas tentativas de colocar-se ao abrigo da ameaça de ser sugado pelo Outro. O esconderijo do depressivo, no quarto, na cama, debaixo das cobertas, tem um sentido sobredeterminado: reproduz o aconchego do colo materno e, ao mesmo tempo, protege o sujeito da voracidade do Outro.

No segundo tempo do Édipo, a mãe supereficiente tenderia a poupar sua criança da rivalidade edípica. Não porque não exista, para ela, espaço para desejar nada ou ninguém além da criança, e sim porque, ocupada em poupar seu filho da dor de viver, tenta uma solução de compromisso entre seu investimento em um terceiro – o pai ou qualquer substituto – e sua necessidade de continuar protegendo o(a) filho(a).

A essa mãe superprotetora corresponde, com frequência, um pai que se comporta como pouco interessado em sua cria, ou porque a esposa não facilita sua aproximação com o bebê (se a relação entre a mãe e o *infans* não é natural, muito menos a relação do homem com sua cria), ou porque o desqualifica como menos capaz do que ela para todas as tarefas que poderiam torná-lo mais íntimo da criança. Para a criança, a rivalidade com um pai pouco amoroso ou distante é muito mais ameaçadora. Ela entra na rivalidade com o pai porque percebe que a palavra dele faz a lei para o desejo da mãe; mas essa rivalidade só é possível para a criança – como se verifica no caso do pequeno Hans – porque ela está protegida de suas próprias fantasias parricidas, assim como do terror ante o fantasma do pai castrador, pelo amor que o próprio pai lhe dedica. Um pai desinteressado desencoraja a rivalidade da criança, tanto quanto a mãe superprotetora, que representa seu(sua) filho(a) como eterno dependente de seus cuidados. A covardia do depressivo consiste em recuar da posição desejante *e dos desafios fálicos* que a realização de desejos exige.

A depressão seria, portanto, tributária de uma posição particular do sujeito no fantasma. Movido pela necessidade de responder ao enigma da relação do desejo materno com a lei do pai, o sujeito pode responder de algumas maneiras diferentes. Nas neuroses, a criança inventa diferentes modalidades de rivalidade entre si e o pai, na tentativa de recuperar sua identificação fálica. É nesse ponto que o depressivo se demite da dialética do desejo. "O sujeito cai na depressão antes da queda que seria vivida através da dialética com o desejo da mãe, em que ele seria levado a ter que perder a exclusividade junto ao outro[121]."

---

[121] Mauro Mendes Dias, *Neuroses e depressão*, cit., v. II, p. 63.

O depressivo constitui o fantasma oferecendo-se ao outro como castrado. A depressão é o preço que ele paga por essa escolha. A saída pela depressão seria uma solução fantasmática por meio da qual o sujeito tenta conservar sua posição junto ao desejo da mãe, sem ter que se haver com a instância paterna. "Se não há a possibilidade de fazer o que eu quero, então fico com o que eu já tenho"[122], pensaria o depressivo. A fórmula pode ser parecida com aquela que, para Freud, expressaria a melhor resolução para o complexo de Édipo. O menino que aceita renunciar à posse da mãe em troca de poder escolher entre "todas as outras mulheres" – assim como a menina que renuncia à posse do falo (pênis) em troca da feminilidade, como recurso que lhe possibilite obter mais tarde um falo/filho – está engajado em negociações *progressivas* em relação ao lugar que o sujeito perdeu junto ao Outro. A saída do depressivo é regressiva.

Além disso, como pode "ficar com o que tem" aquele que acabou de perder o que tinha? Recusando completar a passagem na qual ele já está inevitavelmente engajado: a chamada passagem do *ser* ao *ter*. Aquilo de que o depressivo renuncia, para não perder seu lugar junto à mãe, é de ocupar um outro lugar no mundo – mundo do qual o primeiro representante, para a criança, é o pai. Uma das condições mais características do deprimido é a de "não querer se haver com o mundo"[123].

O "mundo", para o sujeito, é o domínio do pai imaginário. A inconsistência do *semblant* paterno torna o mundo um lugar ameaçador, onde o pai não faz a lei. Lugar em que o sujeito fica submetido ao gozo do Outro.

É importante considerar também a ambivalência que marca a relação entre os depressivos e suas mães. No momento em que a criança indefesa se transforma em um(a) adolescente deprimido, a mãe passa a protestar violentamente contra aquele(a) "imprestável" que ela não suporta admitir que ajudou a criar. O encolhimento do depressivo fere profundamente a vaidade materna. Na clínica com adultos observamos com frequência o conluio tremendo entre a superproteção e a rejeição maternas, assim como entre a dependência e o ódio filiais. A autodestrutividade silenciosa dos depressivos resulta do retorno sobre o próprio *eu* das pulsões agressivas cujo alvo, contraditório e temível, seria a mãe. Essa atitude agressivo-passiva contribui para agravar a estagnação do depressivo, quando ele

---

[122] Ibidem, v. I, p. 103.
[123] Idem.

percebe que é capaz de ofender e/ou de *deixar em falta* a mãe todo-poderosa ao apresentar a ela o avesso da imagem ideal.

É o máximo que ele consegue fazer para defender-se da mãe, tendo dispensado precocemente o apoio que lhe conferiria o pai imaginário. No lugar onde esse pai, do ponto de vista da criança, parece desinteressado ou ausente, encontramos com frequência um homem que se vê decaído diante de sua função. Ou porque as formações imaginárias que a função paterna sustenta têm se tornado cada vez mais inconsistentes, o que leva todo homem a se confrontar com a dúvida obsessiva – "o que é um homem? o que é um pai?". Ou então porque aquele homem em particular, o pai do depressivo, ficou muito aquém de suas ambições.

Foi o que aconteceu com L., cujo pai, homem de origem humilde e muito mais velho que a mãe, durante a adolescência dos filhos "pendurou as chuteiras" – ou pelo menos foi o que pareceu aos olhos de seu filho mais moço, talentoso, inteligente e, a partir daquele momento, deprimido. A análise revelou que o retorno da rivalidade fálica que caracteriza a posição do menino, na adolescência, não encontrou no pai de L. um rival à sua altura. Foi o pai quem se demitiu de sua posição, ao mesmo tempo que apostou que o filho caçula compensaria a (suposta) insuficiência de suas realizações.

"Meu pai quis que eu passasse à frente dele, *me deu passagem* e eu passei. Nem tive que brigar por isso. Nunca soube lutar pelo que eu quero; aliás, eu acho mesmo é que não quero nada". L. nunca manifestou angústia, durante um longo período de sua análise. A cada pequena descoberta, costumava recuar com um desdém irônico: "Está bem, mas e daí? E daí, *nada*". A rigor, ele tinha razão. Nada obriga o sujeito a dar algum destino a suas descobertas, muito menos a dar alguma forma fantasiosa ao objeto vazio de seu desejo. Não cabe ao analista recusar, ou tentar atenuar, a *verdade psíquica* conhecida por um depressivo como L: a verdade é que *nada*, a rigor, garante um significado (imaginário) para a vida; nada lhe indica que exista um objeto confiável para o desejo.

A depressão não equivale ao estado mais regressivo do sujeito. O encontro do depressivo com a verdade do psiquismo, na forma do vazio, não ocorre porque ele nunca tenha constituído a rede protetora formada pelo trabalho de representação, mas porque a pressa do Outro o levou a descrer de sua produção imaginária. O depressivo fantasia pouco e, quando fantasia, apressa-se a fazer pouco dessas traduções imaginárias do fantasma.

Depois de muito tempo a escutar esse tipo de afirmação nadificante, deixei de me impressionar com a aparente radicalidade do recuo de L. e passei a incentivá-lo a *colocar alguma coisa no lugar do nada*. Diante desse saber que o deixava perigosamente à mercê da pulsão de morte, só me restava encorajá-lo, sistematicamente, a colocar algo no lugar desse nada, por sua conta e risco. Não um objeto inquestionável, universal, e sim alguma coisa que fizesse sentido para ele. Algo que o representasse diante de si mesmo. "Você tem razão. A rigor, e daí? E daí, nada. Mas se não quiser ficar sempre diante do nada cabe a você decidir se quer inventar alguma coisa aí, onde o Outro estava tão presente que você achou que nem precisava inventar nada".

Não é de encontro que se trata, é de invenção. Assim se entendo o sentido da frase de Picasso: "eu não procuro, eu acho". Em uma análise, diante da presença-ausência do analista, sempre ainda haverá tempo para o sujeito inventar suas próprias brincadeiras de *fort-da*.

Foi quando começou a formular algumas moções de desejo que L. passou a se angustiar. Conquistar mulheres nunca foi difícil para ele – aliás, a dose de crueldade e de desencanto que caracteriza a posição dos depressivos, homens e mulheres, facilita o caminho da conquista amorosa. Eles se colocam diante do outro como quem não está nem aí, e essa indiferença, que se parece com a *belle indifférence* histérica – embora não seja da mesma ordem – não é sem atrativos. Mas desejar uma mulher em relação à qual ele teve a coragem de formular algumas tímidas fantasias amorosas, uma mulher que lhe acenava com o brilho do objeto *a*, L. deparou-se com a angústia de castração.

Ao não recuar diante dessa angústia, ao fazer a passagem da angústia avassaladora da ameaça de dissolução subjetiva que o levara a substituir o tratamento medicamentoso pela psicanálise, para a angústia de castração, L. considerou sua análise terminada. Comunicou-me essa decisão de chofre, depois de nove anos sem faltar a nenhuma sessão. "Terminou; é isso. Terminou. Não vou dizer como cheguei a essa conclusão porque se começar a falar, essa coisa não para nunca. Então digo só: 'terminou'". Deixou-me um cheque dobrado como pagamento dessa última sessão, que não durou mais do que três minutos. Ao pegar o cheque, no final do dia, percebi que L. havia cometido um "erro": no lugar da quantia a preencher, havia escrito seu nome. Não uma assinatura: seu nome completo, em letra de forma. Levei alguns minutos para entender que o que parecia um ato falho fora na verdade um modo performático de encerrar a análise. No lugar em que deveria se escrever o valor do cheque, L. escreveu seu nome. Foi o valor que me deixou em pagamento não da última sessão, mas de toda a sua análise.

Pulsão de morte

> Ópios, Édens, analgésicos / não me calem essa dor.
> Ela é tudo o que me sobra / sofrer vai ser
> A minha última obra.
>
> *Paulo Leminsky/ Itamar Assumpção*

Finalmente, é necessário apresentar uma hipótese sobre a pulsão de morte que nos permita entender a maneira particular pela qual ela vem a integrar os quadros depressivos. Sigo a observação de Lacan ao referir-se às consequências do complexo de desmame, no livro *Os complexos familiares*[124]. Lacan procura desvincular o conceito de pulsão de morte dos determinantes biológicos com que Freud tenta justificá-lo, no texto de 1920. No texto de 1938, Lacan já estabelecera, sem nomeá-la dessa forma, uma importante relação entre pulsão de morte e gozo. Fez isso ao refletir sobre as consequências importantes do primeiro complexo que marca a constituição do sujeito, o do desmame. Se encontramos no psiquismo uma tendência à morte, essa não corresponderia à ação biológica de um "instinto (ou pulsão) de morte", e sim ao fracasso na sublimação da imago materna que deveria concluir o complexo do desmame. Esse coincide com o momento da vida em que a alimentação do *infans* passa do seio (como única fonte de alimento) para a mamadeira, passagem imprescindível para que ele possa alcançar a "sublimação da imago materna"[125]. Os efeitos da pulsão de morte revelariam a insuficiência dessa operação de sublimação.

> Essa tendência psíquica à morte, sob a forma original que lhe dá o desmame, revela-se em suicídios muito especiais que se caracterizam como "não violentos", ao mesmo tempo que aí aparece a forma oral do complexo: greve de fome da anorexia mental, envenenamento lento de certas toxicomanias pela boca, regime de fome nas neuroses gástricas. A análise desses casos mostra que, em seu abandono à morte, o sujeito procura reencontrar a imago da mãe.[126]

---

[124] Jacques Lacan, "O complexo de desmame", em *Os complexos familiares* (1938) (trad. de Marco Antonio Coutinho Jorge e Potiguara Mendes da Silveira Júnior, Rio de Janeiro, Jorge Zahar, 1987), p. 22-30.

[125] Ibidem, p. 29.

[126] Idem. (Grifo meu.)

O argumento de Lacan é que a deficiência nessa primeira sublimação deixa a criança – e também, mais tarde, o adulto – sempre sujeita a tentar reencontrar as formas regressivas do aconchego doméstico. Ele chama a atenção para a associação inconsciente entre a mãe e a morte, revelada nos vários rituais que associam sepultamento e retorno ao corpo materno.

Essa abordagem da pulsão de morte como tendência ao gozo, a que Lacan retornará em textos posteriores, é importante para refletirmos sobre a relação dos depressivos com o gozo materno, que alguns autores confundem com o que ocorre na melancolia. Não é a retirada precoce do investimento materno que está na origem do vazio depressivo: bem ao contrário, sua inapetência para a vida é resultante da sublimação insuficiente em relação às ofertas de aconchego maternas. A impossibilidade da sublimação da imago materna conta, evidentemente, com uma importante contribuição da própria mãe da criança. Se, conforme observamos, o momento do desmame exige um luto não só do lado da criança mas também (ou principalmente) do lado da mãe, é fácil deduzir que algumas mulheres suportam mal essa passagem, que vai desde a dependência absoluta do *infans* até uma relativa independência em relação ao corpo dela como única fonte de alimento e de vida. É a mãe que resiste a desmamar, ou que desmama mal, o seu bebê. É a mãe que, em certos casos, prolonga ao máximo a oferta de seu corpo como única fonte de satisfação da criança. Não nos enganemos: a demanda de gozo, nesse caso, está prioritariamente do lado da mãe.

Esse é o desamparo de que sofre o depressivo: o de ter se colocado na "boca do crocodilo" e não dispor de recursos para se defender dela a não ser recolhendo-se sob as cobertas. Na confluência entre essa ameaça de ser sugado pelo Outro e a prostração a que o sujeito se condena para se esconder disso, a vida psíquica fica reduzida a um mínimo ponto, sentido pelo depressivo como à beira de um "*desaparecimento de si* [...] uma economia de morte"[127]. Não mistifiquemos a economia da pulsão de morte, ela tem um nome conhecido da psicanálise: o gozo do Outro – cuja primeira versão imaginária é a Mãe.

As ofertas/demandas provindas do lugar da maternagem podem tomar, mais tarde, a forma de convites tentadores para que o adolescente ou o jovem adulto recue diante dos obstáculos e dificuldades da vida, de volta à proteção familiar. Lacan entende que a unidade doméstica seja, para aquele que saiu para o mundo,

---

[127] Pierre Fédida, prefácio de A. Triandafillidis, *La dépression et son inquiétante familiarité* (Paris, Éditions Universitaires, 1991), citado por Daniel Delouya, cit., p. 16.

objeto de uma afeição especial, a qual não se confunde com o amor por cada membro do grupo, isoladamente. A família, o lar, a domesticidade, seriam as traduções da maternagem, na vida adulta. A cada movimento de abandono da segurança familiar corresponde um novo desmame, e somente estes movimentos exogâmicos são capazes de liquidar definitivamente o complexo.

É nesse ponto que Lacan introduz uma reflexão fundamental para a compreensão da relação dos depressivos com a pulsão de morte: "Todo retorno, ainda que parcial, a essas seguranças, pode desencadear no psiquismo ruínas sem proporção com o benefício prático desse retorno. Todo acabamento da personalidade exige esse novo desmame".

O que seria o "acabamento da personalidade", para o Lacan de 1938? Coincidiria com o atravessamento do complexo de Édipo? Parece que não apenas isso: há ainda outra passagem a ser feita para que a personalidade (o *eu – moi* – com seus recursos, seus mecanismos de defesa, seus atributos) se complete. Essa constitui na conquista do espaço público, o "novo desmame" que cada sujeito tem que levar a cabo para completar a inscrição simbólica de sua existência. Lacan recorre a Hegel, para quem "o indivíduo que não luta para ser reconhecido fora do grupo familiar nunca atinge a personalidade antes da morte". Ou, parafraseando uma analisanda em vias de superar uma importante depressão: "ninguém faz história no quarto em que nasceu".

O esconderijo protegido do depressivo é por definição fora do espaço público. Sua estratégia é de oferecer-se, como objeto inofensivo, impotente e dependente da proteção da mãe. O gozo autoerótico dessa posição protegida custa ao sujeito o preço do abatimento e da inapetência para os desafios que a vida lhe apresentará.

Aqui, a entrega passiva de alguns depressivos às experiências com o gozo mortífero, que Lacan qualificou como suicídios não violentos e de formas de envenenamento oral, revela sua plena sobredeterminação. Se, por um lado, a morte é a mais completa tradução do seio materno (mal) perdido, por outro lado resta como a última possibilidade de inscrição simbólica de um sujeito que, entregue ao abatimento depressivo, deixou de "completar sua personalidade". O recuo do depressivo, dos enfrentamentos fálicos para o abrigo da proteção materna, faz com que ele passe grande parte da vida recolhido ao aconchego – a essas alturas, mortífero – do lar. A referência que Lacan faz a Hegel se completa no mesmo parágrafo: a última forma de inscrição simbólica daquele que permaneceu sob proteção da família, a única da qual nenhum humano fica excluído, é a inscrição do nome próprio na lápide de uma sepultura. A atração pela ideia da morte nos depressivos, mesmo que na maior parte dos casos não cheguem a passar ao ato, corresponderia a uma nostalgia de gozo que, ainda para Lacan, seria

> Uma assimilação perfeita da totalidade ao ser. Sob essa fórmula de aspecto pouco filosófico, reconheceremos as seguintes nostalgias da humanidade: miragem metafísica da harmonia universal, abismo místico da fusão afetiva, utopia social de uma tutela autoritária, todas as saídas da obsessão do paraíso perdido de antes do nascimento e da mais obscura aspiração à morte.[128]

O depressivo se esconde do espaço público porque é o lugar do Outro paterno, lugar a partir do qual ele deveria finalmente entrar na rivalidade fálica da qual viveu a se esquivar. O espaço público põe à prova a potência do sujeito, seja qual for a maneira como ela se manifeste; o espaço público solicita *alguma potência*. Que não se confunda, como bem lembra Lacan, a potência (dita) fálica com a enganosa potência do (órgão) falo, esse que "ali onde é esperado como sexual, nunca aparece senão como falta, e é essa a sua ligação com a angústia"[129]. A potência necessária para ocupar um lugar, qualquer que seja, no espaço público nada tem a ver com o órgão viril – se assim fosse, as mulheres estariam todas excluídas dessa possibilidade. Tem a ver com o corpo, sim, enquanto imagem que se mantém de pé diante do olhar do outro (o semelhante). E tem a ver também com os mecanismos de defesa que protegem o *eu* da invasão voraz do Outro, já que o espaço público é organizado pelas estruturas simbólicas do poder, as quais não prescindem do apoio das formas imaginárias do Outro. Aqui se encontra também uma importante chave para a compreensão das agorafobias.

Da mesma forma, apesar de todo o esforço ideológico em sustentar o laço social contemporâneo na base de convocações ao desempenho individual, apagando com isto a dimensão conflitiva da vida em sociedade, ainda assim o espaço público é atravessado por várias dimensões de conflito. O que a crença individualista produz é justamente o oposto do apaziguamento da vida social com base em que "cada um cuide da sua vida e não se preocupe com a vida do outro". Quando conflitos de interesse entre classes sociais ou entre tendências políticas passam para segundo plano, o espaço público tende a se tornar o palco de uma luta, que pode ser mais ou menos violenta, de todos contra todos.

---

[128] Ibidem, p. 30.
[129] Jacques Lacan, *O Seminário, livro 10: A angústia*, cit., p. 293.

Ehrenberg chama a atenção para o fato de que uma sociedade que substitui o conflito, como condição da vida social, pelo desempenho individual, só faz substituir as "doenças da culpa" pelas doenças do déficit. Aqueles que se intimidam ante a rivalidade selvagem que caracteriza o atual estágio do capitalismo e não desempenham a contento o que quer que se tenham proposto a fazer para obter um lugar ao sol entre os indiferentes, são vistos como quem sofre da falta de alguma coisa: uma substância química, uma capacidade comportamental. Essas devem então ser rapidamente repostas via tratamento psiquiátrico, ou desenvolvidas pelas academias de autoajuda e "promoção da autoestima" que se multiplicam a cada dia nas grandes cidades do mundo.

Refugiar-se do espaço público amplia perigosamente o espaço da pulsão de morte na vida psíquica. Ao tentar manter-se ligado ao gozo da proteção materna, o depressivo coloca-se perigosamente à mercê de Thanatos. A tentativa de evitar a castração, apresentando-se como incapaz de viver longe da proteção materna, expõe o depressivo ao fantasma de ser tomado como objeto passivo da satisfação de uma mãe que, por sua vez, também não renuncia ao exercício de sua potência diante da criança fragilizada. Não é qualquer mulher que se presta a mãe de um futuro depressivo. Para isso, é necessário uma mulher que faça, dos encargos normais da maternidade, uma confirmação narcísica de sua potência.

Dessa ameaça de tornar-se, todo, objeto do gozo materno, o depressivo tenta proteger-se enfiado na cama, debaixo das cobertas. Ali ele experimenta, aliado à sua inapetência para vida, o gozo autoerótico da imobilidade, da passividade, da inércia, resultantes de seu esforço por fechar a via aberta pelo desejo.

O preço dessa negociação é a imersão na tristeza. Embora a psicanálise não se ocupe desse afeto (o único afeto que interessa à teoria lacaniana é a angústia), é importante tentar compreender por que o recuo do depressivo custa a ele o preço de um estado permanente de tristeza. O depressivo se entristece porque não se atreve a enfrentar os desafios do mundo; sua posição particular o leva a viver muito aquém de suas possibilidades, e ele não deixa de saber disso. Não que ele deixe de se desenvolver no isolamento do ambiente controlado pela mãe. É frequente encontrarmos, entre os depressivos, pessoas de grande cultura e grandes recursos intelectuais, porém que nunca põem à prova suas qualidades.

Mas a tristeza tem suas compensações. Mergulhado nela, o depressivo sente-se mais perto do *ser*. Além de contar com o auxílio contemporâneo da nosografia psiquiátrica, que faz de seu diagnóstico uma prótese do *ser*, o deprimido faz de sua tristeza uma espécie de morada autoerótica do *ser*. Na verdade, ele já está apartado do *ser*, no único sentido que a psicanálise admite: *ser o falo para o Outro*. Mas ao recusar a passagem do *ser* ao *ter* o depressivo instala-se *todo*, de corpo e alma, na tristeza. Ele é sua tristeza, ele não se separa dela.

Por fim, é como se a tristeza o poupasse de pagar a dívida simbólica com o pai. Ele está abatido pela tristeza, não tem condições de pagar. Ou então – na versão de Dias – ele tenta pagar a dívida através da tristeza. Essa seria a moeda oferecida pelo depressivo para pagar sua dívida simbólica e também a outra, que ele adquiriu consigo mesmo ao recuar de sua posição na dialética do desejo. Assim, condena-se a nunca se separar da tristeza, sob pena de se sentir em dívida consigo mesmo – bem à maneira dos neuróticos "comuns" que o depressivo, secretamente, despreza.

EPÍLOGO
Condições sociais da transmissão da depressão

Be a tiger.
Slogan publicitário

Começo por lembrar ainda uma vez que analisar o crescimento atual das depressões como sintoma social não é o mesmo que escutar o depressivo, na clínica, como um caso social. Os depressivos devem ser, como todos os que procuram a psicanálise, escutados um a um. O sentido do sintoma social não dispensa a singularidade do sujeito.

Na Primeira e na Segunda Partes deste livro, indiquei algumas transformações ocorridas nas sociedades capitalistas, desde as décadas de 1960-70, que me parecem ter forte participação entre as causas do crescimento dos casos de depressão nesses países. Mas, do ponto de vista da psicanálise, ainda falta tentar responder à seguinte questão: de que maneira se transmitem, desde os primórdios da constituição do sujeito – quando o recém-nascido ainda estaria, supostamente, ao abrigo das forças e das demandas que regem a vida social –, as condições sociais da depressão? Sem essa resposta, ou pelo menos alguma hipótese de resposta, a ideia de que o aumento das depressões possa ser entendido como um sintoma social contemporâneo fica inconsistente. Uma coisa é dizer que as depressões podem se expandir, por obra das identificações do tipo histérico, na medida em que se expandem e se divulgam novos critérios diagnósticos para detectar a mais recente doença da moda. Outra é considerar o aumento epidêmico dos casos de depressão como sintoma do mal-estar em nossa época e buscar suas origens em condições específicas da vida social.

Nesse caso, é preciso explicar de que modo as condições sociais da depressão, tais como venho propondo – aumento da velocidade na regulação social do tempo, predominância dos imperativos de gozo sobre as interdições tradicionais, perda do valor da experiência, fragilidade das referências identificatórias, entre outros –, participam da constituição dos sujeitos, no início da vida psíquica, para produzir não somente neuróticos que se deprimem, mas sujeitos propensos a constituir uma estrutura depressiva. Se existe, por exemplo, uma relação entre as depressões e o tempo, é necessário buscar, na regulação temporal que caracteriza a vida contemporânea, os fatores que incidem na constituição do sujeito a ponto de determinar um crescimento tão expressivo das depressões.

A aceleração do tempo e o discurso materno

> Minha pressa é assim: vamos começar isso logo pra terminar logo, encerrar logo esse dia e dormir logo; acordar logo, tocar em frente logo, envelhecer logo, morrer logo.

A organização da temporalidade é a primeira forma discursiva que a mãe introduz à criança. A mera alternância entre a presença e a ausência maternas já introduz o *infans* no tempo do Outro, que lhe é apresentado em primeira mão sob a forma de intervalos de tempo de espera pelo objeto de satisfação. A dimensão temporal é a primeira manifestação da falta que se apresenta ao recém-nascido.

Remeto o leitor ao capítulo IX: se o psiquismo é uma instância temporal e o trabalho psíquico nasce do intervalo de tempo entre tensão e satisfação de necessidades, a aceleração do tempo do Outro atropela *o tempo de espera* fundamental na constituição do sujeito. A temporalidade acelerada da vida contemporânea se apresenta ao recém-nascido por meio do discurso materno. Em primeiro lugar, por razões óbvias: a pobre mãe, seja ela quem for, também está submetida às pressões por desempenho e eficiência que comandam e aceleram o usufruto do tempo em uma sociedade na qual o valor da vida é medido pela produtividade.

O próprio fato de a mãe estar incluída na temporalidade acelerada da vida contemporânea faz com que ela se apresse, automaticamente, a atender da forma mais eficiente possível aos apelos da criança. O comportamento automático de rapidez e eficiência, característico das mães razoavelmente boas do terceiro milênio – mães excessivamente preocupadas com seu desempenho e angustiadas com o pouco tempo que poderão dedicar a seus bebês –, tende a abreviar o *tempo vazio* necessário para instaurar o trabalho psíquico, trabalho de representação do objeto de satisfação, em seus bebês. Não pensemos, portanto, no futuro depressivo como um bebê abandonado ou mal-amado, mas como uma criança poupada, em demasia, da necessidade de suportar o que Freud chamou de *tensão de necessidade*.

Vale observar que as novas gerações de jovens mães, filhas das primeiras mulheres que participaram ou ao menos se beneficiaram das mudanças e conquistas dos movimentos feministas no Ocidente, são mulheres desgarradas de uma longa cadeia de transmissão da experiência da maternidade. Durante pelo menos dois séculos, desde a consolidação da família nuclear moderna centrada em torno do trabalho da mãe-esposa-dona-de-casa, as mulheres transmitiam às suas filhas o saber adquirido com a experiência da maternidade, o qual lhes havia sido transmitido por suas mães, e assim por diante. Há pouco mais de duas gerações, jovens mães vêm enfrentando a entrada na maternidade por conta própria, uma vez que a cada dez ou quinze anos os hábitos e valores da vida familiar e do laço conjugal se transformam a ponto de tornar obsoleta a experiência da geração anterior.

Se essa é uma condição necessária imposta por todas as transformações sociais, sobretudo no que diz respeito às mudanças nos costumes, nem por isso as mães principiantes deixam de pagar o preço de um forte sentimento de desamparo no que toca à sabedoria, nem tão intuitiva quanto se imagina, do início da maternidade. Pierre Fédida, numa conferência ministrada em São Paulo na década de 1980, afirmou ter observado em sua clínica que muitos casos de depressão pós-parto em mães de primeira viagem devem-se ao desamparo sentido por essas jovens que consideravam ultrapassado o saber que suas mães teriam a lhes transmitir. As rápidas transformações técnicas, pediátricas e também ideológicas no que toca ao cuidado com os recém-nascidos, produziriam também certo *vazio de sentido* quanto à experiência da maternidade para essas jovens mães, desligadas da corrente de transmissão geracional que deveria unir sua prática à de suas mães.

Com o auxílio de Walter Benjamin compreendemos que a desmoralização da experiência transmitida entre as gerações favorece a disponibilidade dos sujeitos, que já não possuem referências nem critérios críticos frente à oferta avassaladora e veloz de novidades no campo da técnica. Só que a técnica, do ponto de vista do usuário, não constitui um saber. Nas sociedades industriais, em que existe um fosso entre o usuário da tecnologia e o trabalhador que domina os segredos da sua produção, a técnica propicia apenas uma maior velocidade ao fazer. Paradoxalmente, em vez de a velocidade tecnológica proporcionar um ganho de tempo livre para o ócio, o devaneio, a construção compartilhada de narrativas, o incremento do lugar que a técnica ocupa na vida cotidiana deixa os sujeitos cada vez mais disponíveis apenas para o consumo de novos aparatos técnicos. O resultado desse conluio entre a desmoralização da experiência e a tecnologia é que o homem contemporâneo vive assolado pela utilização veloz e contínua de dezenas de aparelhos supostamente elaborados para ajudá-lo a economizar seu tempo.

A ansiedade das mulheres que se sentem responsáveis por inventar, sozinhas, o que é ser uma boa mãe tem efeitos sobre seus bebês. A presença tranquila e desinteressada da mãe junto ao bebê, que instaura o conforto de um *espaço-entre* mãe e filho, na expressão de Winnicott, é com frequência substituída por uma presença solícita, ativa e demandante de reconhecimento – como se a mãe esperasse, dos sinais de alegria e bem-estar obtidos do recém-nascido, a resposta para sua dúvida sobre o que é ser uma boa mãe. A mãe que ignora o que é ser suficientemente boa pode se tornar uma cumpridora compulsiva de tarefas, angustiada ao menor sinal de desconforto de seu bebê, incapaz de lhe proporcionar a experiência vital de esperar pela satisfação de seus impulsos.

Em segundo lugar, em parte como consequência disso, as crianças ocupam um lugar ambíguo na cultura: como ideal do gozo (perdido) de seus pais, mas também, paradoxalmente, como investimento no "mercado de futuros". Essa espécie de duplo vínculo em que a criança está inserida faz com que os pais procurem, ao mesmo tempo, satisfazê-la plenamente (como se isto fosse possível) para maximizar sua felicidade, e estimulá-la ao máximo a fim de desenvolver desde cedo as potencialidades que deverão garantir uma boa colocação na disputa acirrada do mercado de trabalho.

Como essas práticas educativas e amorosas são recebidas *do ponto de vista do bebê*? Como excesso de demanda. Estamos acostumados a observar, tanto na clínica quanto nos espaços públicos, essas famílias que não param de dar atenção ao recém-nascido nem por um minuto. A criança precocemente vivaz, que gasta todo seu repertório de gracinhas a cada novo adulto que se apresenta a ela, é a mesma de quem os pais se queixam poucos meses depois de que é "hiperativa". Esse é o diagnóstico psiquiátrico da criança que não sabe ficar sozinha, não para de chamar a atenção sobre si mesma a qualquer custo, chora e se desespera quando não é atendida prontamente e se mostra incapaz de se concentrar em qualquer pequena atividade, em casa ou na escola. São crianças acossadas pela demanda, cujo tempo psíquico foi atropelado pelo excesso de investimento da mãe e dos outros adultos à sua volta.

É notável a ansiedade que se manifesta no excesso de atividade desses pequenos, expropriados da experiência de vazio temporal que inaugura o trabalho psíquico, estimula a fantasia e a criatividade e promove tanto a autoconfiança quanto a confiança no mundo. Não devemos confundir a autoconfiança com a propalada "autoestima" tão cara à escola norte-americana da *ego-psychology*, segundo a qual os pais precisam empreender todos os esforços para impedir arranhões no narcisismo de seus rebentos. A autoconfiança é o oposto da autoestima forjada de fora para dentro: funda-se sobre a experiência infantil de sobreviver à ausência temporária da satisfação promovida pela mãe ou por seus substitutos, assim como de suportar permanecer por alguns intervalos de tempo fora do alcance do olhar do Outro.

O uso de medicamentos para conter tanto os excessos de atividades de crianças pequenas quanto suas crises supostamente depressivas vem crescendo em proporções alarmantes. Em novembro de 2006, o jornal *Folha de S.Paulo* reproduziu uma reportagem do *The New York Times* sob o título: "Hipermedicação de crianças alarma os EUA"[1], relatando o abuso de medicamentos psiquiátricos utilizados por pais de crianças supostamente *hiperativas ou depressivas* (sic); trata-se de crianças medicadas com "coquetéis de drogas" por pais desorientados, ou mal-orientados por médicos e psiquiatras, sem atentarem para os efeitos colaterais de tais excessos.

> No ano passado, nos EUA, cerca de 1,6 milhão de crianças e adolescentes, 280 mil dos quais com menos de dez anos, recebeu tratamento por meio de combinações de ao menos dois medicamentos psiquiátricos, de acordo com uma análise conduzida pela Medco Health Solutions a pedido do *NYT*. Mais de 500 mil crianças usaram combinações de pelo menos três medicamentos, e mais de 160 mil tinham receitas para quatro remédios combinados.

A reportagem se encerra com dados da Medco segundo os quais, entre 2001 e 2005, o uso de medicamentos antipsicóticos para tratamento de crianças e adolescentes nos EUA cresceu 73%. Em outra reportagem, também publicada na *Folha de S.Paulo*, um estudo da revista norte americana *Archives of General Psychiatry* conclui:

> Mas há, ainda, a vontade desesperada de alguns pais de enquadrarem o comportamento explosivo de seus filhos em uma definição clínica e, na opinião de alguns críticos, a pressão das indústrias farmacêuticas – já que as drogas indicadas para o transtorno são bem mais caras do que as empregadas contra ansiedade ou depressão.[2]

---

[1] Gardiner Harris, "Hipermedicação de crianças alarma os EUA", *Folha de S.Paulo*, 26/11/2006, p. A32.
[2] Denise Godoy, "EUA veem surto de jovens tratados por transtorno bipolar", *Folha de S.Paulo*, 5/9/2007.

A revista *Época* de 5 de junho de 2006 publicou uma pesquisa, da Associação Americana de Psiquiatria da Infância e Adolescência, segundo a qual se estima que uma em cada 33 crianças norte-americanas sofra de depressão. Na adolescência o número salta para uma sobre 8. A reportagem da *Época* cita um estudo da Universidade de Washington apresentado no Congresso da Academia Americana de Psiquiatria, onde se avaliou que em crianças entre quatro e sete anos os sintomas depressivos foram encontrados em 7%, o que representa um aumento de 98% em dez anos. "Fatores estressantes", como o incremento do número de compromissos na vida das crianças pequenas, foram incluídos entre as causas mais tradicionais do sofrimento infantil, como a herança genética e a estrutura familiar.

Por que os pais desejariam enquadrar em uma categoria de doença mental o comportamento de crianças que há duas ou três décadas seriam consideradas problemáticas ou simplesmente mal-educadas? O que leva alguns pais a se demitirem de sua posição de educadores responsáveis, a ponto de acharem mais sensato medicar seus filhos do que repensar suas práticas e sua relação com eles de modo a ajudá-las a atravessar as fases difíceis e as crises depressivas da vida?

Ao contrário do que possa parecer, a razão da crescente adesão dos adultos à patologização dos distúrbios infantis talvez não resida no descaso ou na displicência dos pais, embora implique, sim, em uma demissão parcial em relação a suas responsabilidades pela formação e pelo bem-estar dos filhos.

Os pais que se apressam a levar crianças ansiosas, hiperativas, tristes e/ou mal-educadas ao psiquiatra talvez revelem ter pretensões tão elevadas a respeito de suas crianças, que não suportam, eles próprios, ajudá-los a enfrentar as crises, as dores, as angústias e os momentos de instabilidade emocional da vida. A atenção à vida subjetiva das crianças, assim como à dos adultos, requer uma relação mais distendida com o tempo; episódios de luto ou de conflito próprios da infância e da adolescência podem custar a perda de um ano escolar, como o mau desempenho em atividades esportivas ou mesmo a perda de popularidade entre os amigos de escola – motivo de importante dor narcísica em uma sociedade em que o valor de cada um é avaliado a partir do "valor de gozo" que o grupo social lhe confere.

São os pais, e não as crianças, que não suportam que seus filhos estejam expostos aos conflitos e crises inevitáveis da vida, assim como não toleram a ideia de que as vicissitudes da vida subjetiva possam deixá-los para trás na corrida precoce por boas colocações no futuro. Preferem medicar o sofrimento de seus filhos de modo a (re)ajustá-los rapidamente às exigências da vida escolar e dos ideais da vida social.

Mas mesmo a medicação das crianças hiperativas, que parece tão conveniente para facilitar o convívio em família e a adaptação à escola, não tem poder de impedir que esses pequenos estejam sujeitos a se deprimir, principalmente a partir da adolescência.

A inconsistência do pai imaginário e a depressão na adolescência

> [...] e assim, à força de especular sobre as minhas culpas, sobretudo as mais recentes, em relação ao pai, me veio em mente tirar algumas fotos dele, no fundo me parecia uma ideia excelente porque ao que me conste só se fazem fotografias de mortos se os mortos são de uma certa graduação, Lênin ou Marconi por exemplo ou o presidente dos Estados Unidos, portanto, depois de lhe ter dado pouca importância durante toda a sua vida, agora que o pai estava morto, eu fazia uma ação reparatória colocando-o à altura de personagens mais ilustres, coisa que a meu ver lhe teria proporcionado grande satisfação, porém era pouco provável que ele viesse a sabê-lo...
>
> *Giuseppe Berto*, O mal obscuro

O alto valor narcísico que os filhos ocupam junto a seus pais indica a fragilidade do lugar do adulto na contemporaneidade. Essa fragilidade é tributária da desmoralização das formações imaginárias que sustentam, como escreveu Soler, o *semblant* do pai junto à criança. Não se trata, como pensam vários autores pós-modernos, do fim do Édipo. O mal-estar contemporâneo tem relação com a inconsistência do pai imaginário, figura central no complexo.

Não é fácil para um pai sustentar seu lugar diante dos imperativos de gozo e de soberania do indivíduo que caracterizam o momento atual das sociedades capitalistas. Afinal, o que é um pai? Freud foi sensível a essa questão, ao repetir o dito popular que estabelece o pai como incerto em comparação com a certeza biológica da maternidade. O Pai, assim como a Mulher, não existe; ele se define não pela participação biológica no ato da concepção, mas pelo exercício simbólico de uma função. É notável a frequência com que os analistas escutam queixas a respeito do "pai fraco", do "pai ausente", em seus consultórios. No limite, há quem diga: "meu pai nunca foi propriamente um pai". Como entender essas acusações tão frequentes sobre a deficiência paterna? Assim como Freud, no final dos anos 1890, começou a duvidar de que todos os pais das moças vienenses seduzissem as filhas conforme indicavam as fantasias de suas pacientes histéricas, devemos hoje nos indagar se todos os homens que constituem família são incapazes de exercer a paternidade.

Ocorre que nenhum pai se sustenta apenas por si mesmo. Nenhum pai é forte quando o exercício de sua função não é sustentado pelos significantes mestres que contribuem com a transmissão da Lei simbólica. Há os que, na falta de suporte simbólico para sua autoridade, tornam-se pais violentos. O que não muda nada: o "pai violento", mesmo que intimide seus filhos, é apenas a outra face da moeda do "pai fraco". A questão é que o exercício da autoridade paterna, para o bem e para o mal, anda desmoralizado. A autoridade é uma função simbólica; não se confunde com arbítrio, nem com o autoritarismo ainda presente em algumas famílias. A autoridade funda-se no dever que a sociedade atribui aos pais de transmitirem alguns valores e imporem alguns limites aos filhos.

No relato que Freud faz do caso do pequeno Hans, não são poucos os episódios em que a criança quer ir, com suas perguntas, mais longe do que o pai achava razoável responder. Em 1905, as perguntas do menino iam sendo respondidas com bastante franqueza pelo pai, sob orientação do dr. Freud, até tocar em um ponto-tabu: evidentemente, a curiosidade da criança a respeito da natureza da vagina de sua mãe. Nessa hora o pai encerrava a conversa, invocando que o "bom Deus" não gostava que se falasse a respeito de algumas coisas. Ainda que o limite imposto pelo pai tivesse mais a ver com suas limitações e pudores pessoais do que com alguma razão universal que impedisse Hans de saber que o sexo de sua mãe era igual ao de sua irmãzinha (o que hoje é de conhecimento de qualquer criança de dois anos), o nome de Deus conferia uma sustentação imaginária à sua autoridade e permitia que o pai estabelecesse um limite para a curiosidade do filho sem revelar suas limitações pessoais em responder a questão. Hoje, a autoridade do pai se exerce em nome de que significante Mestre?

Se o nascimento da psicanálise é tributário de um momento de relativo enfraquecimento do poder patriarcal nos países do Ocidente que se modernizavam, penso que a atual crise do sujeito da psicanálise – o que não significa seu desaparecimento – tem relação com a inconsistência das formações imaginárias que sustentam o lugar simbólico do pai como representante da Lei.

Em consequência dessa fragilidade, encontramos um número cada vez maior de famílias em que os filhos representam o único ideal dos pais. Não se trata de excesso de amor ou de expectativas depositadas sobre "sua majestade, o bebê", que Freud já constatara em 1914. O que se percebe hoje é um desdobramento da posição tradicional da criança no centro das expectativas paternas:

a infância feliz dos filhos passou a representar o único ideal dos pais. Observo uma mudança sutil, mas significativa, nos textos dos adesivos que os automóveis exibem no vidro de trás quando transportam uma criança pequena. O já tradicional aviso de "bebê a bordo", a pedir delicadeza aos outros motoristas em consideração a um recém-nascido, foi substituído por avisos personalizados que anunciam "Dani a bordo", "Teo a bordo", etc. Do enunciado genérico – deve--se respeitar a fragilidade de qualquer criança –, passamos para uma espécie de declaração de um estado de exceção, em função do caráter excepcional *desta* criança, *esta* Dani, *este* Teo. Os outros? "*Fuck the rest*", diz outro adesivo, também muito comum nos vidros traseiros dos automóveis, espaço privilegiado da propagação espontânea da ideologia.

Na clínica, escutamos com frequência pais que se dizem incapazes de recusar a satisfazer todas as demandas de seus filhos. Com frequência, são esses os mesmos pais que se sentem decaídos em relação a seus próprios ideais, ou desmoralizados frente às expectativas da família de origem, e apostam suas fichas na possibilidade de obter algum reconhecimento por meio da *performance* especial de seus filhos. São esses que poupam, por conta própria, seus filhos e filhas do conflito.

A fragilidade do pai imaginário favorece o surgimento de crises depressivas entre adolescentes não necessariamente estruturados como depressivos, assim como agrava o estado de abatimento e inapetência para a vida entre aqueles estruturalmente deprimidos. Vejamos como se dá essa relação.

A adolescência é o momento privilegiado do (re)enfrentamento edípico com o pai: momento em que meninos e meninas recém-saídos da infância haverão de reivindicar um lugar de exceção em relação à Lei, a exigir de seus pais – sobretudo do pai – posições claras em relação aos limite, muitos dos quais efetivamente podem e devem ser negociados em função do amadurecimento dos filhos. Mas é nessa passagem que muitos pais, insatisfeitos com suas próprias conquistas em relação aos ideais de gozo e de consumo que organizam o laço social, facilitam o caminho de seus filhos e os poupam, inadvertidamente, não só dessa segunda edição do conflito edípico como também de enfrentar-se com os limites que a referência paterna deveria colocar diante das transgressões adolescentes. A fragilidade dos discursos que sustentariam o *semblant* paterno propicia o recuo dos adolescentes diante dos avatares do segundo enfrentamento com as questões relativas à rivalidade edípica. Com isso, as identificações secundárias que o adolescente tenderia a fazer para "completar sua personalidade" – não apenas com o pai, mas com todo o campo de representações dos ideais e dos atributos ditos paternos – também se fragilizam, cedendo espaço tanto para a imago da mãe onipotente quanto para as identificações horizontais, com o campo "fraterno" dos semelhantes.

Diante das formações imaginárias que representam o pai desse segundo tempo do complexo de Édipo como fraco, o adolescente tem duas saídas identificatórias: tomar como traço de identificação com o pai o significante *fraco* de modo a proteger-se da fantasia incestuosa à custa de sua própria potência. Ou então, mais de acordo com os discursos circulantes em nossa época, identificar a si mesmo como um ser de exceção que, *sem pagar o preço do enfrentamento edípico com o pai*, teria triunfado sobre ele. Nos dois casos, o adolescente estará sujeito a deprimir-se. Aquele que se identifica como "tão fraco quanto meu pai" tende a recuar diante da passagem da referência familiar às referências exogâmicas e colocar-se perigosamente à mercê da proteção materna. O que imagina ter contornado a referência paterna e triunfado sobre o pai estará ainda mais sujeito à angústia primordial ante a perspectiva imaginária da realização do incesto, diante da qual o adolescente se vê tão ameaçado quanto permanentemente convocado.

Essa cumplicidade entre o imaginário social e a fantasia incestuosa inconsciente atinge de maneira severa as adolescentes. Freud não ignorou que, na fase fálica infantil, as meninas ignoram a diferença sexual e identificam-se com o pai como se fossem "homenzinhos". Ainda que a tentativa de recusar a feminilidade possa e deva ser superada com a dissolução do complexo, os traços de identificação com o pai são fundamentais para ajudar a menina a relativizar a força da primeira identificação com a mãe. Mesmo quando a menina substitui a rivalidade com o pai pela esperança de vir a ocupar o lugar da mãe, os traços de identificação paterna não deixarão de compor o perfil particular de sua feminilidade[3]. A identificação com o pai é essencial para separar a menina da identificação primitiva, fusional com a mãe. Do ponto de vista da menina, a mãe não pode cobrir todo o campo possível das identificações. A fragilidade do pai imaginário, na adolescência, faz com que algumas meninas sintam-se *desmoronar*, aniquiladas subjetivamente pela força das representações maternas.

Uma das características mais onipresentes das formas contemporâneas da alienação consiste em preencher o sem-sentido da vida com ideais de felicidade. Herdeiros do pensamento iluminista que inaugurou a modernidade, os ideais de

---

[3] Ver Sigmund Freud, "La disolución del complejo de Edipo" (1924) e "Sobre la sexualidad femenina" (1931), em *Obras completas* (trad. Luis López-Ballesteros, Madri, Biblioteca Nueva, 1976), v. III, p. 2748-51 e p. 3077-89. [Ed. bras.: "A dissolução do complexo de Édipo" e "Sexualidade feminina", em *Obras psicológicas completas*, Rio de Janeiro, Imago, 2006, v. XVII e XXI.]

felicidade emanciparam o homem da tutela rigorosa da Igreja e desafiaram o fatalismo religioso, que Walter Benjamin situou entre as causas da melancolia. Mas, à medida que o projeto moderno de emancipação foi se deslocando, do plano da transformação política e da discussão de dogmas até então incontestáveis, para o das escolhas individuais de destino e a busca de felicidade, a ideia de que o sentido da vida é dado pela felicidade provocou impasses que até hoje não se resolveram. Nesse ponto, declarar que a suposta pós-modernidade tornou obsoletos os impasses que caracterizam o período moderno me parece tão inócuo quanto declarar o fim do sujeito em função das transformações das referências que o organizam.

Os filhos tornaram-se pais de seus pais? Se as crianças têm sido entronizadas no lugar de futuros consumidores a serem mimados por todos os arautos do mercado, parece que os pais, decepcionados com o pouco que conseguiram conquistar para si, fazem da felicidade dos filhos a única razão de suas vidas. Produz-se, assim, um curto-circuito na corrente de transmissão, entre as gerações, de ideais e de significantes organizadores do campo social. Se os filhos se tornam o único ideal dos pais, o que esses teriam a lhes transmitir? Nada além de "sejam felizes" – o velho "gozem!" com que o *supereu* tortura o *eu*. Os significantes que ordenam a vida pública ficam desmoralizados por esse deslocamento da transmissão entre gerações. Agora são as crianças, o objeto mais privado de todos, que orientam as escolhas de seus pais. "Ser um bom pai" torna-se o ideal vazio de homens que não sabem nem o que é ser *pai*, nem o que é ser *bom*.

Entre as condições da vida social contemporânea que contribuem para o aumento dos casos de depressão, encontramos um número crescente de adultos que se declaram, nos consultórios de psicanálise, nas reuniões de pais promovidas pelas escolas, nos debates sobre educação infantil, não se sentirem capazes de renunciar a satisfazer permanentemente seus filhos.

Nesse contexto, a entrada na adolescência torna-se dramática para meninos e meninas a partir dos doze ou treze anos, convidados a participar de uma cena tão imaginária quanto efetiva[4], na qual o gozo do Outro tanto os seduz quanto os ameaça com todo seu potencial destrutivo. A passagem da referência familiar para as referências exogâmicas que caracterizam o período adolescente coloca os pais, até então, superprotetores e pródigos, diante da questão cada vez mais te-

---

[4] O que chamamos de "realidade social" consiste, prioritariamente, em formações imaginárias compartilhadas por certos grupos ou pela sociedade inteira. O imaginário dá consistência e estabiliza as estruturas simbólicas que ordenam a vida social.

mível: "em que mundo meu filho vai viver?" O fantasma que assombra os pais angustiados também tem efeitos sobre os adolescentes. Não é difícil entender que, no horizonte desses jovens herdeiros dos ideais de gozo de seus pais, desenha-se o cenário assustador da vida social como luta permanente de todos contra todos. A grande incidência de episódios fóbicos entre adolescentes, sobretudo os do sexo masculino, indicam que a realidade social tem sido cúmplice das fantasias perversas de recusa da castração que tendem a se intensificar nessa fase da vida.

Se o mercado é o grande organizador da vida social, os valores excludentes da vida privada sobrepõem-se aos valores que organizam o espaço público. Ser bom pai/boa mãe não significa "transmitir o melhor" para os filhos, e sim "dar tudo de bom" aos rebentos, ao que se acrescenta automaticamente: "eles merecem". O mérito não é uma conquista, é um direito (prévio) do consumidor.

"Só consigo ver nas pessoas uma ideia: quem vai levar vantagem sobre quem? Desse jeito não consigo ter amigos porque não confio em ninguém." A declaração dramática desse rapaz, a quem os pais indicaram análise porque estavam preocupados com seu crescente isolamento, resume bem a fantasia de que o outro, antes de ser um possível parceiro ou um apoio solidário para se ingressar na grande aventura da vida, é visto como uma ameaça: alguém que aguarda para "levar vantagens" tão logo ele relaxe e tente confiar em seus semelhantes.

A agressividade, para a psicanálise, participa da constituição da subjetividade. É a primeira reação à entrada do semelhante no campo narcísico da criança: a imagem do semelhante fratura o campo especular da criança e desperta hostilidade, rivalidade, ódio mortal. Mas a agressividade constitutiva da primeira experiência de individuação do sujeito deve ser transcendida com o apoio da identificação com as formas imaginárias (totêmicas, diria Freud) que representam o pai como instaurador da Lei[5]. A questão é que a norma que rege a vida social tem sido parceira do mesmo fantasma que sustenta a agressividade: ao invés de exigir dos indivíduos uma parcela de renúncia ao gozo como condição para participar do laço, a norma contemporânea exige que ninguém renuncie

---

[5] Ver Jacques Lacan, "La agresividad en psicoanálisis" (1948), em *Escritos* (trad. Tomás Segovia, Madri/México, Siglo Veintiuno, 1994), v. 1, p. 110 e p. 94-116: "Freud com efeito nos mostra que a necessidade de uma participação, que neutraliza o conflito inscrito depois do assassinato em uma situação de rivalidade entre irmãos, é o fundamento da identificação com o Totem paterno. Assim, a identificação edípica é aquela pela qual o sujeito transcende a agressividade constitutiva da primeira individuação subjetiva". [Ed. bras.: "A agressividade em psicanálise", em *Escritos*, Rio de Janeiro, Jorge Zahar, 1998.]

a nada. A fragilidade do imaginário que sustenta a função paterna inflama a fantasia de que a vida social é uma selva sem lei. Os adolescentes estão convencidos de que só os otários e os fracos recuam diante do excesso pulsional em consideração ao outro, aos outros. Os restos infantis do "complexo de intrusão", que ativa a agressividade do sujeito frente a qualquer estranho que invada seu campo narcísico, têm sido fortemente convalidados pelas condições atuais da vida em sociedade.

A popularidade da prática do *bullying* desde os primeiros anos da vida escolar é sintomática dessa mentalidade. Copiada em algumas escolas brasileiras do ambiente de rivalidade dos colégios norte-americanos, tal prática consiste em escolher a criança mais frágil da classe e humilhá-la sistematicamente. Segregação e exclusão são os grandes organizadores da vida social contemporânea. Ouvi de um psicanalista que trabalha como orientador do ensino médio em uma grande escola particular de São Paulo que, dos quarenta adolescentes encaminhados a ele por terem sofrido alguma perda importante durante o ano escolar – morte na família, separação dos pais, desemprego do pai etc. –, apenas um disse ter compartilhado suas dificuldades com o melhor amigo. Os outros preferiram isolar-se, temerosos de que o fato de "ter um problema" fosse estigmatizá-los no grupo.

O medo da rejeição e da humilhação agrava o sofrimento desses adolescentes acostumados a medir seu valor, no grupo de referência, por sua capacidade de gozar e de se divertir. Se até uma ou duas gerações atrás os adolescentes eram incentivados pelo grupo a compartilhar as razões de seu sofrimento, se os episódios de depressão ou tristeza, tão frequentes nesse período de mudança de referências, já foram encarados como sinal de sensibilidade e de maturidade – o adolescente em crise orgulhava-se de saber sofrer, de não ser mais criança –, hoje a famosa "crise da adolescência" perdeu completamente seu prestígio. A exceção são as salas de bate-papo criadas no espaço virtual da internet nas quais, protegidos pelo anonimato, os adolescentes conseguem conversar por escrito sobre as razões de suas crises. Mas nesse espaço de "apoio" virtual, um grave problema começa a surgir: os *chats* de incentivo ao suicídio. É como se, na falta de referências coletivas para compreender a dor de viver, na ausência de recursos culturais para simbolizar o sofrimento, a insegurança e o desalento que podem se agravar nessa etapa da vida, os adolescentes começassem a flertar com a ideia da morte. Sem *tempo* subjetivo para atravessar a crise, sem apoio dos pais ansiosos por medicá-los e tocar em frente, sem referências para simbolizar fragilidades, temores e perdas – em uma sociedade que só lhes devolve imagens de uma idade dourada, a idade do mais-de-gozar por excelência (quem não quer ser um eterno adolescente, nos anos 2000?) –, alguns adolescentes atônitos encaram os episódios de luto, tristeza e mesmo de depressão como se a vida já estivesse chegando ao fim da linha.

Outros dois fatores devem ser considerados para explicar o aumento dos casos de suicídios entre adolescentes. Primeiro, a associação entre o gozo e a pulsão de morte. Segundo: na falta de referências identificatórias no eixo vertical, que organiza o imaginário social a partir de um lugar paterno, os adolescentes ficam à mercê de todas as ofertas de identificações produzidas no campo horizontal. Uma reportagem da revista alemã *Der Spiegel*[6] relata que no período de um ano, na pequena cidade britânica de Bridgend, no país de Gales, dezessete adolescentes suicidaram-se, sendo que vários da mesma forma, por enforcamento. Não temos elementos para compreender o que se passou com cada um deles, mas não deixa de chamar a atenção o contágio identificatório da sucessão de suicídios iguais, motivados por razões aparentemente banais, como rupturas de namoros ou conflitos com os pais. A reportagem do *Spiegel* chama a atenção para a possibilidade de que o noticiário pela imprensa escrita e televisiva tenha contribuído para glamourizar os primeiros casos de suicídio, abrindo o caminho para os seguintes. Os adolescentes deprimidos de Bridgend teriam escolhido sair da vida para entrar, não na história, mas no telejornal da semana[7]?

A desmoralização dos significantes mestres relativos à vida pública e o consequente aumento dos casos de violência gratuita entre jovens favorecem o isolamento do depressivo. Não é incomum, na passagem da infância para a adolescência, o surgimento de sintomas fóbicos entre meninos e meninas que tentam fazer o caminho de volta, do mundo ameaçador às "formas de aconchego familiar" que preocuparam Lacan. O consultório de um analista, para muitos, representa o primeiro contato com um espaço mediado por uma instância exogâmica – a psicanálise – a partir do qual o depressivo pode começar a sublimar a imago materna,

---

[6] *Spiegel Online International*, 26/2/2008.

[7] Vale lembrar, entretanto, que o contágio por identificação, a que Freud chamou de identificações histéricas, não é um fenômeno restrito a nossa época. O sucesso do romance *Os sofrimentos do jovem Werther* (São Paulo, Martins, 2007), escrito por Goethe aos 25 anos (1774), desencadeou na Alemanha uma onda de suicídios entre leitores adolescentes e jovens, identificados com a doce melancolia do personagem. "A ti, homem bom, que sentes as mesmas angústias do desventurado Werther, possas tu encontrar alguma consolação em teus sofrimentos!" escreveu Goethe na apresentação do livro sem imaginar que, ao invés de consolo, tal apelo à identificação haveria de fazer do gesto suicida uma espécie de atestado de sensibilidade romântica. A inovação trazida pela indústria do espetáculo não se refere à existência das identificações histéricas, mas ao aperfeiçoamento dos recursos imaginários capazes de evocá-las.

de modo evitar o destino de só obter uma inscrição simbólica de seu nome – que carrega, forçosamente, o Nome-do-Pai – no túmulo.

A restauração imaginária na análise dos depressivos a que me referi no capítulo X passa pela recuperação do pai imaginário, que na novela familiar desses analisandos é sempre representado – com a cumplicidade frequente da mãe – como um pai fraco. O analista deve estar atento para as menores indicações, na fala do depressivo, que possam retificar a imagem paterna. Um desses sujeitos convencidos de que o pai "não valeu" acabou por encontrar uma foto dele, em criança, a olhar embevecido para o homem jovem e forte que lhe dava a mão: seu pai. "Eu tive esse pai", constatou.

Outro analisando, filho temporão de uma família de muitas mulheres, entrou na adolescência quando o pai já estava aposentado. Em análise, as lembranças do pai (morto há mais de uma década) giravam em torno de um homem envelhecido, "encostado" em casa enquanto a esposa ainda trabalhava. Lembrava-se também que o pai ia todos os finais de tarde ao bar encontrar os amigos, o que bastava para que a mulher o chamasse de alcoólatra. Assim ele justificava que o pai *não valeu*: era velho, encostado e alcoólatra. Aos poucos foi se dando conta de que seu imaginário estava tomado pelo discurso da mãe. Já perto do final da análise, sonhou que encontrava o pai morto e lhe perguntava: "como vai?" Ao que o pai lhe respondia: "razoável, razoável". A analista só poderia comentar: "Então você agora sabe que teve um pai razoável".

Um pai suficientemente bom para sustentar as condições de transmissão da Lei simbólica.

> [...] de qualquer modo, eu levei a vida adiante sem ter amor por meu pai e portanto sem me importar muito com a eventual existência do amor de meu pai por mim, e agora acontece que, se minha filha se obstina em meter os dedos nos meus olhos para mantê-los abertos à força, ou se eu a faço dançar sobre meus joelhos cantarolando como um cretino upa upa menininha, de repente me emerge do fundo desses quarenta anos que passaram, um pai que nunca percebi antes, que me faz saltar no seus joelhos dizendo upa upa cavalinho e em cujos olhos eu enfio meus pequenos dedos, meu Deus, até o tom de voz é idêntico [...] e assim vou descobrindo através de minha filha à medida que cresce o quanto eu pareço com meu pai, vai ver ele me amava como eu a amo, ou seja, imensamente...
>
> *Giuseppe Berto*, O mal obscuro

Paixões de segurança

> Uns tomam éter, outros cocaína.
> Eu já tomei tristeza, hoje tomo alegria.
> Tenho todos os motivos menos um de ser triste.
> Mas o cálculo das probabilidades é uma pilhéria...
>
> *Manuel Bandeira*

Em uma conferência proferida na Inglaterra em 1947[8] Jacques Lacan declarou-se atento em relação ao

> [...] desenvolvimento, que neste século crescerá, dos meios de agir sobre o psiquismo, uma manipulação combinada de imagens e paixões já utilizada com sucesso contra nosso julgamento, nossa resolução, nossa unidade moral, [que] darão ocasião para novos abusos de poder.[9]

Os "meios combinados de agir sobre o psiquismo" a que se referia Lacan me parecem coincidir com o advento da indústria cultural analisado por Theodor Adorno naquele mesmo ano do pós-guerra.

A diferença de parâmetros teóricos ente os dois autores não impediu que nos anos subsequentes, ao final da Segunda Guerra Mundial, tanto Lacan quanto Adorno tenham se mostrado atentos à eficiente manipulação da subjetividade obtida por meio dos chamados meios de comunicação de massas limitados, na época, ao cinema e ao rádio. A televisão já existia, mas sua expansão data da década de 1950. A definição dos meios de comunicação como um conjunto de *meios de agir sobre o psiquismo* se aplica ainda com mais rigor ao que veio a ocorrer nas décadas seguintes, com o advento da televisão. Observem que Lacan percebeu que a manipulação das novas mídias, combinando *imagens e paixões*, afeta as dimensões mais importantes da subjetividade.

O julgamento diz respeito à função do pensamento; a resolução diz respeito à relação do sujeito com o desejo – o sujeito *resoluto* seria aquele que não cede em seu desejo. A unidade moral, de acordo com a leitura de Marie-Hélène Brousse,

---

[8] Jacques Lacan, "La psychiatrie anglaise et la guerre", *L'Évolution psychiatrique* (Paris, Elsevier Masson, 1947), citado por Marie-Hélène Brousse, *O inconsciente é a política* (São Paulo, Escola Brasileira de Psicanálise, 2003), p. 37.

[9] Ibidem, p. 65.

não tem nada a ver com a ideia de um sujeito indiviso, nem com a integridade narcísica do *eu*, mas, bem ao contrário, com a castração. "Moral" seria aquele que não se separa de sua castração simbólica. Todas estas dimensões são efetivamente afetadas pela inflação imaginária e passional – ou, no mínimo, sentimental – que seduz, ou seja, desvia os sujeitos de sua via desejante.

Na mesma conferência de 1947, Lacan, ao referir-se aos horrores da guerra recém-terminada, disse que doravante estava comprovado que não seria dos excessos de rebeldia das multidões que deveriam advir os futuros perigos contra a humanidade: o que viria ameaçar a paz social e a resolução razoável de conflitos seria a coligação entre "as forças sombrias do *supereu* [e] os mais frouxos abandonos da consciência"[10]. Depois do holocausto, não é difícil compreender os horrores que se podem produzir a partir da gulodice, nada inocente, do *supereu*. Quanto à frouxidão da consciência – que deveria acompanhar o sujeito em sua capacidade de julgar –, essa deve ser entendida acima de tudo a partir da mobilização de paixões que aparentemente não são nada avassaladoras, mas às quais somos bastante vulneráveis, e que Lacan chamou de *paixões de segurança*.

De que segurança se trata? Que busca apaixonada de segurança viria a produzir justamente o seu oposto, uma ameaça à paz social a partir da aliança entre a crueldade do *supereu* e a frouxidão da consciência individual?

Estamos próximos da abordagem freudiana a respeito da segurança que a massa oferece aos que dela participam. Em "Psicologia de massas e análise do eu", de 1920, Freud refere-se à segurança oferecida aos que se integram às grandes formações de massas, no terreno das identificações e dos ideais. Ao identificar-se, dissolvido na multidão, com o ideal representado pelo líder, o sujeito dispensa o julgamento de sua consciência e sente-se liberado das exigências do *supereu*. O indivíduo que goza do "sentimento oceânico" de pertencer à massa busca identificar-se com um líder que se apresente como encarnação do ideal, situado como referência no eixo vertical da ordem social, o eixo dito paterno. Não é difícil presumir a aliança entre violência e subserviência que ocorre quando as "forças sombrias do *supereu*" são liberadas pela "frouxidão da consciência" promovida pelas formações de massa. Ao aderir à massa, o sujeito espera ser poupado do *duro destino de desejar*. A identificação da massa com o ideal representado pelo líder protegeria os sujeitos, um a um, da responsabilidade singular por sua via desejan-

---

[10] Ibidem, p. 38.

te, seu julgamento, sua resolução, sua unidade (moral) com a castração. Essa é a "segurança" que está em causa nesse tipo de identificações.

Lacan não foi o único pensador importante a alertar para as consequências da expansão da indústria cultural. Em 1947, Adorno e Horkheimer publicaram o importante "A indústria cultural", antes que ela atingisse seu ponto de saturação, transformando todo o Ocidente industrializado em uma sociedade do espetáculo[11]. Apesar das diferenças conceituais, no horizonte apontado pelo pensamento desses autores já se adivinhava a transformação da indústria cultural em sociedade do espetáculo.

A alienação temida por Lacan em 1947 é de uma ordem um pouco diferente da posição do sujeito na massa, no texto de Freud. A segurança oferecida pela onipresente indústria cultural não cumpre as condições necessárias para promover a mesma espécie de identificações percebida por Freud nos anos 1920. Por um lado, porque as referências oferecidas pelas imagens televisivas, publicitárias etc. situam-se no mesmo plano em que estão os sujeitos, na posição de telespectadores: o plano das relações horizontais.

Em decorrência disso, ao contrário da diferença de posições que institui um intervalo entre a massa e o líder, a torrente ininterrupta de imagens não inclui a falta – que poderia se manifestar como distância hierárquica, como tempo vazio, ou como falta de sentido pleno – a qual convoca o sujeito ao trabalho psíquico de representação até inserir-se, como personagem de sua ficção particular, entre as figuras fictícias do espetáculo. As imagens imperativas[12] e ininterruptas da indústria do espetáculo dispensam o trabalho subjetivo que articula a identificação à perda do objeto, uma vez que reduzem a zero o tempo que separa o momento da perda daquele da recuperação do objeto através da identificação imaginária. Em sua aparente diversidade, tais imagens emitem sempre os mesmos enunciados e os mesmos mandatos; a abundância de imagens não implica em diferença significativa entre elas, nem institui um intervalo vazio para que o espectador se perceba diverso da imagem que o faz gozar. Se o gozo advém da imagem, o espectador fica poupado da perda que convoca as identificações.

O que essa relação promove, então? Uma paixão de identidade? Na perspectiva de Adorno, a instauração do discurso ininterrupto e indiferenciado da indús-

---

[11] Referência ao livro de Guy Debord, *A sociedade do espetáculo* (1967) (trad. Estela dos Santos Abreu, Rio de Janeiro, Contraponto, 2006).

[12] A expressão é do dramaturgo Augusto Boal.

tria cultural produz um indivíduo ilusório, que "só é tolerado à medida que sua identidade incondicional com o universal está fora de questão"[13]. Se, para o autor, o princípio do individualismo revelou-se contraditório desde o início, a produção industrial da cultura (a cultura que, em outras circunstâncias, é o campo por excelência de expressão da alteridade e da contradição) acabou por abolir a tensão entre as "particularidades do *eu*" e as "tendências do universal"[14]. Para Adorno, a indústria cultural transformou o indivíduo em um "ser genérico": "A indústria cultural realizou maldosamente o homem como ser genérico. Cada um é tão somente aquilo mediante o que pode substituir todos os outros: ele é fungível, um mero exemplar"[15].

Ora, a aparente segurança promovida pela abolição do indivíduo, que o autor equipara à liquidação do trágico, na verdade fragiliza o sujeito. O sujeito que recua ante seu desejo afasta-se do que lhe é mais próprio. Ademais não encontra, nas ofertas identificatórias em circulação, nenhum significante que indique sua diferença, nenhuma referência que indique sua filiação simbólica. Como "mero exemplar" genérico da espécie, ele é ao mesmo tempo "todos" e ninguém. A um só tempo desamparado e desviado de sua via singular, torna-se disponível para o consumo de quaisquer novidades que se lhe apresentem como "desejo do Outro", fascinado pelo cortejo das mercadorias. Eis a raiz do coração indolente do fatalista benjaminiano.

Tal paixão de abolição da singularidade em troca de uma "identidade incondicional com o universal" seria uma paixão narcísica, muito diferente da unidade moral do sujeito com a castração simbólica. A paixão identitária seria mobilizada pela esperança de que fosse possível ao sujeito refazer a unidade primordial com o Outro, tornando-se assim idêntico a seu gozo perdido. O fato de que tal operação seja impossível não impede que seja sedutora para o neurótico.

Ora, o único traço capaz de garantir a mínima estabilidade identitária ao sujeito da psicanálise é o traço unário. Esse, paradoxalmente, não oferece o apoio de nenhuma segurança imaginária. Ele não passa do fato de existir a palavra, decisiva para o advento do sujeito e anterior a ele. O traço unário só oferece uma resposta mínima à pergunta sobre a identidade. À pergunta "quem sou?", emergência si-

---

[13] Theodor Adorno e Max Horkheimer, "A indústria cultural" em *Dialética do esclarecimento* (trad. Guido Antônio de Almeida, Rio de Janeiro, Jorge Zahar, 1969), p. 144. (Grifo meu.)

[14] Ibidem, p. 145.

[15] Ibidem, p. 136.

lenciosa daquele que ainda não é sujeito, o Outro só responde com a assertiva "tu és", sem acrescentar qualquer atributo, a indicar apenas que "a linguagem existe no real, está em curso, em circulação, e muitas coisas a propósito dele, S. em sua suposta interrogação primitiva, são desde logo pautadas pela linguagem"[16]. O traço unário é responsável pelo que o senso comum chama de "ter uma identidade", que não tem nada a ver com o conjunto de atributos adquiridos pela via das identificações. O sentimento irredutível (a não ser nas crises psicóticas) de "possuir uma identidade" corresponde simplesmente à inscrição do sujeito no terreno da linguagem. É essa inscrição singular que nos permite dizer "este(a) sou eu", de forma intransitiva, e manter essa certeza até mesmo em períodos críticos em que não nos sentimos capazes de completar essa frase com qualquer outro predicado.

Para a psicanálise, a não ser por esse traço mínimo que une o sujeito a seu lugar simbólico, a identidade é ilusória. O que não significa que a segurança (perdida) que ela representa não mobilize paixões.

A existência de dispositivos sociais capazes de produzir ilusões identitárias não é apanágio de nossa modernidade tardia. A história está repleta de episódios em que o campo aberto e plural das identificações fechou-se em torno de crenças, de totens, de seitas e outras formas de produção de certezas imaginárias movidas por fanatismo político e/ou religioso. Tais ofertas imaginárias de pertencimento, já detectadas por Freud em 1920, extraem sua força agenciadora exatamente da paixão de segurança identitária que leva o sujeito a negociar a singularidade de sua condição desejante em troca da adesão servil à causa do Outro. A diferença entre a percepção freudiana quanto à psicologia das massas e aquilo que Lacan detectou na década de 1940, e que viria a distinguir nossa época das anteriores, foi o *aperfeiçoamento de meios técnicos* capazes de recobrir quase todo o campo da vida social com a tal "manipulação de imagens e paixões".

Pode parecer contraditório que a expansão e a fragmentação das imagens difundidas por meio dos meios de comunicação promovam paixões identitárias, e não uma maior abertura das possibilidades no campo das identificações. Mas a aparente contradição teórica entre a oferta de imagens identificatórias e a segurança identitária que elas prometem não representa um impasse insolúvel. A abundância de imagens oferecidas pela expansão do cinema e da televisão, assim como por meio da proliferação dos mais variados suportes para novas mídias publici-

---

[16] Jacques Lacan, *O Seminário, livro 10: A angústia* (trad. Vera Ribeiro, Rio de Janeiro, Jorge Zahar, 2005) p. 296-7.

tárias que recobrem quase toda a face do planeta, ocupa o que venho chamando de *campo horizontal* das identificações. Esse seria o campo das identificações ditas fraternas, em oposição ao campo paterno, da transmissão geracional de ideais e experiências que representam, para os sujeitos, a possibilidade de pertencimento a uma tradição – seja familiar, regional, nacional, política, ética, religiosa etc.

Em um texto de 2000[17], reconheci o valor da expansão e da legitimação do campo das identificações horizontais na consolidação das democracias modernas. O campo horizontal constitui a esfera pública por excelência, na qual se decidem disputas de poder, negociam-se interesses conflitantes, criam-se novas soluções para os impasses da vida social, renovam-se os pactos e os contratos entre cidadãos. É claro que esse campo horizontal não dispensa a referência paterna. Por mais variadas que sejam as expressões que ele comporta, o campo horizontal, "fraterno", é organizado a partir de significantes mestres transmitidos desde a linha vertical, das tradições que sustentam a transmissão da Lei. Sua vitalidade consiste na renovação permanente desses significantes em função das necessidades de grupos sociais emergentes e dos deslocamentos que eles promovem nas instâncias de poder.

Ocorre que:

1. A agilidade, em termos tempo e espaço, que caracteriza os novos meios de comunicação favoreceu, em poucas décadas, que eles se tornassem os grandes transmissores e mediadores dos debates e disputas da esfera pública. O passo seguinte foi, como bem argumenta Eugênio Bucci[18], que a indústria do espetáculo praticamente recobriu a esfera pública, de maneira que a mediatização espetacular da vida pública substituiu as outras dimensões do debate e mesmo da ação política.

2. Em consequência disso, a esfera pública não é mais organizada nem a partir do eixo vertical (do líder político, moral ou religioso), nem a partir das práticas discursivas e dos conflitos de interesses que caracterizam o campo horizontal, das alianças e negociações com o semelhante. Nas sociedades ditas "de consumo"[19], a esfera pública

---

[17] Ver Maria Rita Kehl, "Existe a função fraterna?" e "A fratria órfã", em Maria Rita Kehl (org.) *Função fraterna* (Rio de Janeiro, Relume-Dumará, 2000).

[18] Eugênio Bucci, *Televisão objeto: a crítica e suas questões de método* (Tese de doutorado, São Paulo, ECA/USP, 2002).

[19] Vale lembrar que embora poucos tenham condições de consumir as mercadorias ofertadas, todos se encontram em condições de se identificar com as imagens delas. A "sociedade de consumo" não se caracteriza pelo fato de todos terem acesso aos bens em oferta, mas pela crença unânime de que tanto o valor da vida quanto o das pessoas se mede pela capacidade de consumir.

tem sido reduzida à dimensão do mercado. Mediatizada pelo espetáculo, a vida social passou a ser organizada prioritariamente a partir da circulação das imagens das mercadorias. A intuição de Gustav le Bon, de que "as multidões pensam por imagens"[20] encontrou na sociedade do espetáculo sua mais completa tradução.

Ora, se o campo de circulação de imagens mediado pela indústria do espetáculo englobou o próprio terreno da disputa política e das instituições do poder, isto implica que as identificações que tais imagens promovem sejam de uma ordem muito diferente das identificações aos ideais e atributos paternos que Freud encontra no centro da formação do *eu*[21].

A prioridade das ofertas de identificações com as imagens das mercadorias em detrimento das identificações com o "pai" promove o deslizamento dos processos identificatórios em direção à busca da composição de identidades. Diferentemente das problemáticas identificações com o líder e das adesões às grandes causas detectadas por Freud no período entre guerras, o desenvolvimento dos meios capazes de agir sobre o psiquismo por meio de ofertas identitárias aliou-se à miragem de autossuficiência individualista: o sujeito não é mais convocado a formar uma unidade com o líder ou com Deus, mas – o que é ainda mais complicado – consigo mesmo. Esse é o sentido da observação de Hannah Arendt, para quem a cultura de massas encerra o indivíduo diante de um espelho permanente de si mesmo[22]. "Ninguém pode mais se perder de si mesmo", escreve, na mesma perspectiva, Theodor Adorno[23]. Daí a afinidade evidente entre a sociedade do espetáculo de Débord, a cultura do narcisismo de Christopher Lasch e a hipótese sobre a melancolização do laço social, de Olivier Douville.

Observem que, ao contrário da identificação com o pai, as identificações horizontais não são matizadas por nenhuma interdição. A frase que resume a identificação com o pai é: "como o pai deve ser/como o pai *não* deve ser", uma vez que é o pai, e não a criança, que faz a lei para o desejo da mãe. Assim, a identificação no eixo vertical (paterno) introduz, necessariamente, uma

---

[20] Ver Gustave le Bon, *A psicologia das multidões* (1895) (trad. Mariana Sérvulo da Cunha, São Paulo, Martins Fontes, 2009), p. 43-4: "[A multidão] pensa por imagens, e a imagem evocada, por sua vez, evoca uma série de outras sem qualquer ligação lógica com a primeira."

[21] Sigmund Freud, "Psicología de las masas y análisis del yo" (1920-1921), em *Obras completas*, cit., cap. "La identificación" p. 2575-610.

[22] Ver Hannah Arendt, *The Human Condition* (Chicago, University of Chicago Press, 1958). [Ed. bras.: *A condição humana*, Rio de Janeiro, Forense-Universitária, 2000.]

[23] Theodor Adorno e Max Horckheimer, "A indústria cultural", cit., p. 136.

diferença que não permite a consolidação de uma identidade imaginária do sujeito com o pai. A identificação, nesse caso, deixa sempre um resto (interditado) que estabelece uma margem de incerteza, de insegurança, a respeito do *ser*. Por isso a identificação com o pai é sempre a primeira de uma série indefinida, que há de se prolongar durante toda a vida como resquício de cada nova relação afetiva do sujeito[24].

No caso das identificações horizontais, não há interdito que faça obstáculo à tentativa de compor, a partir das identificações, uma prótese de identidade. O que diferencia as identificações verticais das horizontais é que no segundo caso falta a interdição que introduza a diferença necessária entre o sujeito e o Outro paterno, ou seja, entre o S barrado e o A. Sabemos que o desejo incestuoso, de voltar a fazer Um com o Outro, não precisaria ser proibido, uma vez que sua realização é impossível. O complexo de Édipo tem por efeito transformar o impossível em proibido, o que não é tão irrelevante como pode parecer. Uma impossibilidade que não se traduz em interdição deixa o sujeito à mercê do gozo do Outro, que se traduz através do imperativo superegoico, muito mais inibidor do que se supõe: *se você pode, você deve*.

O único obstáculo à realização da paixão identitária mobilizada pelas identificações horizontais reside na impossibilidade Real do sujeito (dividido desde sua constituição) fazer *um* com o gozo perdido. Só que essa impossibilidade não se traduz, como a outra, na forma de uma interdição. Assim, não há nada que barre a esperança de que tal paixão narcísica possa se realizar, a depender de que o sujeito empreenda *"encore un effort"*... Não por acaso, o esforço referido na convocação do marquês de Sade era um esforço em direção ao gozo. Como bem observou Adorno[25], a filosofia de Sade teria antecipado o cálculo burguês a respeito do gozo. Mais de duzentos anos depois, a dívida permanente em relação às formas atuais do ideal sadeano se expressa por meio de manifestações cada vez mais violentas de intolerância frente à diferença, mobilizada pelas paixões de segurança identitária.

Daí decorre também que o sentimento de insuficiência seja a mais perfeita tradução contemporânea da velha culpa do sujeito diante dos imperativos de gozo do *supereu*, que se fazem mais rigorosos na medida em que se aliam aos

---

[24] Ver Sigmund Freud, "El ego y el id", em *Obras completas*, cit., v. III, cap. V, p. 2721-8.
[25] Theodor Adorno e Max Horkheimer, "Juliette ou esclarecimento e moral", em *Dialética do esclarecimento*, cit., p. 113-56.

significantes ordenadores da vida social. Em Freud[26], o recuo do sujeito ante o conflito que o divide e que indica a força do desejo inconsciente, resulta em inibição da ação. Convocado a fazer UM com seu gozo, o sujeito tomado pela paixão de segurança identitária paga caro por essa nova modalidade de alienação. Desgarrado das referências identificatórias que o sustentariam a partir do eixo de transmissão dito paterno, convocado a negociar sua via desejante em troca das ofertas de gozo apresentadas pelo Outro, o sujeito contemporâneo está mais propenso a deprimir-se.

A relação entre a depressão e a recusa do conflito (com o pai) explica por que a principal característica do depressivo seja a inibição. Para Alain Ehrenberg, o depressivo é visto pela sociedade como um sujeito inibido. Inibido porque, para dar provas da autossuficiência e da originalidade desse que se pretende idêntico a si mesmo (ou seja, à imagem que o Outro lhe oferece de si mesmo), o sujeito contemporâneo sente-se permanentemente convocado a agir[27]. Só que as identificações horizontais com as imagens circulantes são insuficientes para pautar sua ação. Agir em nome de quê? Em direção a quê? Movido por que desejo? Pautado por qual referência?

> À insegurança identitária soma-se então a dificuldade de agir. De fato, a psiquiatria enfatiza a noção de inibição, a qual se torna o conceito cardinal da depressão no início dos anos 1980.[...] A depressão é então, menos uma paixão triste do que uma ação insuficiente.[28]

A perspectiva de Alain Ehrenberg não dá conta da clínica psicanalítica das depressões, mas resume bem as consequências da aliança entre a psicofarmacologia e a ideologia – assim como seus efeitos sobre aqueles que, ao deprimirem-se, correm em busca de medicamentos que os tornem aptos para a ação. A depressão, do ponto de vista da vida social, expressaria a desvalorização da vida que interroga

---

[26] Sigmund Freud "Inhibición, síntoma y angustia" (1925), em *Obras completas*, cit.

[27] A necessidade de existir *em ato* é consequência também da prevalência das formações imaginárias sobre a rede simbólica, como organizadora do laço social. Dediquei-me mais detidamente a essa questão no texto "Violência do imaginário", em Eugênio Bucci e Maria Rita Kehl, *Videologias* (São Paulo, Boitempo, 2004).

[28] Alain Ehrenberg, *La fatigue d'être soi: dépression et société* (Paris, Odile Jacob, 2000), p. 37: "À l'insécurité identitaire s'ajoute alors la difficulté à agir. En effect, la psychiatrie met l'accent sur la notion d'inhibition qui devient le concept cardinal de la dépression au début des années 1980: [...] La dépression est alors moins une passion triste qu'une action insuffisante." (Grifo meu.)

seu sentido diante do espelho, em que não existe nem passado, nem futuro, nem alteridade – e se depreende a inutilidade de se realizar qualquer ação.

Que dispositivos a cultura oferece para conciliar esses dois polos do "complexo de insuficiência" do indivíduo contemporâneo: de um lado a convocação para provar seu valor *em ato* e de outro, a depressão resultante da insuficiência identitária? As propostas psiquiátricas e psicoterapêuticas entendem o deprimido como alguém que sofre de um déficit, seja de alguma substância química, seja de experiências precoces capazes de lhe conferir "autoestima". A oferta psiquiátrica de drogas que se propõem a reduzir o déficit do sujeito em relação ao ideal de si mesmo é a contrapartida científica da ordem discursiva, ideológica, que representa o depressivo como um sujeito insuficiente tanto no plano dos "empreendimentos individuais" quanto em sua capacidade de gozar.

Do outro lado, temos a psicanálise. Essa entende o depressivo, assim como todo o ser falante, como um sujeito que se deu mal na estratégia escolhida para esquivar-se de um desejo (sempre) enigmático. O psicanalista interpela o sujeito, não o corpo – ainda que a retificação subjetiva a que visa tenha efeitos sobre o funcionamento e a imagem corporais. Para a psicanálise, a medicação pode oferecer um auxílio valioso nos casos em que o deprimido não se sente em condições nem de comparecer ao consultório, nem de falar. A partir daí, o que a psicanálise oferece ao deprimido é a perspectiva de um percurso livre da pressa e da demanda do Outro – o que implica, entre outras, uma autorização para deixar de gozar. Livre dessa urgência, o analisando dispõe de um tempo distendido que caberá a ele preencher com sua fala, suas recordações, suas moções (tímidas, no início) de desejo.

Um tempo ao qual a alternância constante de presença/ausência – das sessões e do analista – lhe permitirá estabelecer um ritmo particular, um contorno pulsional, uma possibilidade de antecipação em relação ao futuro, uma oscilação suportável ou até prazerosa entre satisfação e falta.

Mas mesmo em análise, o sujeito não é o senhor soberano do tempo: a pontuação e os cortes efetuados pelo analista interferem para impedir que o analisando se instaure no tempo eternamente adiado da neurose obsessiva, na precipitação das passagens ao ato histéricas, na estagnação depressiva. O que uma análise possibilita, no dizer de Fingermann, é a passagem "do tempo perdido ao tempo encontrado"[29]. Esse reencontro é o final da análise.

---

[29] Dominique Fingermann, "O tempo de uma análise", cit., p. 33.

Não se trata, como a expressão poderia sugerir, da invasão súbita do psiquismo por reminiscências à maneira do reencontro com o *temps perdu* proustiano (que também participam de um processo de análise), e sim de um verdadeiro "tempo achado". Entendo, entretanto, que tal *achado* refere-se a uma experiência de temporalidade muito íntima do sujeito: a de dispor de um tempo livre da demanda. Se esse tempo perdido, e ao mesmo tempo próprio ao sujeito, não é reencontrado pela via da reminiscência, é porque se trata de um tempo vazio de representação. Daí que sua retomada não se dê sem certa dose da angústia que caracteriza as experiências de perda de sentido. O que se perde diante do tempo vazio é o sentido que o sujeito supõe que seus atos tenham para o Outro.

Para esse tempo achado, que o sujeito toma para si como momento oportuno (Kairós), o analisando só se torna disponível depois de se desprender da posição fantasmática que fazia de seu tempo de vida um movimento de eterno retorno às formas de sua servidão infantil.

Bibliografia

ABRAHAM, Tomás. O neoliberalismo quer ser sociável e se maquia. In: GOLDENBERG, Ricardo (org.). *Goza!* Salvador, Ágalma, 1996.
ADAM, Jacques. La mélancolie, entre renoncement et enthousiasme. In: SOLER, Colette (org.). *Des mélancolies*. Paris, Éditions du Champ Lacanien, 2001.
ADORNO, Theodor; HORKHEIMER, Max. *Dialética do esclarecimento*. Trad. Guido Antônio de Almeida, Rio de Janeiro, Jorge Zahar, 1969.
ALCIDES, Sérgio. Sob o signo da iconologia: uma exploração do livro Saturno e a melancolia, de R. Klibansky, E. Panofsky e F. Saxl. *Topoi: Revista de História*, Rio de Janeiro, 7 Letras, v. 2, n. 3, jul.-dez. 2001, p. 131-73.
ARENDT, Hannah. *Entre o passado e o futuro*. 5. ed., São Paulo, Perspectiva, 2005.
_____. *The human condition*. Chicago, The University of Chicago, 1958. [Ed. bras.: *A condição humana*, 10. ed., trad. Roberto Raposo, Rio de Janeiro, Forense-Universitária, 2000.]
ARISTÓTELES. *O homem de gênio e a melancolia*: o Problema XXX, 1. Tradução do grego, apresentação e notas de Jackie Pigeaud, tradução do francês Alexei Bueno, Rio de Janeiro, Lacerda, 1998.
BAUDELAIRE, Charles. *Oeuvres complètes*. Paris, Seuil, 1968.
BENJAMIN, Walter. Baudelaire. In: _____. *Passagens*. Belo Horizonte, UFMG, 2006.
_____. *Charles Baudelaire, um lírico no auge do capitalismo*. São Paulo, Brasiliense, 1989.

_____. O narrador: considerações sobre a obra de Nikolai Leskov (1936). In: _____. *Obras escolhidas*: magia e técnicas, arte e política. Trad. Sérgio Paulo Rouanet, São Paulo, Brasiliense, 1996.

_____. *Origem do drama barroco alemão* (1925). Trad. Sérgio Paulo Rouanet, São Paulo, Brasiliense, 1984.

_____. *Passagens*. Belo Horizonte, UFMG, 2006.

_____. Sobre o conceito de História (1940). In: _____. *Obras escolhidas*: magia e técnica, arte e política. São Paulo, Brasiliense, 1989.

BERGERET, Jean. La dépression et les états vraiment limites. In: _____. *Freud, la violence et la dépression*. Paris, PUF, 1995.

BERGON, Henri. *Duração e simultaneidade*. Trad. Claudia Berliner, São Paulo, Martins Fontes, 2006.

_____. *Matéria e memória* (1896). Trad. Paulo Neves, São Paulo, Martins Fontes, 2006.

BÍBLIA. Português. *Bíblia sagrada*. Trad. Gerardo M. M. Penido, 8. ed. autorizada, Leiria, Difusora Bíblica dos Missionários Capuchinhos de Portugal, 1978.

BOURDIEU, Pierre. *As regras da arte* (1992). Trad. Maria Lúcia Machado, São Paulo, Companhia das Letras, 1996.

BROUSSE, Marie-Hélène. O analista e o político: alcançar em seu horizonte a subjetividade de sua época. In: _____. *O inconsciente é a política*. São Paulo, EBP, 2003.

_____. *O inconsciente é a política*. São Paulo, Escola Brasileira de Psicanálise, 2003.

BRUCKNER, Pascal. *A euforia perpétua: ensaio sobre o dever da felicidade*. Trad. Rejane Janowitzer, Rio de Janeiro, Difel, 2002.

BUCCI, Eugênio. Meu pai, meus irmãos e o tempo. In: _____. MAMMI, Lorenzo; SCHWARCZ, Lilia Moritz (orgs.). *8 x Fotografia*. São Paulo, Companhia das Letras, 2008.

_____. *Televisão objeto*: a crítica e suas questões de método. Tese de doutorado, São Paulo, ECA/USP, 2002.

_____; KEHL, Maria Rita, *Videologias*. São Paulo, Boitempo, 2004.

BURTON, Robert. *Anatomie de la mélancolie* (1621). Paris, Gallimard, 2005.

CALVINO, Italo. Rapidez. In: _____. *Seis propostas para o próximo milênio*. São Paulo, Companhia das Letras, 1990.

CARVALHO, Ana Cecília de. Pulsão e simbolização: limites da escrita. In: BARTUCCI, Giovanna (org.). *Psicanálise, literatura e estéticas de subjetivação*. Rio de Janeiro, Imago, 2000.

CREWS, Frederick. Ilusões e desacertos da era Prozac. *O Estado de S.Paulo*, 2 dez. 2007.

DEBORD, Guy. *A sociedade do espetáculo* (1967). trad. Estela dos Santos Abreu, Rio de Janeiro, Contraponto, 2006.

_____. *Movemo-nos na noite sem saída e somos devorados pelo fogo*. Trad. Júlio Henriques, Lisboa, Fenda Edições, 1984.

DELOUYA, Daniel. *Depressão*. São Paulo, Casa do Psicólogo, 2000.

DELUMEAU, Jean. *A civilização do renascimento*. Lisboa, Estampa, 1984.

DEMONT, Paul. La mélancolie dans l'Antiquité: de la mélancolie au tempérament. In: CLAIR, Jean (org.). *Mélancolie: génie et folie en Occident*. Paris, Réunion des Musées Nationaux, 2005.

DIAS, Mauro Mendes. *Cadernos do seminário: neuroses e depressão*. Campinas, Instituto de Psiquiatria de Campinas, 2003, v. I e II.

DOR, Joel. *Introdução à leitura de Lacan*. Trad. Carlos Eduardo Reis, Porto Alegre, Artes Médicas, 1989.

DUNKER, Christian Ingo Lenz. *O cálculo neurótico do gozo*. São Paulo, Escuta, 2002.

EHRENBERG, Alain *La fatigue d'être soi*: dépression et société. Paris, Odile Jacob, 2000.

_____. Le sujet incertain de la dépression et l'individualité fin de siècle. In: _____. *La fatigue d'être soi*: dépression et société. Paris, Odile Jacob, 2000.

EKSTEINS, Modris. *A sagração da primavera*. Trad. Rosaura Eichenberg, Rio de Janeiro, Rocco, 1991.

ELIAS, Norbert. *La société des individus*. Paris, Fayard, 1991.

_____. *O processo civilizador*. Trad. Ruy Jungman, Rio de Janeiro, Jorge Zahar, 1978.

FÉDIDA, Pierre. *Os benefícios da depressão*: elogio da psicoterapia. Trad. Martha Gambini, São Paulo, Escuta, 2002.

_____. *Depressão*. São Paulo, Escuta, 1999.

_____. Mortos desapercebidos e O sonho e a obra de sepultura. In: _____. *Dos benefícios da depressão*: elogio da psicoterapia. Trad. Martha Gambini, São Paulo, Escuta, 2002.

_____. O vazio da metáfora e o tempo do intervalo. In: _____. *Depressão*. Trad. Martha Gambini, São Paulo, Escuta, 1999.

FIGUEIREDO, Luís Cláudio. O caso-limite e as sabotagens do prazer. In: _____. *Elementos para a clínica contemporânea*. São Paulo, Escuta, 2003.

FINGERMANN, Dominique; DIAS, Mauro Mendes. *Por causa do pior*. São Paulo, Iluminuras, 2005.

FLAUBERT, Gustave. *La tentation de Saint Antoine*. Paris, Gallimard, 1983.

FONTENELLE, Isleide A. Coolhunters: pesquisa de mercado de "tendências culturais" e transformações na comunicação mercadológica contemporânea. In: BARROS FILHO, Clóvis et al. (org.). *Bravo mundo novo*: Novas configurações da comunicação e do consumo. 1. ed. São Paulo: Alameda, 2009, v. 1, p. 17-42.

_____. Humanidade espetacular: emancipação ou autodestruição virtual? *Margem Esquerda*, v. 4, p. 163-174, 2004.

FOUCAULT, Michel. *As palavras e as coisas*. São Paulo, Martins Fontes, 2007.

FREUD, Sigmund (1909). "Analisis de un caso de neurosis obsesiva (caso 'El hombre de las ratas')". In: _____. *Obras completas*. Trad. Jose Luis López-Ballesteros, Madri, Biblioteca Nueva, 1976, v. II, p. 1441-86. [Ed. bras.: "Notas sobre um caso de neurose obsessiva: o homem dos ratos", em *Obras psicológicas completas*, Rio de Janeiro, Imago, 2006, v. X.]

_____. "El *block* maravilloso" (1924). In: _____. *Obras completas*. Trad. Jose Luis López-Ballesteros, Madri, Biblioteca Nueva, 1976, v. III, p. 2808-11. [Ed. bras.: "Uma nota sobre o bloco mágico", em *Obras psicológicas completas*, Rio de Janeiro, Imago, 2006, v. XII.]

_____. "El chiste y su relación con lo inconsciente" (1905). In: _____. *Obras completas*. Trad. Jose Luis López-Ballesteros, Madri, Biblioteca Nueva, 1976, v. I, p. 1029-167. [Ed. bras.: "Os chistes e sua relação com o inconsciente", em *Obras psicológicas completas*, Rio de Janeiro, Imago, 2006, v. VIII.]

_____. "La disolución del complejo de Edipo" (1924) e "Sobre la sexualidad femenina" (1931). In: _____. *Obras completas*. Trad. Luis López-Ballesteros, Madri, Biblioteca Nueva, 1976, v. III, p. 2748-51 e p. 3077-89. [Ed. bras.: "A dissolução do complexo de Édipo" e "Sexualidade feminina", em *Obras psicológicas completas*, Rio de Janeiro, Imago, 2006, v. XVII e XXI.]

_____. "Los dos principios del funcionamiento mental" (1921). In: _____. *Obras completas*. Trad. Jose Luis López-Ballesteros, Madri, Biblioteca Nueva, 1976, v. II, p. 1638-42. [Ed. bras.: "Formulações sobre os dois princípios do funcionamento mental", em *Obras psicológicas completas*, Rio de Janeiro, Imago, 2006, v. XII.]

_____. "Duelo y melancolía" (1915). In: _____. *Obras completas*. Trad. Jose Luis López-Ballesteros, Madri, Biblioteca Nueva, 1976), v. II, p. 2091. [Ed. bras.: "Luto e melancolia", em *Obras psicológicas completas*, Rio de Janeiro, Imago, 2006, v. XIV.]

_____. "El ego y el id" (1923). In: _____. *Obras completas*. Trad. Jose Luis López-Ballesteros, Madri, Biblioteca Nueva, 1976, v. III, p. 2714 e p. 2701--28. [Ed. bras.: "O ego e o id", em *Obras psicológicas completas*, Rio de Janeiro, Imago, 2006, v. XIX.]

_____. "El futuro de una ilusión" (1927). In: _____. *Obras completas*. Trad. Jose Luis López-Ballesteros, Madri, Biblioteca Nueva, 1976, v. III, p. 2961--92. [Ed. bras.: "O futuro de uma ilusão", em *Obras psicológicas completas*, Rio de Janeiro, Imago, 2006, v. XXI.]

_____. "Lo inconsciente" (1915). In: _____. *Obras completas*. Trad. Jose Luis López-Ballesteros, Madri, Biblioteca Nueva, 1976, v. II, p. 2061. [Ed. bras.: "O inconsciente", em *Obras psicológicas completas*, Rio de Janeiro, Imago, 2006, v. XIV.]

_____. "Inhibición, sintoma y angustia" (1925). In: _____. *Obras completas*. Trad. Jose Luis López-Ballesteros, Madri, Biblioteca Nueva, 1976, v. III, p. 2835 e p. 2833-83. [Ed. bras.: "Inibições, sintomas e ansiedade", em *Obras psicológicas completas*. Trad. Jose Luis López-Ballesteros, Madri, Biblioteca Nueva, 1976, v. XXI.]

_____. "La interpretación de los sueños" (1900). In: _____. *Obras completas*. Trad. Luis López-Ballesteros, Madri, Biblioteca Nueva, 1976, v. I, p. 343-720. [Ed. bras.: "A interpretação dos sonhos", em *Obras psicológicas completas*, Rio de Janeiro, Imago, 2006, v. IV e V.]

_____. "Introducción al narcisismo" (1914). In: _____. *Obras completas*. Trad. Jose Luis López-Ballesteros, Madri, Biblioteca Nueva, 1976, v. III [Ed. bras.: "Sobre o narcisismo: uma introdução", em *Obras psicológicas completas*, Rio de Janeiro, Imago, 2006, v. XIV.]

_____. "Más allá del principio del placer" (1920). In: _____. *Obras completas*. Trad. Jose Luis López-Ballesteros, Madri, Biblioteca Nueva, 1976, v. III. [Ed. bras.: "Além do princípio do prazer", em *Obras psicológicas completas*, Rio de Janeiro, Imago, 2006, v. XVIII.]

_____. "Neurosis y psicosis" (1924). In: _____. *Obras completas*. Trad. Jose Luis López-Ballesteros, Madri, Biblioteca Nueva, 1976, v. III, p. 2742-4. [Ed. bras.: "Neurose e psicose", em *Obras psicológicas completas*, Rio de Janeiro, Imago, 2006, v. XIX.]

_____. "Los origenes del psicoanálisis". In: _____. *Obras completas*. Trad. Jose Luis López-Ballesteros, Madri, Biblioteca Nueva, 1976, v. III, p. 3552 e p. 3551-6, carta n. 52 a Fliess, 6/12/1896. [Ed. bras.: "Extratos de documentos dirigidos a Fliess: carta 52", em *Obras psicológicas completas*, Rio de Janeiro, Imago, 2006, v. I.]

_____. "Pegan a un niño" (1919). In: _____. *Obras completas*. Trad. Jose Luis López-Ballesteros, Madri, Biblioteca Nueva, 1976, v. III, p. 2463-80. [Ed. bras.: "Uma criança é espancada", em *Obras psicológicas completas*, Rio de Janeiro, Imago, 2006, v. XVII.]

_____. "La pérdida de la realidad en la neurosis y en la psicosis" (1923-1924). In: _____. *Obras completas*. Trad. Jose Luis López-Ballesteros, Madri, Biblioteca Nueva, 1976, v. III, p. 2742-47. [Ed. bras.: "A perda da realidade na neurose e na psicose", em *Obras psicológicas completas*, Rio de Janeiro, Imago, 2006, v. XIX.]

_____. "Proyecto de una psicologia para neurologos". In: _____. *Obras completas*. Trad. Jose Luis López-Ballesteros, Madri, Biblioteca Nueva, 1976, v. I, p. 215 e p. 210-85. [Ed. bras.: "Projeto para uma psicologia científica", em *Obras psicológicas completas*, cit. v. I.]

_____. "Psicologia de las masas y análisis del yo" (1920-1921). In: _____. *Obras completas*. Trad. Jose Luis López-Ballesteros, Madri, Biblioteca Nueva, 1976, v. III, p. 2586 e p. 2563-618. [Ed. bras.: "Psicologia de grupo e a análise do ego", em *Obras psicológicas completas*, Rio de Janeiro, Imago, 2006, v. XVIII.]

_____. "La psicologia de masas y el análisis del yo" (1920-1921). In: _____. *Obras completas*, cit., p. 2585. [Ed. bras.: "Psicologia de grupo e análise do ego", em *Obras psicológicas completas*, Rio de Janeiro, Imago, 2006, v. XVIII.]

_____. "Los que fracasan al triunfar" (1916). In: _____. *Obras completas*, cit., v. II, p. 2416-26. [Ed. bras.: "Alguns tipos de caráter encontrados no trabalho psicanalítico: os que fracassam ao triunfar", em *Obras psicológicas completas*, Rio de Janeiro, Imago, 2006, v. XIV.]

_____. "Lo siniestro" (*Das Unheimliche*) (1919). In: _____. *Obras completas*. Trad. Jose Luis López-Ballesteros, Madri, Biblioteca Nueva, 1976, v. III, p. 2487; referência à definição de Schelling. [Ed. bras.: "O sinistro", em *Obras completas*, Rio de Janeiro, Imago, 2006, v. XV.]

_____. "Tótem y tabú" (1913-1914). In: _____. *Obras completas*. Trad. Jose Luis López-Ballesteros, Madri, Biblioteca Nueva, 1976, v. II, p. 1745-850;

no capítulo II, "El tabú y la ambivalencia de los sentimientos". [Ed. bras.: "Totem e tabu", em *Obras psicológicas completas*, Rio de Janeiro, Imago, 2006, v. XIII.]

FUCHS, Paul. *Supplément Littéraire, Le Figaro*, Paris, 1925.

GAGNEBIN, Jeanne Marie. Após Auschwitz. In: _____. *Lembrar escrever esquecer*. São Paulo, Editora 34, 2006.

GODOY, Denise. EUA veem surto de jovens tratados por transtorno bipolar. *Folha de S.Paulo*, 5/9/2007, Caderno Mundo, p. A15.

GOETHE, Johann Wolfgang von. *Fausto*. Trad. Jenny Klabin Segal, São Paulo, Editora 34, 2004.

_____. *Os sofrimentos do jovem* Werther. São Paulo, Martins, 2007.

GOLDENBERG, Ricardo (org.). *Goza!* Salvador, Ágalma, 1996.

GOUREVITCH, Aaron Yakovlévitch. O tempo como problema de história cultural. In: RICOEUR, Paul (org.). *As culturas e o tempo*. Trad. Gentil Titton et al., Petrópolis/São Paulo, Vozes/Edusp, 1975.

GRANGER, Bernard. Les Français n'ont jamais autant consommé d'antidépresseurs. In: _____. *La dépression*. Paris, Le Cavalier Bleu, 2006, col. Idées Reçues.

GREEN, André. A mãe morta. In: _____. *Narcisismo de vida; narcisismo de morte*. Trad. Claudia Berliner, São Paulo, Escuta, 1988.

HANS, Barbara. String of Teenage Suicides in Wales: Do you feel like shit? *Spiegel Online International*, 26/2/2008. Disponível em: <www.spiegel.de/international/europe/string-of-teenage-suicides-in-wales-do-you-feel-like-shit-a-537943.html >. Acesso em: 16 out. 2015.

HARRIS, Gardiner. Hipermedicação de crianças alarma os EUA. *Folha de S.Paulo*, p. A32, 26 nov. 2006.

HEALY, David. *Let them eat Prozac*: the unhealthy relationship between the pharmaceutical industry and depression. Nova York, Universidade de Nova York, 2004.

HELLER, Agnes. *O cotidiano e a história* [1970]. Trad. Carlos Nelson Coutinho e Leandro Konder, Rio de Janeiro, Paz e Terra, 1972.

_____. *O homem do renascimento*. Lisboa, Presença, 1982.

HORNSTEIN, Luis. *Las depressiones*: afectos y humores del vivir. Buenos Aires, Paidós, 2006.

JAMESON, Frederic. *O inconsciente político*: a narrativa como ato socialmente simbólico. Trad. Valter Lellis Siqueira, São Paulo, Ática, 1992.

JAPPE, Anselm. O reino da contemplação passiva. In: NOVAES, Adauto (org.). *Muito além do espetáculo*. São Paulo, Senac, 2005.

JULIEN, François. *Do "tempo"*: elementos para uma filosofia do viver. Trad. Maria das Graças de Souza, São Paulo, Discurso, 2004.

KEHL, Maria Rita. O apego ao dano nos obsessivos. In: _____. *Ressentimento*. São Paulo, Casa do Psicólogo, 2004.

_____. *Deslocamentos do feminino*. 2. ed., Rio de Janeiro, Imago, 2008.

_____. Existe a função fraterna? e A fratria órfã. In: Maria Rita Kehl (org.). *Função fraterna*. Rio de Janeiro, Relume-Dumará, 2000.

_____. A necessidade da neurose obsessiva. In: Associação Psicanalítica de Porto Alegre (org.), *A necessidade da neurose obsessiva*. Porto Alegre, APPOA, 2003.

_____. O pai antes do Édipo. *Viver, mente & cérebro: a mente do bebê – constituição psíquica e universo simbólico*, São Paulo, Duetto, 2º sem. 2006, p. 36-40.

_____. Prefácio. In: Associação Psicanalítica de Porto Alegre (org.). *A necessidade da neurose obsessiva*. Porto Alegre, APPOA, 2003.

_____. O ressentimento na política. In: _____. *Ressentimento*. São Paulo, Casa do Psicólogo, 2004.

_____. *Sobre ética e psicanálise*. São Paulo, Companhia das Letras, 2002.

KLEIN, Melanie. *Inveja e gratidão* (1957). Trad. José Octavio de Aguiar Abreu, Rio de Janeiro, Imago, 1974.

KLIBANSKY, Raymond; PANOFSKY, Erwin; SAXL, Fritz. *Saturne et la mélancolie, études historiques et philosophiques*: nature, religion, médecine et art (1964). Trad. Fabienne Durand-Bogaert e Louis Evrard, Paris, Gallimard, 1989.

KRISTEVA, Julia. *O sol negro*: depressão e melancolia. Rio de Janeiro, Rocco, 1989.

LACAN, Jacques. "La agresividad en psicoanálisis" (1948). In: _____. *Escritos*. Trad. Tomás Segovia, Madri/México, Siglo Veintiuno, 1994, v. I. [Ed. bras.: "A agressividade em psicanálise", em *Escritos*, Rio de Janeiro, Jorge Zahar, 1998.]

_____. O complexo de desmame. In: _____. *Os complexos familiares* (1938). Trad. de Marco Antonio Coutinho Jorge e Potiguara Mendes da Silveira Júnior, Rio de Janeiro, Jorge Zahar, 1987.

_____. *Escritos*. Trad. Tomás Segovia, Madri/México, Siglo Veintiuno, 1994. [Ed. bras.: *Escritos*, Rio de Janeiro, Jorge Zahar, 1998.]

_____. "Función y campo de la palabra y del lenguaje en psicoanálisis" (1953). In: _____. *Escritos*. Trad. Tomás Segovia, Madri/México, Siglo Veintiuno, 1994, v. I, p. 248. [Ed. bras.: *Escritos*, Rio de Janeiro, Jorge Zahar, 1998.]

_____. "La instancia de la letra en el inconsciente o la razón desde Freud". In: _____. *Escritos*. Trad. Tomás Segovia, Madri/México, Siglo Veintiuno, 1994, v. I, p. 473-509. [Ed. bras.: "A instância e a letra", em *Escritos*, Rio de Janeiro, Jorge Zahar, 1998.]

_____. Introdução aos Nomes-do-Pai (1973). In: _____. *Nomes-do-Pai*. Trad. André Telles, Rio de Janeiro, Jorge Zahar, 2005.

_____. "Kant con Sade". In: _____. *Escritos*. Trad. Tomás Segovia, Madri/ México, Siglo Veintiuno, 1994, v. II, p. 744-72. [Ed. bras.: "Kant com Sade", em *Escritos*, Rio de Janeiro, Jorge Zahar, 1998.]

_____. *Os quatro conceitos fundamentais da psicanálise*. Rio de Janeiro, Jorge Zahar, 1964.

_____. *O Seminário, livro 4*: A relação de objeto. Trad. Dulce Duque Estrada, Rio de Janeiro, Jorge Zahar, 1995.

_____. *O Seminário, livro 7*: A ética da psicanálise (1959-1960). Trad. Antonio Quinet, Rio de Janeiro, Jorge Zahar, 1988.

_____. *O Seminário, livro 9*: A identificação. Recife, Centro de Estudos Freudianos de Recife, 2003. Publicação não comercial.

_____. *O Seminário, livro 10*: A angústia. Trad. Vera Ribeiro, Rio de Janeiro, Jorge Zahar, 2005.

_____. *O Seminário, livro 17*: O avesso da psicanálise (1960-1970). Versão de Ary Roitman sobre texto estabelecido por Jacques-Alain Miller. Rio de Janeiro, Jorge Zahar, 1992.

_____. *O Seminário, livro 20*: Mais, ainda (1972-1973). 2. ed., trad. M. D. Magno, Rio de Janeiro, Jorge Zahar, 1985.

_____. *Télévision*. Paris, Seuil, 1973. [Ed. bras.: *Televisão*, Rio de Janeiro, Jorge Zahar, 1993.]

_____. El tiempo lógico y el aserto de certitumbre anticipada: un nuevo sofisma (1945). In: _____. *Escritos*. Madri, Siglo Veintiuno, 1994, v. I, p. 187-203. [Ed. bras.: "O tempo lógico e a asserção de certeza antecipada", em *Escritos*, Rio de Janeiro, Jorge Zahar, 1998.]

LALANDE, André. *Vocabulário técnico e crítico de filosofia*. Trad. Fátima Sá Correia, São Paulo, Martins Fontes, 1999.

LAMBOTTE, Marie-Claude. A deserção do Outro. In: _____. *A clínica da melancolia e as depressões*. Porto Alegre, APPOA, 2001.

_____. *O discurso melancólico*. Trad. Sandra Regina Felgueiras, Rio de Janeiro, Companhia de Freud, 1997.

_____. *Estética da melancolia*. Rio de Janeiro, Companhia de Freud, 2000.
LANGENSCHEIDT. *Taschenwörtebucher*. Berlim, Langenscheidt, 1990.
LAUAND, Jean. O pecado capital da acídia na análise de Tomás de Aquino. In: Seminário internacional: os pecados capitais na Idade Média. *Caderno de Resumos*, Porto Alegre, UFRGS, 2004.
LAURANCE, Jeremy. Estudo aponta que antidepressivos têm baixa eficácia. *Folha de S.Paulo*, 26 fev. 2008.
LAZNIK-PENOT, Marie-Christine. *Voz da sereia*. Salvador, Agalma, 2004.
LE BON, Gustave. *A psicologia das multidões* (1895). Trad. Mariana Sérvulo da Cunha, São Paulo, Martins Fontes, 2009.
LE LAY, Patrick. Discurso de despedida do cargo de diretor do canal de televisão francês TF1. *Agence France-Presse* online, 9 maio 2008.
LÉVI-STRAUSS, Claude. A eficácia simbólica (1949). In: _____. *Antropologia estrutural*. Trad. Chaim Samuel Katz e Eginardo Pires, Rio de Janeiro, Tempo Brasileiro, 1975.
LIMA, Luiz Costa. *Os limites da voz*: Montaigne, Schlegel. Rio de Janeiro, Rocco, 1993.
LOMBARDI, Gabriel. La cita y el encuentro. *Anais do Congresso "Os tempos do sujeito do inconsciente: a psicanálise no seu tempo e o tempo na psicanálise"*. São Paulo, Escola de Psicanálise dos Fóruns do Campo Lacaniano, mimeo, jul. 2008.
LÖWY, Michael. *Walter Benjamin*: aviso de incêndio – uma leitura das teses "Sobre o conceito de história". São Paulo, Boitempo, 2005.
LYOTARD, Jean-François. *Pós-moderno*. Trad. Ricardo Correia Barbosa, Rio de Janeiro, José Olympio, 1986.
MARTINEZ, Chris. Uma indústria do bem-estar. *Valor Econômico*, São Paulo, 7 dez. 2007.
MARX, Karl. A mercadoria. In: _____. *O capital*. Trad. Reginaldo Sant'Anna, Rio de Janeiro, Civilização Brasileira, 1968.
MELVILLE, Herman. *Bartleby, o escrivão*: uma história de Wall Street. Trad. Irene Hirsch, São Paulo, Cosac Naify, 2007.
MENEZES, Paulo Rossi; NASCIMENTO, Andréia F. Epidemiologia das depressões nas diversas fases da vida. In: LAFER, Beny et al. *Depressão no ciclo da vida*. Porto Alegre, Artes Médicas, 2000.
MORAES, Cátia. *Eu tomo antidepressivos, graças a Deus!* Pacientes e médicos desmistificam o tratamento psiquiátrico. Rio de Janeiro, Best Seller, 2008.

NASIO, Juan-David. *Como um psicanalista trabalha*. Rio de Janeiro, Jorge Zahar, 1998.

_____. *O livro do amor e da dor*. Rio de Janeiro, Jorge Zahar, 2005.

PASCAL, Blaise. Divertissements. In: _____. *Pensées*. Paris, Librairie Générale Française, 2000.

PELBART, Peter Pál. O tempo não reconciliado. In: KATZ, Chaim S. (org.). *Temporalidade e psicanálise*. Petrópolis, Vozes, 1995.

_____. *O tempo não reconciliado*. São Paulo, Fapesp/Perspectiva, 1998.

PONTALIS, Jean-Bertrand. *Ce temps qui ne passe pas*. Paris, Gallimard, 1997.

PORTO, José Alberto Del. Conceito de depressão e seus limites. In: LAFER, Beny et al. *Depressão no ciclo da vida*. Porto Alegre, Artes Médicas, 2000.

QUINET, Antonio. La mélancolie selon les classiques. In: SOLER, Colette (org.). *Des mélancolies*. Paris, Éditions du Champ Lacanien, 2001.

_____. *Psicose e laço social*: esquizofrenia, paranoia e melancolia. Rio de Janeiro, Jorge Zahar, 2006.

_____. Que tempo para a análise? In: _____. *As 4+1 condições da análise*. Rio de Janeiro, Jorge Zahar, 2002.

ROUDINESCO, Elisabeth. *Por que a psicanálise?* Rio de Janeiro, Jorge Zahar, 2000.

SAFATLE, Vladimir. *Folha explica Lacan*. São Paulo, Publifolha, 2007.

SCHLEGEL, Friedrich. *Conversa sobre a poesia e outros fragmentos*. Ed. bil., trad. Victor-Pierre Stirnimann, São Paulo, Iluminuras, 1994.

SCHUSTER, Peter-Klaus. Melencolia I, Dürer et sa postérité. In : CLAIR, Jean. *Mélancolie*: folie et génie en Occident. Paris, Gallimard, 2005.

SELIGMANN-SILVA, Márcio. Literatura e trauma: um novo paradigma. In: _____. *O local da diferença*. São Paulo, Editora 34, 2006.

SILVA, Rômulo Ferreira da. Comentário à Conferência 2. In: CERVELATTI, Carmen Silvia (org.). *O inconsciente é a política*. São Paulo, EBP, 2003.

SILVESTRE, Danièle. L'obligation au bonheur. In: SOLER, Colette (org.). *Des mélancolies*. Paris, Éditions du Champ Lacanien, 2001.

SOLER, Colette. *Des mélancolies*. Paris, Éditions du Champ Lacanien, 2001.

_____. Un plus de mélancolie. In: _____ (org.). *Des mélancolies*. Paris, Éditions du Champ Lacanien, 2001.

_____. Le temps pas logique. *Anais do Congresso "Os tempos do sujeito do inconsciente"*: a psicanálise no seu tempo e o tempo na psicanálise. São Paulo, Escola de Psicanálise dos Fóruns do Campo Lacaniano, mimeo, jul. 2008.

SOLOMON, Andrew. *O demônio do meio-dia*: uma anatomia da depressão. Trad. Myriam Campello, Rio de Janeiro, Objetiva, 2002.

SONTAG, Susan. Uma cultura e a nova sensibilidade. In: _____. *Contra a interpretação*. São Paulo, Companhia das Letras, 1987.

STAROBINSKY, Jean. La mélancolie au jardin des racines grecques. *Les collections du Magazine Littéraire: Les écrivains et la mélancolie – mal de vivre, spleen et dépression d'Homère à Philip Roth*, Paris, hors-série, n. 8, out.-nov. 2005, p. 39-45.

STYRON, William. *Perto das trevas*. 2. ed., Rio de Janeiro, Rocco, 2000.

TAVARES, Gonçalo M. *Jerusalém*. São Paulo, Companhia das Letras, 2006.

TODOROV, Tzvetan. *O homem desenraizado*. Trad. Christina Cabo, Rio de Janeiro, Record, 1999.

VIRILIO, Paul. *Velocidade e política*. Trad. Celso Mauro Paciornik, São Paulo, Estação Liberdade, 1996.

VIVIANI, Alejandro. Algumas palavras. *Textura, revista de psicanálise*, São Paulo, Publicação das Reuniões Psicanalíticas, ano 6, n. 6, 2006.

WINNICOTT, Donald W. *O brincar e a realidade*. trad. José Octávio de Aguiar Abreu e Vaneide Nobre, Rio de Janeiro, Imago, 1975.

_____. O valor da depressão. In: _____. *Tudo começa em casa*. São Paulo, Martins Fontes, 2005.

ŽIŽEK, Slavoj. *Bem-vindo ao deserto do Real!*. São Paulo, Boitempo, 2003.

Sobre a autora

Maria Rita Kehl é brasileira, nascida em Campinas (SP), mãe de Luan e Ana. Foi jornalista entre 1974 e 1981 e segue publicando artigos em diversos jornais e revistas de São Paulo e do Rio de Janeiro. Editou a seção de cultura nos jornais *Movimento* e *Em Tempo*, periódicos de oposição à ditadura militar. Doutora em psicanálise pela Pontifícia Universidade Católica de São Paulo (PUC-SP), atua desde 1981 como psicanalista em clínica de adultos em São Paulo e, desde 2006, na Escola Nacional Florestan Fernandes (ENFF), do Movimento dos Trabalhadores Rurais Sem Terra (MST), em Guararema (SP). Em 2010, ganhou o prêmio Jabuti na categoria Livro do Ano de Não Ficção, com esta obra. Também é autora dos seguintes livros, entre outros:

A fratria órfã: conversas sobre a juventude (São Paulo, Olho d'Água, 2008).

Videologias (São Paulo, Boitempo, 2004 – em coautoria com Eugênio Bucci).

Sobre ética e psicanálise (São Paulo, Companhia das Letras, 2002).

18 crônicas e mais algumas (São Paulo, Boitempo, 2011).

Deslocamentos do feminino (2. ed., São Paulo, Boitempo, 2016 – Tese de Doutoramento).

Ressentimento (São Paulo, Boitempo, 2020).

Melencolia I, 1514, xilogravura.

Publicada em 2015, 501 anos após o mestre renascentista alemão Albrecht Dürer (1471-1528) ter imortalizado a melancolia em sua mais célebre gravura, esta segunda edição de *O tempo e o cão* foi composta em Adobe Garamond, corpo 11/14,4, e reimpressa em papel Pólen Natural 70 g/m² pela gráfica Rettec, para a Boitempo, em outubro de 2024, com tiragem de 2 mil exemplares.